DE BRAND

Van Iris Johansen zijn verschenen:

Lelijk eendje*
Ver na middernacht*
Het laatste uur*
Gezicht van de dood*
Dodelijk spel*
De speurtocht*
De winddanser*
Een kern van leugens*
Verraderlijke trouw*
De schok*
De vloed
De brand

*In POEMA-POCKET verschenen

Iris Johansen

De brand

SIJTHOFF

© 2004 by Johansen Publishing LLLP
All rights reserved
© 2005 Nederlandse vertaling
Uitgeverij Luitingh ~ Sijthoff B.V., Amsterdam
Alle rechten voorbehouden
Oorspronkelijke titel: *Firestorm*
Vertaling: Hedi de Zanger
Omslagontwerp: Studio Jan de Boer
Omslagfotografie: Getty Images

ISBN 90 245 5133 1
NUR 332

www.boekenwereld.com

Ze kreeg geen lucht!

'Mama!'

'Ik ben hier, schat.' Ze trok Kerry in haar armen. 'Ik doe deze doek voor je gezicht. Niet tegenstribbelen.'

Mama hoestte en Kerry verstond haar nauwelijks door het geknetter.

Geknetter?

Brand! De vlammen flakkerden in de gordijnen.

'Niets aan de hand, Kerry. Over een paar minuten zijn we hier weg.' Mama liep naar de slaapkamerdeur. 'Probeer niet te diep in te ademen.'

'Papa!'

'Die is niet thuis, weet je nog? Maar wij kunnen dit samen aan. We zijn een span.' Ze opende de deur en deed onwillekeurig een pas naar achteren toen de zwarte rook de kamer binnen blies. 'Lieve God.' Ze zette zich schrap en stormde de overloop op.

Overal vlammen. Opkruipend langs de muren, hongerig likkend aan de spijlen van de trap.

Haar moeder huilde. De tranen rolden over haar met roet besmeurde wangen toen ze de trap afrende.

Niet huilen. Niet huilen, mama.

Haar moeder was al in de hal toen ze ineens struikelde en voorover klapte.

Vallen. Opkrabbelen. Pijn.

Waar was mama?

Ze zag haar niet in de rokerige duisternis.

'Mama!'

'Ga door, Kerry. Als het goed is ben je vlak bij de deur. Ga naar buiten en zoek iemand die ons kan helpen.'

'Nee, ik ga niet.' Ze snikte, jammerde. 'Waar ben je?'

'Vlak achter je. Mijn been doet een beetje pijn. Nu wil ik dat je naar me luistert. Hup, rennen!'

Ze klonk zo gebiedend dat Kerry opsprong en naar de deur rende.

Frisse koude lucht.

Zoek iemand. Zoek iemand om mama te helpen.

Ze gleed uit op de gladde trap en viel op de stoep.

Zoek iemand.

Aan de overkant van de straat stond een man onder een lantarenpaal.

Ze kroop overeind en rende naar hem toe. 'Help. Brand. Mama...'

Hij draaide zich om en liep weg. Hij had haar vast niet gehoord. Ze rende hem achterna. 'Alstublieft. Mama zei dat ik...' Hij draaide zich om en ze keek op in het gezicht dat schaduwachtig verlicht werd door de flikkerende vlammen.

Ze gilde.

'Sst, rustig maar. Er is niets meer aan te doen.' Hij hief zijn hand en ze zag iets van metaal glinsteren in zijn vuist. Een pistool? Hij liet het neerkomen op haar hoofd.

De nacht explodeerde.

I

Oakbrook
Washington, D.C.
'Hier is het laatste woord nog niet over gesproken, Brad.' Cameron Devers' lippen knepen zich geërgerd samen. 'Ik ben niet van plan vanaf de zijlijn toe te zien hoe jij je capaciteiten verspilt aan het werken met die verdomde idioten. Je bent een van de meest briljante mannen die ik ken en er ligt hier werk voor je.'
'Zodat je een oogje op me kunt houden?' Brad grijnsde terwijl hij zich lui onderuit liet zakken in zijn stoel en zijn benen strekte. 'Je zou niets aan me hebben. Ik ben een hopeloos geval.'
'Alleen maar omdat je daar behagen in schept. En het is niet goed voor je. Je werkt jezelf over de kop. Moet je jezelf nu eens zien. Je bent mager geworden sinds de laatste keer dat ik je zag.'
'Een beetje maar. Ik heb vier zware maanden achter de rug.'
'Stop er dan mee en kom voor mij werken.'
'En dan? Als ik ook maar een beetje te dicht bij je in de buurt kom, zal de pers op den duur onze verwantschap uitvlooien. Bovendien ben ik niet te vertrouwen. Als ik op het verkeerde moment kwaad word en mijn mond opendoe, zet ik daarmee je hele politieke carrière op het spel.' Zijn glimlach verdween. 'Ik heb je in de afgelopen jaren al een hoop kwaad berokkend, maar dat zal ik niet laten gebeuren.'
'Ik waag de gok. Ik heb twaalf jaar in de Senaat gezeten, en als mijn reputatie enkel en alleen beschadigd wordt door het feit dat jij in mijn nabijheid bent, dan wordt het misschien tijd dat ik me terugtrek.'
'Nee!' Brad vermande zich en liet zijn stem een octaaf zakken. 'Luister, Cam. Doe nou niet zo stom. Alles gaat prima zoals het is. We hoeven niets te veranderen.' Hij kwam overeind en liet zijn blik door de smaakvolle, met boeken gevulde bibliotheek

glijden die rijkdom en stabiliteit uitstraalde. 'Dit is mijn wereld niet. Je kunt me niet in jouw keurslijf dwingen omdat jij zo graag wilt dat ik van dat goede leven geniet.' Hij glimlachte. 'En los daarvan, wat zou Charlotte er wel niet van zeggen?'

'Die draait wel bij. Ze haalt zich gewoon wat rare dingen over jou in haar hoofd.'

Brad keek hem vragend aan.

Cam trok een gezicht. 'Ze zegt dat ze zich niet op haar gemak voelt bij jou. Ze vindt je… sinister.'

'Heeft ze dat letterlijk gezegd? Ik had niet verwacht dat iemand jouw vrouw een ongemakkelijk gevoel kon geven. Kennelijk ben ik afschrikwekkender dan ik dacht.'

'Ze begrijpt je gewoon niet. Maar zoals ik al zei: ze draait wel bij.'

'Dat is nergens voor nodig. Alles is prima zoals het nu is.'

Cam zweeg even. 'Is het misschien ooit bij je opgekomen dat ik dit uit eigenbelang wil? Ik heb je gemist, Brad.'

Hij meende het. Cam was altijd eerlijk. 'Verdomme. Doe me dit alsjeblieft niet aan.' Hoofdschuddend antwoordde Brad: 'Ik heb jou ook gemist. Misschien moeten we wat vaker afspreken.'

'Dat is het niet. Sinds de verschrikking van elf september heb ik veel over mijn leven nagedacht, en het enige waar het uiteindelijk allemaal om draait zijn je familie en vrienden. Ik ben niet van plan je weer uit mijn leven weg te laten wandelen.'

'Cam.' Charlotte Devers stond in de deuropening. Chic en geraffineerd in een zwart jurkje. 'Ik wil je niet storen, maar als we nu niet gaan, komen we te laat op het ambassadediner.' Ze glimlachte naar Brad. 'Jij en Cam kunnen verder praten als we terugkomen.'

Hij schudde zijn hoofd. 'Ik wilde toch net gaan.'

'Nee, dat doe je niet,' zei Cam nadrukkelijk. 'Over een paar uurtjes ben ik terug en ik wil met je praten als ik thuiskom.'

'Morgen dan misschien?' stelde Charlotte voor. 'Ik heb een kamer voor je in orde laten maken, Brad.'

Zoals gewoonlijk probeerde Charlotte de situatie op subtiele wijze naar haar hand te zetten, bedacht Brad. Ze wilde dat Cam meeging en ze wilde niet dat hij met Brad zou praten voordat ze een discrete manier gevonden had om Brad weg te werken.

Ach, hij kon het haar niet kwalijk nemen. Ze hechtte meer waarde aan Cams carrière dan zijn broer zelf en ze waakte ervoor zich die te laten ontnemen.

'Ik ga niet weg voor je me iets hebt beloofd.' Cam keek Brad diep in zijn ogen. 'Ben je er straks nog?'

Brad wierp een snelle blik op de nauwelijks waarneembare frons tussen Charlottes ogen en zei toen pesterig grijnzend: 'Je krijgt me met geen stok de deur uit.'

'Mooi zo.' Cam sloeg hem op zijn schouder voor hij zich omdraaide. 'Kom, Charlotte. De plicht roept.' Hij beende de bibliotheek uit.

Charlotte aarzelde even en wilde iets zeggen.

'Niet doen,' mompelde Brad. 'We staan aan dezelfde kant.' En hij voegde eraan toe: 'Als je me tenminste niet tegen de haren in strijkt.' Hij liep Cam achterna naar de hal waar George, de butler, hem in zijn overjas hielp. 'Indrukwekkend, hoor. Het is zeker vijftien jaar geleden dat ik voor het laatst een smoking aan heb gehad. Zegt je dat niet iets?'

'Ja, dat je een mazzelaar bent.' Cam nam Charlotte bij de arm en hielp haar van de bordestrap af naar de wachtende limousine. 'Maak het jezelf gemakkelijk, maar zorg dat je wakker blijft. Je hebt me iets beloofd.'

'Betekent dat ook dat ik niet dronken mag worden van die fantastische brandy van je?'

'Inderdaad, ik wil dat je straks broodnuchter bent.' Glimlachend keek hij om. 'Ik heb nog wat voor je: ik wil je vertellen over een baan die je waarschijnlijk boeiend genoeg zult vinden om ervoor hierheen te komen. Het past helemaal in jouw straatje.'

Met een uitgestreken gezicht vroeg Brad: 'Vreemd en sinister?'

'Ik zal zorgen dat ik mijn zin krijg, Brad.'

'Kom, Cam, laat hem met rust,' zei Charlotte zachtmoedig. 'Brad weet zelf heel goed wat hij wil.'

'Maar niet wat het beste voor hem is.'

Brad keek toe hoe ze in de limousine stapten. Hij had eigenlijk weer naar binnen willen gaan, maar hij kon de verleiding niet weerstaan Charlotte een blik op hem te gunnen terwijl hij voor haar deur stond. Met zijn tennisschoenen, versleten spijkerbroek en het oude sweatshirt was hij de grootst denkbare dissonant in haar perfecte panorama. Zijn plezier hierom was ontzettend kinderachtig, maar dat kon hem niets schelen. Normaal gesproken maakte hij zich niet druk om Charlottes pogingen Cam te manipuleren. Ze was een goede echtgenote en dat was het enige dat telde voor Brad. Maar vanavond probeerde ze Brad ook naar haar hand te zetten, en daar kon hij niet tegen.

'Wilt u dat ik uw koffie in de bibliotheek serveer, meneer?' vroeg George vanachter hem.

'Waarom niet?' Grijnzend keek hij om. 'Aangezien me duidelijk te verstaan is gegeven dat ik...'

Boem!

'Lieve God!' Geschokt sperde George zijn ogen wijdopen.

Brad draaide zijn hoofd met een ruk om en volgde Georges blik naar de limo.

'Jezus Christus!'

Het binnenste van de limousine was één grote vuurzee. Hij zag hoe Cam en Charlotte als brandende kraaien in de vlammen fladderden.

'Godverdomme!'

Hij vloog de trap af naar de auto.

Atlanta, Georgia
Zes maanden later

Voorzichtig raakte Kerry het zwartgeblakerde hout aan op de wastafel in de badkamer. Het was nog steeds een beetje warm van de brand die het restaurant twee dagen geleden verwoest had. Dat was niet ongewoon. Verborgen sintels konden soms dagenlang nasmeulen.

Sam, haar labrador, jankte en drukte zich dichter tegen Kerry aan. Hij verveelde zich snel en ze bevonden zich nu al meer dan een uur in deze uitgebrande bouwval.

'Stil.' Ze stak haar hand onder het hout en tastte rond. 'We zijn bijna klaar.'

Daar! Moeizaam schoof ze het hout opzij.

'Iets gevonden?' klonk de stem van rechercheur Perry achter haar rug. 'Storing in de bedrading?'

'Nee, benzine,' antwoordde Kerry. 'De brand is in de badkamer begonnen en heeft zich hiervandaan door het restaurant verspreid.' Ze knikte naar het verbrande en geblakerde ontstekingsmechanisme dat ze onder het hout ontdekt had. 'Een tijdontsteker.'

'Dom.' De politierechercheur schudde zijn hoofd. 'Ik had Chin Li slimmer ingeschat. Als hij verzekeringsgeld op wil strijken had hij de brand beter in de keuken kunnen laten beginnen. Dan is de kans veel groter dat men denkt dat het een ongeluk was. Weet u het zeker?'

'Sam weet het zeker.' Ze stak haar hand uit en streek over de glanzende zwarte kop. 'En meestal ben ik het met hem eens. Hij zit er zelden naast.'

'Ja, dat heb ik me laten vertellen.' Met een onhandig gebaar klopte Perry op de snuit van de hond. 'Ik snap niet hoe die speurhonden brandversnellende middelen kunnen vinden, maar het maakt mijn werk er een stuk eenvoudiger op. Ik zal weer met Chin Li moeten praten. Jammer. Het leek me een aardig mannetje.'

'En niet dom?' Kerry kwam overeind en sloeg het roet van haar handpalmen. 'Misschien heeft iemand anders de boel aangestoken. Iemand die geen toegang had tot de keuken. Verzekeringsgeld is niet altijd het juiste antwoord. Wel het gemakkelijkste.'

Met samengeknepen ogen keek hij haar aan. 'Dus u zegt dat ik me er gemakkelijk vanaf probeer te maken?'

Ze grijnsde. 'Ik zou niet durven. Ik zeg alleen maar dat u eens aan Chin Li moet vragen of hij misschien vijanden had. Een concurrent misschien? Of, wat heel goed zou kunnen, gezien het misdaadgehalte in deze buurt, een club van die zogenaamde beveiligingsafpersers die hem tot voorbeeld wilden stellen?'

'Dat zou kunnen,' antwoordde hij langzaam. 'Er zijn hier een paar tienerbendes bezig die de buurt terroriseren.'

'Denkt u dat zij weten hoe ze met tijdontstekers moeten omgaan?'

'Op internet kan iedereen praktisch alle informatie vinden die hij zoekt. Wil je een atoombom maken? Zoek het maar op internet.'

Ze had gedaan wat ze kon. Het werd tijd om te gaan voor hij ruzie ging zoeken. 'Nou, na het onderzoek zullen we meer weten. Sam en ik zijn slechts de voorhoede.' Ze glimlachte. 'En onze taak zit er voorlopig op. Prettige dag nog, rechercheur.'

'Wacht.' Onbeholpen zei hij: 'Dit is geen lekkere buurt. Als u even wacht tot ik klaar ben met Chin Li, dan breng ik u terug naar kantoor.'

'Hartelijk dank voor het aanbod, maar ik ga niet terug naar de stad. Ik heb vandaag vrij en ik ga langs bij een paar vrienden in de brandweerkazerne aan Morningside.'

'Als u vandaag vrij bent, waarom bent u dan hier?'

'Ze hadden Sams neus nodig.'

'Dan breng ik u en die neus van Sam naar Morningside.' Hij fronste zijn voorhoofd. 'Ik begrijp trouwens niet waarom ze u in uw eentje naar een wijk als deze sturen. Zo'n klein opdondertje als u.'

Ze onderdrukte de opkomende ergernis. Ze was van gemiddelde lengte, maar wist dat haar tengere postuur haar kleiner deed lijken. Hij was een aardige vent en ze was eraan gewend dat haar breekbare uitstraling werd verward met hulpeloosheid. Ze gaf hem het antwoord dat de meeste kans maakte hem te overtuigen. 'Sam beschermt me.'

Hij wierp een sceptische blik op de labrador. 'Hij mag dan een fantastische neus hebben, maar hij ziet er niet bepaald angstaanjagend uit.'

'Dat is omdat hij zo scheel kijkt. Hij is echt een geweldige waakhond.' Ze stak een hand op en baande zich voorzichtig een weg door het puin naar de deur. Sam rukte aan zijn riem en trok haar bijna ondersteboven. 'Idioot,' gromde ze. 'Probeer je allebei onze nekken te breken? Je zou ondertussen beter moeten weten.'

Sam vloog de straat op en begon te blaffen.

'Jezus.' Alsof ze de aandacht wilde trekken in deze buurt. Haastig sleurde ze de hond naar haar suv. Ze wist net zo goed als de rechercheur dat Sam er net zo gevaarlijk uitzag als een knuffelbeer. 'Waarom heb ik toen geen grote Duitse herder meegenomen uit het asiel?'

Omdat ze na die eerste blik verkocht was geweest. 'Kom, Sam. En hou in godsnaam je muil.'

'Full house.' Grijnzend schoof Kerry de pot vanuit het midden van de tafel naar zich toe. 'Zo, ik kan de huur deze maand weer betalen. Doen we nog een potje?'

'Mooi niet.' Met een grijns op zijn gezicht schoof Charlie zijn stoel achteruit. 'Ik ben platzak. Ik ga de uien voor het avondeten pellen.' Hij wierp haar een pesterige blik toe over zijn schouder. 'Boeuf Stroganoff. Weet je nog? Huisspecialiteit van brandweerkazerne Nummer Tien.'

'Zie je me niet kwijlen? Mag ik mee-eten?'

'Mooi niet. Ga maar lekker terug naar dat mooie stadskantoortje van je en in die chique kantine daar eten.'

'Valserik.' Ze keek Jimmy Swartz en Paul Corbin aan. 'Jullie nog een potje, jongens?'

'Ik niet.' Jimmy stond op. 'Als ik niet genoeg geld overhoud laat mijn vrouw me straks buiten staan. Kom, Paul, we gaan biljarten.' Met een vluchtige blik op Kerry zei hij: 'En, nee, je mag niet meedoen. Dit is voor echte brandweerlieden, niet voor pennenlikkers zoals jij.'

'Jullie zijn gewoon bang dat ik jullie inmaak.' Ze stond op en liep Charlie achterna naar de keuken. 'Je bent gemeen. Je weet dat ik gek ben op die Boeuf Stroganoff van je. Toe, laat me nou blijven.'

'Goed dan.' Charlie schoof een zak uien en een mes haar kant op. 'Als jij de uien doet.'

Ze straalde. 'Geen probleem.' Ze ging op een kruk bij het aanrecht zitten. 'Hoe is het met je vrouw, Charlie?'

'Ze verdraagt me nog steeds.' Hij grijnsde. 'Meer kun je niet verlangen van een mens na vijfentwintig jaar.' Hij legde met bloem bestoven stukjes biefstuk in de hete pan. 'Edna heeft me gevraagd je ongenadig op je donder te geven voor het feit dat ze voor Sam moest zorgen toen je op vakantie was. Zij en de kinderen zijn helemaal verliefd op dat mormel. Hoewel ik niet snap wat ze zo leuk vinden aan die achterlijke labrador.'

'Iedereen is dol op Sam. Niet elke hond is een Einstein.' Ze pakte een volgende ui op. 'En jij bent net zo goed gek op hem. Het is gewoon een lieverd.'

'Maar iedereen schíjnt te denken dat hij Einstein is.' Verwonderd schudde hij zijn hoofd toen hij naar de duttende Sam in de

13

hoek van de keuken keek. 'Ik kan er met mijn pet niet bij hoe hij zo'n fantastische speurhond kan zijn en in elk ander opzicht zo stom.'

'Hij heeft een goede neus. Zijn hart zit op de goede plek. Je mag niet van hem verwachten dat hij dan ook nog eens superslim is.'

'Nou, het is maar goed dat jij zijn partner bent bij het speuren naar brandhaarden, want anders zat Sam zelfs tussen het puin en de as nog achter de vlindertjes aan.'

Dit kon ze niet ontkennen dus veranderde ze van onderwerp. 'Ik rijd dit weekeinde naar Macon om mijn broer, Jason, op te zoeken. Denk je dat Edna weer op Sam wil passen? Je weet hoe wagenziek hij wordt.'

Hij knikte. 'Hij heeft mijn nieuwe Suburban helemaal ondergekotst. En toen werden de kinderen kwaad omdat ik tegen hem schreeuwde.' Hij haalde zijn schouders op. 'Ja hoor, breng hem maar. Ik heb geen last van hem. Het enige wat hij doet is slapen, eten en knagen op alles wat hij pakken kan. Inclusief mijn beste paar golfschoenen.'

'Die heb ik je terugbetaald.' Ze glimlachte. 'Bedankt, Charlie. Laura, Jasons vrouw, is zwanger en ik wil haar graag nog even zien voor de baby er is. Want straks heeft ze geen tijd meer voor me.'

'Vast wel. Zo'n drama is het niet om jou in de buurt te hebben.'

'Dank je… geloof ik.'

'En ik weet precies hoe saai die laatste weken van een zwangerschap kunnen zijn. Ik werd gek van Edna toen ze zwanger was van Kim. Maar goed, ze was toen al wel over de veertig en ze had het volste recht om een beetje chagrijnig te zijn.'

'Laura is achtendertig, en ze is veel te blij dat ze eindelijk in verwachting is om slechtgehumeurd te zijn. Maar ze heeft absoluut nesteldrang.' Ze glimlachte. 'En daarbij, Edna was niet echt chagrijnig. Ze was… temperamentvol.'

'Jij hoefde niet met haar onder een dak te leven.' Hij grinnikte. 'Geloof me nu maar: ze was heel chagrijnig. Edna is niet gewend met haar voeten omhoog te moeten zitten.'

'Nou, stilzitten is wel het laatste wat Laura doet. Jason vertelde me dat ze een zomerhuisje aan het bouwen is in de achtertuin. Dus je doet het?'

'Ja, natuurlijk.' Zijn glimlach verdween. 'Je zou naar buiten moeten, mensen ontmoeten. Waarom zit je op je vrije dag in godsnaam met de jongens van Nummer Tien een potje te kaarten?'

'Ik hou van kaarten en ik zou niet weten wat ik liever zou doen op mijn vrije dag. Ook al zijn jullie slechte verliezers.' Ze liet de uien samen met de boter in de pan glijden om ze te fruiten en begon de champignons schoon te vegen. 'En als ik jullie niet bij de pinken hield werden jullie allemaal dik en saai.'

'Ja, daar heb je gelijk in.' Hij richtte zijn ogen op het vlees. 'Maar het wordt tijd voor een leuk jurkje en een feestje. Heb je verdorie geen vrienden?'

'Ik ga wel eens uit met een paar studiegenoten van vroeger, maar ik heb het eigenlijk te druk om ze vaak te zien. En ik ben nu eenmaal graag bij jullie. Ik heb geen behoefte aan andere mensen.' Ze schudde haar hoofd. 'Kijk niet zo. Het is de waarheid. Ik heb mazzel. Het is niet bepaald alsof ik altijd thuis zit te kniezen. Ik ga naar toneelstukken en baseballwedstrijden en naar de film. Jezus, jij en Edna zijn vorige week zelf nog met me naar de film geweest. Mensen die van hun werk houden gaan privé nu eenmaal graag met collega's om. Waarom is dat in mijn geval dan zo erg?'

'Je zou iemand moeten hebben die voor je zorgt.'

'Ach, jij met je vooroordelen over vrouwen.'

'Die heb ik niet. Iedereen hoort iemand te hebben. Edna zorgt voor mij. Ik zorg voor haar. Samen zorgen we voor de kinderen. Zo hoort het leven te zijn.'

Ze glimlachte. 'Inderdaad. Maar soms werkt het leven daar niet aan mee. Toen tante Marguerite overleed, kwam ik erachter dat ik nogal op mezelf ben. Niet dat ik dat voorheen niet was. Ze heeft echt haar best wel gedaan, maar ze was nu eenmaal niet de meest hartelijke persoon op aarde. De mensen hier van Nummer Tien komen wat mij betreft het dichtst in de buurt van familie.' Ze trok een gezicht. 'Dus hou op me naar buiten te schoppen.'

'Nou, als dat zo is, dan moet je daar iets aan doen. We missen je. Ik denk dat je ons ook mist. Stop met dat werk en kom terug naar waar je thuishoort. Je was uit het juiste hout gesneden voor brandweervrouw, Kerry.'

'Dat is niet wat je tegen me zei op mijn eerste werkdag.'

'Ik had het volste recht om sceptisch te zijn. Hoe kon ik nou weten dat je niet een van die geëmancipeerde wijven was die ons leven in gevaar kwam brengen om een standpunt duidelijk te maken? Je zag eruit alsof je nog geen dwergpoedel uit een brandend gebouw kon tillen.'

'Tot je ontdekte dat ik sterker ben dan ik eruitzie. Het draait allemaal om de manier waarop je dingen doet. Ik wist dat ik mijn steentje zou moeten bijdragen, en dat heb ik gedaan.'

'Ja, inderdaad. Daarom zeg ik dat je moet terugkomen op de plek waar je thuishoort.'

'Ik ben beter af waar ik nu zit.'

Hij zuchtte. 'Met die achterlijke hond. Ik heb gehoord dat het korps hem pas voor vol aanzag toen hij het bewijs in de Wadsworth-brand gevonden had.'

'Ze hadden eerst geen oog voor zijn talent. Ik heb hem uit het asiel gehaald en hij had wat gehoorzaamheidsproblemen.'

'Vlindertjes vangen.'

Ze knikte. 'Hij raakt soms afgeleid.' Ze pakte een nieuwe champignon op. 'Maar ik krijg hem goed gericht op...'

Het alarm loeide.

'De plicht roept.' Charlie draaide het gas uit en beende de keuken uit. 'Ik zie je later, Kerry.'

Ze liep hem achterna en keek toe hoe ze gehaast in hun uniformen schoten. 'Ik maak de Boeuf Stroganoff wel af. Dan staat het klaar als jullie terugkomen.'

'Als je dat maar uit je hoofd laat,' zei Paul. 'Ik ken die kookkunsten van jou nog. We wachten wel op Charlie.'

'Alsof jij zo'n topkok bent,' antwoordde Kerry. 'Oké, dan laat ik jullie wel verhongeren. Sam en ik waren van plan om straks pas naar de kinderafdeling van het Grady's te gaan, maar dan kan ik net zo goed nu vast gaan. Ik kan toch niets...' Ze sprak in het luchtledige. De mannen hadden de kamer verlaten en een paar tellen later hoorde ze de brandweerauto de kazerne uit rijden en de straat uit scheuren.

Jezus, wat voelde de kamer leeg.

En jezus, wat had ze graag in die brandweerauto willen zitten; elke spier en zenuw in gespannen afwachting van de klus die haar te wachten stond.

Stop met dromen over dingen die buiten je bereik liggen. Ze had haar beslissing genomen en het was de juiste. Ze zou gek geworden zijn als ze geen afstand genomen had na de dood van Smitty. Ze was nog steeds te dichtbij, maar hier kon ze mee leven.

'Kom, Sam,' riep ze naar de keuken. 'We gaan naar de kindertjes.'

Sam kwam niet.

Ze liep terug naar de keuken en trof hem aan met zijn neus onder een keukenkastje waar hij probeerde een stukje vlees te pakken dat Charlie op de grond had laten vallen.

'Sam.'

Met zijn kop schuin op de grond keek hij met één oog naar haar op. Hij zag er volslagen belachelijk uit.

Hoofdschuddend grinnikte ze. 'Gedraag je toch eens als een heer. Kom, we gaan.'

Hij verroerde zich niet.

Ze pakte een stukje vlees uit de braadpan en gooide het naar hem toe. Hij sprong op en ving het. Daarna kwam hij met een hondengrijns op zijn gezicht aangedraafd.

Ze hurkte en deed zijn riem om.

'Ik dacht dat een speurhond alleen maar een beloning kreeg als hij een spoor gevonden had.'

Langzaam draaide ze zich om en zag Dave Bellings, de man van de technische dienst, in de deuropening staan. Hij was brandweerman geweest totdat hij zijn been bezeerd had en arbeidsongeschikt was geraakt. Nu was hij een bekwaam computertechnicus die het beheer deed van de software van deze en andere brandweerkazernes in de regio. 'Je hoort ze inderdaad geen extra beloningen te geven. Maar Sam is anders.' En ze was bijna betrapt. Ze had geluk dat het Dave was. 'Hij heeft er geen last van.'

'En het resultaat is ernaar.' Dave gaf in het voorbijgaan naar de koffiemachine een klopje op Sams zwarte zijdezachte kop. 'Hij mag wel een beetje extra vertroeteld worden.'

'Waar is de brand?'

'In de opslagruimte van de Standard bandenfabriek aan Southside. Alarmcode drie.'

Rook. Zwarte, kringelende rook.

'Shit.'

Hij knikte. 'Heftig. We mogen blij zijn dat we er niet meer tussen zitten, Kerry.'

'Ja, je zult wel gelijk hebben.'

Overrompelende hitte. De stank van verbrand rubber.

Bellings trok een gezicht. 'Wie houdt wie hier voor de gek? Als we konden hadden we allebei in die wagen gezeten. We zijn verslaafd. Waarom zouden we hier anders nog rondhangen?'

'Je hebt gelijk.' Ze probeerde te glimlachen. Ze moest hier weg. 'Ciao, Dave. Ik zie je later.'

Hij keek haar met een schuin hoofd aan. 'Alles goed met je? Je ziet een beetje bleekjes.'

'Dat zal wel door het licht hier komen. Het gaat prima met me.'

Ze trok Sam snel mee de kazerne uit. Zet je schrap. Misschien komt het niet. Maar ze voelde dat verdomde geprik al in haar nek. Ze stond nauwelijks buiten toen de verblindende pijn door haar hoofd sneed.

Zwarte rook, opkringelend boven opgestapelde banden. De stank van verbrand rubber. Sirenes.

Haar maag kneep samen en ze kreeg geen lucht.

Alles kwam in orde. Ze sloot haar ogen. Gewoon rustig en regelmatig inademen.

Sam jankte.

Het werd al beter. De pijn in haar hoofd zwakte af tot een dof gedreun. Ze deed haar ogen open en zag de hond naar haar opkijken met die vertederend schele blik. 'Niets aan de hand,' mompelde ze. 'Gewoon even een slecht moment.'

O ja, het ziekenhuis. Ze was onderweg naar de kinderen in het ziekenhuis. Het was maar een paar blokken verderop en ze durfde nu niet achter het stuur te stappen. Ze draaide zich om en begon te lopen. 'Alles komt goed.'

God, ze hoopte het maar.

Vuur.

Brad Silver klemde zijn handen om het stuur, vechtend om het beeld op afstand te houden.

Hij kreeg geen lucht.

Hij zette de auto langs de kant van de weg en schakelde de motor uit. Laat het over je heen komen. Meestal was het snel voorbij.

Jezus, wat een stánk!

Toen was het voorbij. Happend naar adem liet hij zijn hoofd op het stuur rusten.

Blindelings graaide hij naar zijn telefoon en toetste het nummer in. 'Verdomme, Travis. Ik heb de auto net bijna in puin gereden. Haal me hier in godsnaam uit.'

'Rustig aan, Brad,' klonk de stem van Michael Travis geruststellend. 'Ze gaat waarschijnlijk door een moeilijke periode. Is het nu nog steeds?'

'Nee, maar misschien komt het terug. Dat zou niet de eerste keer zijn. Waarom heeft ze zichzelf verdorie niet beter in de hand?'

'Ontkenning. Hoe ver ben je bij haar vandaan?'

'Een kilometer of drie. Ze is onderweg naar een of ander ziekenhuis.'

'Misschien is dat het. Misschien is er iemand gewond.'

'Nee, het is haar wekelijkse bezoekje aan de kinderafdeling. Daar raakt ze niet overstuur van. Eerdere keren niet tenminste. Kun je niets doen om haar te kalmeren?'

'Nee, ik zei toch dat ze een ongeleid projectiel was. En stront-eigenwijs. Als ze belt en me om hulp vraagt, dan maak ik misschien een kans. Zo niet, dan sta je er echt alleen voor.'

'Nou, bedankt hoor,' zei Silver sarcastisch. 'Jij bent degene die me haar aanbevolen heeft. Je bent alleen vergeten te zeggen dat ze me de dood in kon jagen voor we met elkaar klaar waren.'

'Je wist van tevoren wat ze met je zou kunnen doen.'

'Helemaal niet. Ik ben nog nooit zo dicht bij haar in de buurt geweest als nu.'

'Je kunt er nog uitstappen. Dan zoeken we iemand anders.'

Silver dacht daarover na. Het klonk aanlokkelijk. Kerry Murphy was een kruitvat dat op springen stond. Hij hield de boel graag onder controle, en de afgelopen paar minuten was gebleken dat hij het knap moeilijk zou krijgen om haar voldoende in de gaten te kunnen houden en haar te bespelen.

'Brad?'

'Ik heb te veel tijd in haar geïnvesteerd om nu weg te lopen. Ik ken haar vanbinnen en vanbuiten.'

'Ja, dat is zo. Waarschijnlijk beter dan ze zichzelf kent.'

'Ik pak haar wel aan.'

'Geen geweld gebruiken. Ik weet waar je toe in staat bent. Ik wil niet dat ze wordt beschadigd.'

'Ik zei dat ik haar zou aanpakken. Zorg jij nou maar dat je bereikbaar bent voor het geval ik ondersteuning nodig heb.' En toen, op grimmige toon: 'Of een ambulance.' Hij hing op en ademde diep in voor hij zich weer tussen het verkeer mengde. Nog maar een paar kilometer op deze snelweg. Als hij zich concentreerde kon hij zich wapenen voor hij bij haar in de buurt kwam. Daarna zag hij wel verder. Ook hij wilde Kerry niet beschadigd zien, en over het algemeen kon hij op zijn kennis en ervaring vertrouwen om zijn gewelddadige neigingen te onderdrukken. Hij had lang geleden al geleerd dat fijnzinnigheid beter werkte dan kracht. Hij hoopte maar dat dit opdoemende gevecht niet de uitzondering op de regel zou blijken te zijn. Want anders zouden ze het geen van beiden overleven.

'Wil je een glas jus d'orange?' Glimlachend keek Melody Vanetti neer op Kerry die in kleermakerszit op de grond in de foyer van het ziekenhuis zat. 'Je hebt de kinderen meer dan een uur voorgelezen. Je hebt vast een droge keel.'

'Dank je, Melody.' Ze pakte het glas aan van de verpleegster. 'Ik geloof dat ze me even vergeten zijn. Alles draait om Sam.' Ze grijnsde. 'Niet dat me dat verbaast. Ik ken geen enkel kind dat liever een mens dan een hond ziet.'

'Je doet het geweldig met de kinderen.' Melody keek haar schuin aan. 'Maar je ziet er een beetje moe uit vandaag.'

'Nee hoor,' zei Kerry. 'Het gaat prima met me. En zelfs als dat niet zo was zou ik nog niet durven klagen. Ik zou me schamen voor de jongens hier.' Haar glimlach ebde weg. 'Wie is dat nieuwe jongetje? Die met zijn arm om Sam.'

'Josh. Binnengebracht met brandwonden op zijn armen. We proberen de boel te vertragen totdat de kinderbescherming met zekerheid kan vaststellen dat ze niet zijn veroorzaakt door zijn oma.'

'Fijn verhaal.' Het kind zag er niet ouder uit dan een jaar of vier, vijf, en hij hield Sam omklemd in een stevige omhelzing, zijn gezicht in zijn hals gedrukt. Haar maag kneep samen toen ze de kneuzingen in zijn gezicht zag. Maar op dit moment straalde hij, en dat was geen verrassing. Kerry had ontdekt dat kinderen altijd positief op Sam reageerden, ongeacht wat ze hadden meegemaakt. 'Als ik iets kan doen, hoor ik het graag.'

'Wat zou je doen dan?'

Kerry haalde haar schouders op. 'Het huis van de oma brandgevaarlijk laten verklaren zodat ze het kind geen thuis meer kan bieden? Ik weet het niet. Maar doe me een plezier en laat het me weten.'

'Zeker. Dank je voor het aanbod.' Ze liep naar de deur. 'Ik moet mijn medicijnronde gaan maken. Ik kom straks nog even een kijkje bij je nemen.'

'Wij redden ons wel. De kinderen halen heus geen kattenkwaad uit zolang Sam in de buurt is om mee te spelen.' Ze keek op haar horloge. Waarschijnlijk was alles in orde bij de bandenfabriek. Ze was hier al meer dan een uur en ze voelde zich goed. Een doffe, dreunende hoofdpijn, dat wel, maar dat was niet ongewoon. Het was een grote brand, een gevaarlijke brand. Het was logisch dat ze zich druk maakte en zich bezorgd maakte om...

Tocht.

Een eikenhouten deur op de derde verdieping.

Rook. Hij ziet niets meer.

Wie zag er niets meer?

Twee mannen lopen de trap op naar die deur.

De brandende trap stort achter hen in.

Ga terug. Ga terug, Charlie.

Het was Charlie. Lieve God, al die tijd had ze geweten dat het Charlie zou zijn.

Ze waren aangekomen op de derde verdieping.

Laat die deur dicht, Charlie.

Tocht. Tocht.

Hij deed de deur open.

Die dodelijke tochtvlaag.

Vuur. Overal. Pijn. Hij had pijn.

'Kerry.' Melody keek bezorgd op haar neer. 'Gaat het met je?'

Nee. Pijn. Pijn.

Ze sprong overeind. 'Misselijk. Ik moet naar het toilet.' Ze rende door de foyer naar de gang.

Pijn. Pijn. Verstop je. In het donker waar niemand je kan vinden.

Een inloopkast.

Ze trok de deur open en rukte hem achter zich dicht. Alleen. De kast was donker en klein en hier was ze veilig. Maar hoe zat het met Charlie?

Mijn God, ze rook brand en verschroeid vlees. Ze liet zich op haar knieën tegen de muur zakken.

Pijn. Pijn. Pijn.

2

'Sluit het in godsnaam buiten.'

Vagelijk drong het tot haar door dat er iemand in de deuropening stond. Een man. Een lange man. Een arts? Het deed er niet toe.

Pijn. Pijn. Pijn.

De deur sloeg achter de man dicht en hij knielde naast haar neer.

'Luister naar me. Je moet het echt buitensluiten.'

'Charlie.'

'Ik weet het.' Hij pakte haar handen. 'Maar je helpt hem niet door jezelf zo te kwellen.'

'Hij heeft pijn... tocht. Naar beneden... naar beneden...'

'En je kunt het niet buitensluiten.' Hij ademde diep in. 'Maar ik wel. Wees niet bang. Ik kom binnen.'

Waar had hij het over?

'Kijk me aan.' Zijn donkere ogen haakten zich vast in die van haar. 'Alles komt goed.'

Het kwam niet goed. De rook en het vuur zouden voor eeuwig blijven. Charlie...

Ze komen de trap op om je te halen, Charlie.

Te laat.

Pijn. Pijn...

De pijn was weg. Charlie was weg. Geen rook. Geen brand.

Een blauw meer. Zonnestralen. Een groen grasveld.

Rust.

'Kom.' Hij stond naast haar en trok haar overeind. 'We moeten hier weg. Ik weet niet hoe lang ik het nog tegen kan houden.'

Twee herten kwamen drinken aan het meer. Er waaide een zacht briesje door het hoge gras.

'Kom.' Hij duwde de deur open en trok haar de gang in. 'We halen Sam op en dan ga je naar huis.'

'Charlie…'

'Hij is nu niet hier bij het meer. Straks gaan we naar hem terug.' Hij sleurde haar van de gang naar de foyer. 'Ik zal je alles uitleggen als we hier weg zijn. Maar ik wil dat je naar de kinderen lacht als we de kamer binnengaan. We willen niet dat ze zich zorgen gaan maken.'

Nee, kinderen hoorden zich geen zorgen te maken. Een kinderwereld moest zonnig zijn. Ze zouden het fantastisch vinden hier bij dit prachtige meer in plaats van in de stad.

En ineens waren ze er. Ze zag de kleine jongen, Josh, lachend door het gras rennen.

'Is alles goed met je?' Dat was Melody Vanetti die haar bezorgd aanstaarde. 'Ik heb je gezocht in de toiletten, maar daar was je niet.'

'Ze voelt zich niet zo lekker,' zei de man die haar bij haar arm hield. 'Ik kwam haar tegen in de gang en heb haar even mee naar buiten genomen voor wat frisse lucht.' Glimlachend stak hij zijn hand uit. 'U bent zuster Vanetti? Ze heeft me verteld hoe geweldig u met de kinderen bent. Ik ben Brad Silver. Ik ben een collega van Kerry.'

Melody schudde hem de hand maar bleef ondertussen bezorgd naar Kerry kijken. 'Moet er even een arts naar haar kijken?'

'Dat heb ik haar ook al gevraagd, maar ze wil het liefst naar huis. Toch, Kerry?'

Haar thuis was bij het meer. Haar thuis was bij de spelende kinderen in de wei.

'Kerry?'

Ze knikte. 'Ik wil naar huis.'

'Dan zal ik Sam even halen.' Silver liep de kamer door naar de kinderen. Hij hurkte neer naast Josh.

Maar dat kon toch niet? Ze zag Josh toch bij het meer rondrennen? Silver praatte vast en zeker met een ander jongetje.

'Ik moet je vriendje nu meenemen,' zei hij vriendelijk tegen het kleine jongetje dat op Josh leek. 'Maar ik beloof je dat je hem snel weer terugziet.' Hij raakte de schouder van het jongetje vluchtig aan. 'Alles komt goed.' Hij keek de andere kinderen glimlachend aan toen hij met Sam naar Kerry liep. 'Jullie zien Kerry volgende week weer. Ze moet nu naar huis.' Hij knikte naar Melody. 'Bedankt voor alles. Ik zal u even laten weten hoe het met haar gaat als ze thuis is.'

Even later duwde hij Kerry voor zich uit door de foyer naar de gang.

De lucht boven het meer betrok. Of was dat rook daar in de verte?

Nee, geen rook. Het antwoord op die vraag kwam onmiddellijk en resoluut.

Zonneschijn. Spelende kinderen. Blauwe ridderspoor, trots rechtopstaand op de heuvel. Ze was gek op ridderspoor...

Ze kwamen nu uit de lift en hij leidde haar naar de parkeerplaats. 'Nog eventjes, Kerry.' Hij deed het achterportier van een zwarte Lexus open. 'Hup, Sam.' Sam sprong de auto in en maakte het zich meteen gemakkelijk op de achterbank. Hij hield het bijrijderportier open voor Kerry. 'Ik heb je in een vloek en een zucht thuis.'

Glimlachend hielp hij haar in een boot aan de steiger van het meer. Even later roeide hij weg, de riemen op en neer gaand in het glinsterende blauwe water.

Hij draaide haar oprit op en zette de motor uit. Hij stak zijn hand uit naar haar tas. 'Ik moet je sleutels hebben.' Hij pakte de sleutelbos, deed het achterportier open voor Sam en liep met snelle passen het stoepje naar de veranda op.

Ze waren afgedreven tot onder de overhangende takken van een treurwilg en ze zag de weerspiegeling van de kantachtige bladeren in het water. Hij glimlachte. Vriendschappelijkheid. Geborgenheid. Vreugde. 'Kerry.' Hij stak zijn hand uit om haar uit de boot te helpen. 'Kom met me mee.'

Waarheen? Het deed er niet toe. Ze wist dat hij haar naar een mooie plek zou brengen, ongeacht waar dat was. Ze pakte zijn hand.

Ze liepen de treden op naar de voordeur. Sam stormde over de veranda en Silver liet hem binnen voor hij Kerry zachtjes voor zich uit de hal induwde. Hij stapte achter haar naar binnen en sloot de deur.

Hij leunde ertegenaan en haalde diep adem. 'Goddank.'

Er hingen wolken boven het meer, constateerde ze onrustig. Ze vond het niet prettig...

'Geen wolken. Rook,' zei Silver. 'Ik kan het niet langer bij je vandaan houden. Het is rook en hij wordt steeds dikker. Maar het zal je geen pijn meer doen. Dat deel is voorbij, Kerry. Ik ga naar buiten. Ik zal het langzaam en voorzichtig proberen te doen, maar het zal hoe dan ook zwaar zijn.'

Boven haar hoofd wervelde de rook alsof het mist was en belemmerde haar zicht op het meer en de treurwilg en de kinderen. En achter die rook...

Vuur.

Charlie!

Ze gilde.

'Rustig aan.' Silver greep haar bij haar schouders. 'Je wist dat het eraan kwam. Laat het over je heen komen.'

'Hij is dood. Charlie is dood.'

Hij knikte. 'Hij is ongeveer vijf minuten geleden gestorven.'

Ze deed haar ogen dicht in een poging de schok en het verdriet in zich op te nemen. 'Hoe weet jij dat?' Haar ogen vlogen open en ze rukte zich van hem los. 'En wat doe je verdomme in mijn huis?'

'Ik doe mijn best je te helpen je dekmantel niet te verspelen. En ga nu niet moeilijk lopen doen,' voegde hij er bruusk aan toe, 'want ik ben op dit moment te kwaad om medelijden met je te hebben. Denk je dat dit voor mij gemakkelijk was? Ik had je ook gewoon in die kast kunnen laten zitten tot iemand je daar gevonden had. Alleen was je tegen die tijd waarschijnlijk rechtstreeks naar het plaatselijke gekkenhuis vervoerd.'

'Mijn huis uit! Ik weet niet wie je bent en ik wil het niet weten ook.' Ze deed een stap in de richting van de telefoon. 'Ik moet de kazerne bellen.'

'Om te horen wat je al weet? Charlie is dood. De andere man op de trap is nu onderweg naar het Grady ziekenhuis. Hij haalt het waarschijnlijk.' Hij aarzelde. 'En je hebt je vermoedens over wie ik ben. Of in ieder geval over wat ik ben.'

'Ga weg. Misschien is Charlie helemaal niet dood. Het hoeft niet waar te zijn.' Ze toetste het nummer van de kazerne in en Dave nam op. 'Dave, ik hoorde dat er moeilijkheden waren bij...'

'O god, Kerry.' Zijn stem brak. 'Charlie. Het is verdomme... Ik kende hem al dertig jaar. Hij was van plan om komend voorjaar met pensioen te gaan. Waarom nou net...'

Ze hing op. Meer dan dit kon ze niet aan. Ze steunde met haar hoofd tegen de muur en liet haar tranen de vrije loop.

'Ik zal Sam water geven en een kan koffie zetten,' zei Silver zachtjes. 'Kom maar als je zover bent. De keuken is aan de andere kant van de gang, is het niet?' Hij wachtte niet op antwoord.

Ze liep de woonkamer in en plofte op de bank. Ze kon Edna bellen en vragen of ze haar bij zich wilde hebben. Nee, niet nu. Ze wist niet eens of Edna het al wist. Kerry liet haar hoofd op de armleuning zakken en deed geen moeite haar tranen te bedwingen. Charlie verdiende tranen...

Ze hoorde Silver in de keuken tegen Sam praten. Deze vreemdeling maakte het zich overduidelijk gemakkelijk, en toch voelde ze zich in geen enkel opzicht bedreigd. Misschien was ze te verdoofd om angst te voelen.

Of misschien zorgde hij ervoor dat ze niet bang was. Die gedachte op zich was angstaanjagend.

Ze wilde er niet over nadenken. Op dit moment was ze te verslagen om zich ergens druk over te maken. Ze moest de tijd nemen om zichzelf in de hand te krijgen voordat ze hem onder ogen kwam. Ze deed haar ogen heel even dicht om te vluchten voor de pijn en het verdriet...

Ze sliep.

Silver stond in de deuropening en zag haar opgekruld op de bank liggen. Hij wist dat deze slaap niet lang zou duren. Ze had aan te veel dingen blootgestaan en moest herstellen van de overbelasting. Dat had hij al zo vaak gezien.

Ze zag er bijna kinderlijk uit met haar verwarde, korte, kastanjebruine haar en gladde, zijdezachte huid. Maar ze was geen kind. Ze was sterk en eigenwijs en zou het hem nog heel moeilijk maken.

Medelijden was dus overbodig. Hij zou proberen haar in ruil iets te geven, maar het stond vast dat hij gebruik ging maken van Kerry Murphy.

Hij had ondertussen te veel geïnvesteerd om nu weg te lopen.

Het duurde meer dan een uur voor Kerry wakker werd, en nog eens een kwartier voor ze zich sterk genoeg voelde om de veiligheid van de woonkamer achter te laten en naar de keuken te gaan om Silver onder ogen te komen. Als hij inderdaad zo heette. Hoe kon ze weten of hij ergens de waarheid over had gesproken? Hij was haar leven binnengestormd toen ze op haar allerkwetsbaarst was en tot op heden was hij bijzonder schimmig.

Ze bleef in de deuropening staan. Hij zat aan de keukentafel te telefoneren, en hij was allesbehalve een schim. Hij had donker haar en donkere ogen, was midden dertig en krachtig gebouwd. Ja, krácht was de juiste omschrijving. Hij straalde gezag en zelfvertrouwen uit. Hij maakte zo'n overweldigende indruk dat het er niets toe deed dat hij een vale spijkerbroek en een sweatshirt aan had en dat zijn gezicht zeker niet knap genoemd kon worden. Vooral niet nu hij fronste in reactie op dat wat aan de andere kant van de lijn gezegd werd. Hij keek op, zag haar staan en zei snel: 'Ik bel je later nog, Gillen.' Hij hing op en kwam overeind. 'Ga zitten. Ik zal een kop koffie voor je inschenken.' 'Ik pak het zelf wel.' Ze liep naar een keukenkastje. 'Dit is tenslotte míjn huis.'

Hij haalde zijn schouders op. 'Wat jij wilt.' Hij ging weer zitten. 'Ik probeerde alleen maar behulpzaam te zijn. Ik heb beloofd dat ik aardig tegen je zou zijn.' Hij keek haar nors aan. 'Maar ik kan niet zeggen dat je het me gemakkelijk hebt gemaakt.'

Ze staarde hem ongelovig aan. 'Het kan me geen donder schelen of je wel of niet aardig tegen me bent. Ik ken je niet en ik wil je niet kennen. Ik heb vandaag een goede vriend verloren en ik wil alleen maar dat je gaat en me met rust laat.'

'Dat is dan jammer.' Hij nam een slok koffie. 'Ik heb je nodig. Geloof me maar: als ik hetzelfde soort hulp ergens anders kon vinden, dan was ik meteen weg. Ik heb een zware week achter de rug en dat heb jij nog een graadje erger gemaakt. Ga zitten, we moeten praten.'

'Ik wil niet praten.' Ze schonk koffie in en moest haar hand tot bedaren brengen voor ze haar kopje oppakte. 'Ik was de weg behoorlijk kwijt, maar als ik me goed herinner ben je eerder vandaag erg aardig voor me geweest. Maar dat is geen reden om mijn leven binnen te walsen. Als je niet vertrekt zal ik de politie moeten bellen.'

'Jij wilt de politie helemaal niet bellen. Elke vraag die ze mij stellen, heeft directe gevolgen voor jou.' Hij voegde eraan toe: 'En je komt pas van me af als je gaat zitten en naar me luistert.'

Ze aarzelde en staarde hem aan. Ze was sterk geneigd tegen hem te zeggen dat hij naar de hel kon lopen, maar er was iets dat ze wilde weten, iets dat haar met angst vervulde. Langzaam liep ze door de keuken en ging ze aan tafel zitten. Maar ze merkte dat ze nog niet klaar was voor haar vraag. In plaats daarvan vroeg ze: 'Hoe wist je dat ik in die kast zat?'

'Je stuurde een panieksignaal waarvan ik bijna uit mijn dak ging.' Hij bestudeerde haar gezicht. 'Je bent bang van me.'

'Ik ben niet bang.'

'Niet dat ik van plan ben je te beroven of te verkrachten. Je bent bang dat ik binnendring.' Hij schudde zijn hoofd. 'Dat gebeurt niet. Dat doet veel te veel pijn.'

'Ik weet niet waar je het over hebt.'

'Onzin.' Vermoeid schudde hij zijn hoofd. 'Er was me al verteld dat je eigenwijs bent en dat je de neiging hebt je kop in het zand te steken. Ik was van plan om geduldig en vriendelijk en meer van dat soort onnozele dingen te zijn, maar je hebt me overrompeld. Je moet die Charlie echt graag gemogen hebben, want...'

'Natuurlijk mocht ik hem. Hij was een geweldige vent.'

'Maar niet al te snugger. Hij mocht je graag, maar hij heeft nooit gemerkt hoe je Sam gebruikte.'

Ze verstijfde. 'Sam?'

Hij zuchtte. 'Goed, wat dacht je ervan als we deze hindernis eens namen en de waarheid op tafel leggen? Sam is een schat van een hond, maar als speurhond is hij waardeloos. Hij zou nog geen biefstuk kunnen vinden, al stond hij bij de slager.'

'Je bent niet goed wijs. Iedereen weet dat het de beste speurhond van Zuidoost-Amerika is.'

'Omdat jij graag wilt dat iedereen dat denkt. Je wilt niet dat iemand de waarheid ontdekt.' Hij liet een stilte vallen. 'Je wilt niet dat iemand ontdekt dat de enige manier waarop jij kan zien waar en hoe de branden gesticht worden, is omdat jij ziet hoe het gebeurt.'

'Je bent knettergek. Je denkt toch niet dat ik de een of andere pyromaan ben?'

'Nee, ik denk dat je een speciale helderziende gave hebt voor alles wat met vuur te maken heeft. Als jij in de buurt van de brandhaard komt, dan krijg je signalen; soms zie je hem zelfs aangestoken worden. In gevallen waar je een band hebt met de mensen die te maken hebben met een brand, hoef je niet eens in de buurt te zijn.' Hij was even stil. 'Zoals met je vriend Charlie. Je hebt verbinding met hem gemaakt en kon toen niet meer wegkomen.'

Rook. De deur op de derde verdieping. Tocht.

'Kalm aan,' zei hij zachtjes. 'Het is voorbij.'

Ze ademde diep in. 'Je schijnt te denken dat je nogal wat van me weet. Wie ben je? De een of andere journalist?'

'Nee, ik heb geen enkele behoefte om rond te bazuinen in welk opzicht je gebruikmaakt van Sam. Dat is jouw zaak.'

'Gelukkig maar.' Ze probeerde te glimlachen. 'Want dat is volledig uit de lucht gegrepen. Niemand zou zo'n verhaal geloven.'

'Dat ben ik met je eens. We leven in een keiharde, fantasieloze wereld. Het is me volslagen duidelijk waarom je jezelf daartegen beschermt. Je wilde gewoon zeker weten dat de schurken kregen wat ze verdienden, maar je wist ook dat je weggehoond zou worden als je geen legitieme manier had om aan te tonen wat je zag.' Hij bukte om de labrador zachtjes op zijn kop te kloppen. 'En dat is waar superhond Sam zijn entree maakte. Maar je had natuurlijk een hond uit kunnen zoeken die wat overtuigender overkwam.'

'Ik heb jouw begrip niet nodig. En Sam doet het prima.' Ze likte haar lippen en staarde in haar koffiekopje. 'En als je klaar bent met je belachelijke hypotheses, zou je me misschien kunnen vertellen wat je hier doet.'

'Ik heb een klus voor je.'

'Wat?'

Hij bestudeerde haar even. 'Je bent er nog niet klaar voor. Je zou me afwijzen.' Hij stond op, stak een hand in zijn broekzak en gooide de sleutels van zijn huurauto op tafel. 'Gebruik mijn Lexus maar als je hem nodig hebt. Ik zal zorgen dat je SUV van de kazerne hierheen gebracht wordt. Je hoort nog van me.'

Ze keek hem kwaad aan. 'Heb het lef eens om nu zomaar weg te lopen. Ik wil antwoorden.'

Hij glimlachte vaag. 'Er is op dit moment maar één vraag waar je antwoord op wilt, en die vraag heb je me nog niet durven stellen.' Zijn stem daalde tot een zacht gemompel. 'Het meer. Het was mooi, hè? Ik heb mijn best gedaan het zo mooi mogelijk voor je te maken. En nee, je bent niet bezig gek te worden.' Hij legde een visitekaartje op tafel en liep naar de deur. 'Daar staat mijn mobiele nummer op. Bel me als je me nodig hebt.'

'Wacht. Wie heeft je verdomme gestuurd?'

Hij keek om. 'Michael Travis.' Even later hoorde ze de deur achter hem dichtvallen.

Ze kreeg een stomp in haar maag. Het was vijf jaar geleden dat ze Michael had gezien en ze had gezworen dat dat de laatste keer was geweest. Ze had gedacht dat hij uit haar leven verdwenen was.

Rustig, geen paniek. Jaren geleden had ze de deur voor de neus van Michael dichtgegooid en dat zou ze opnieuw doen.

Maar zou haar dat bij Brad Silver ook lukken? Ze had het idee dat hij heel anders was dan Michael. Minder geduldig, meedogenlozer, veel directer.

Onmiddellijk vroeg ze zich af hoe ze dat soort dingen van hem wist. Hij was een vreemde.

O god, het meer.

Maar misschien was het gewoon haar eigen inschatting van zijn karakter. De verbondenheid die ze met hem voelde hoefde niets vreemds te betekenen.

Jawel, dat deed het wel. Híj was vreemd. Als het hem inderdaad was gelukt te doen waarvan ze hem verdacht, dan was hij nog gestoorder dan zij.

Maar ze was niet gestoord. Ze had geleerd te leven met haar probleem. En dat zou zo blijven. Er was niets veranderd. Ze kon Silver wegsturen en doorgaan met haar leven. Maar eerst moest ze ervoor zorgen dat hij wegblééf, en dat betekende dat ze Michael zou moeten bellen om hem uit haar hoofd te halen.

Ze ademde diep in, stak haar hand uit naar de telefoon en toetste met vlugge bewegingen het nummer in dat ze al vijf jaar niet had gebeld.

'Waar ben je godverdomme mee bezig, Michael?' vroeg ze toen Travis opnam.

'Kerry?'

'Je weet heel goed dat ik het ben. Ik heb je gezegd je niet met mijn leven te bemoeien, en dat geldt ook voor willekeurig welke verklikker je op me af meent te moeten sturen om mijn leven overhoop te gooien.'

'Ik neem aan dat je het over Brad Silver hebt? Als je hem een beetje kende zou je weten dat hij helemaal geen verklikker is. Silver doet precies wat hij zelf wil.'

'Je hebt hem naar me toe gestuurd. Jij hebt hem over mij verteld.'

'Ja. Daar heb ik lang over nagedacht, maar ik ben tot de conclusie gekomen dat het nodig was. Híj heeft je nodig.'

'Nonsens. Haal hem terug, Michael. Ik wil hem niet bij me in de buurt hebben.'

'Dat zou wel eens moeilijk kunnen worden.' Hij aarzelde. 'Je bent van streek. Wat heeft hij gedaan?'

'Hij is... eigenaardig.'

'Maar niet dom. Hij zou zichzelf nooit in de kaart hebben laten kijken als hij daar geen goede reden voor had gehad. Is er iets gebeurd?'

'Ik praat niet meer met je.' Ze probeerde haar stem in bedwang te houden. 'Ik wil alleen maar dat je tegen Silver zegt dat hij bij me uit de buurt moet blijven.'

'Wat heeft hij gedaan?'

Een blauw meer, ridderspoor, een spelend kind.

'Ik denk dat je heel goed weet wat hij heeft gedaan. Hij is net als jij en Melissa en al die anderen waar je me over hebt verteld.' Ze beet hard op haar onderlip. 'Hoewel, nee, hij is niet zoals zij. Hij is... anders.'

'Dat klopt. Hij is een heerser.'

'Een heerser?' De woede gierde door haar lijf. 'Ik weet bij God niet waar je het over hebt. Is dit een van die stomme hersenspinsels van je? Dat pik ik niet, Michael.' Na de boosheid volgde de paniek, en ze fluisterde: 'Mijn God, ik wist niet eens dat er mensen zoals hij bestonden.'

'Rustig aan, ik ben ervan overtuigd dat het nooit zijn bedoeling is geweest om...'

'Ik wil het niet horen.'

'Hij heeft je laten schrikken,' zuchtte Michael. 'Als je me even uit laat praten, dan zul je zien dat hij niet zo vreselijk is als je denkt.'

'Hij is veel erger. Hij is een nachtmerrie. Maak dat hij uit mijn leven verdwijnt.' Ze hing op.

Een *heerser*. Alleen het woord al beroofde haar van haar gevoel van onafhankelijkheid en zelfstandigheid. Maar goed, nu ze dit wist zou er geen kans op herhaling bestaan. Ze was sterk genoeg om te zorgen dat Silver...

Zet hem uit je hoofd. Ze had belangrijker dingen aan haar hoofd dan Silver of Michael of die gestoorde vrienden van hen. Ze had haar eigen bestaan. Aan de slag. Niet aan hem denken. Ze belde Edna. De telefoon ging zes keer over voor er opgenomen werd. 'Edna, met Kerry. Als je niet wilt praten mag je ophangen. Maar ik wilde even met Sam langskomen voor de kinderen.'

'Hij is dood, Kerry.' Edna klonk verdoofd. 'Het lijkt maar niet tot me door te willen dringen.'

'Wil je dat ik even kom, Edna?'

'Ik denk het wel. Ik heb het de kinderen nog niet verteld. Het zal toch moeten, maar wat moet ik tegen ze zeggen?'

'Daar komen we samen wel uit. Misschien kan ik het ze vertellen.'

'Nee, dat moet ik zelf doen. Hoe kan ik nou tegen ze zeggen dat hij niet meer thuiskomt, Kerry? Het is niet eerlijk. Het was zo'n goede man.'

'Ik ben onderweg.' Ze hing op en sprong overeind. Het zou een loodzware nacht worden, maar in ieder geval kon ze iets doen om te helpen. Ze vulde Sams etensbak. Ze had geen idee wanneer de eerstvolgende keer zou zijn dat ze daar de kans voor kreeg. 'Hier, je avondeten. We moeten aan het werk. Charlies kinderen hebben je nodig.'

Kerry Murphy kwam naar buiten met een onhandelbare zwarte labrador die ze er met moeite van kon weerhouden haar van het stoepje te trekken. Het was de eerste keer dat Trask haar goed zag. Hij had te ver op het parkeerterrein van het ziekenhuis gestaan toen Silver haar naar zijn auto gebracht had, en hij moest oppassen voor die klootzak. Ze was slank, net als Helen. Maar Helen was een brunette geweest, met prachtige donkere ogen. Deze vrouw had blauwe ogen en kastanjebruin haar dat donkerrood oplichtte onder de buitenlampen van de veranda.

Vuurrood.

Zijn handen sloten zich stevig om het stuur.

Ze stapte met de hond in de Lexus van Silver. De tijd begon te dringen. Hij moest een beslissing nemen. Zou hij haar nu vermoorden?

Ze moest veel voor Silver betekenen als hij helemaal voor haar hierheen was gekomen. Misschien had hij het mis, maar waarschijnlijk was het beter om het wapen te vernietigen voor het tegen hem gebruikt kon worden.

Maar nee, hij wist nog niets anders van Kerry Murphy dan haar naam die hij op de brievenbus had zien staan. Misschien was het niet nodig zijn tijd aan haar te verdoen. Hij moest terug naar Washington om zich voor te bereiden op zijn volgende doel. Daarna kon hij terugkomen om uitgebreid onderzoek naar haar te doen. Als ze echt betrokken zou raken bij Silver, kon ze altijd nog sterven op de gebruikelijke manier.

Tot die tijd zou hij afwachten en toekijken.

Silver werd gebeld door Michael Travis toen hij op weg was naar een hotel.

'Kerry heeft me zojuist gebeld en me de huid vol gescholden. Mag ik daaruit opmaken dat je contact met haar hebt gehad?'

'Zeg dat wel. Niet dat het iets opgeleverd heeft.'

'Wat heb je met haar gedaan?'

'Christus, ik heb haar niets gedaan. Wat zou dat voor nut hebben? Ik heb haar nodig.'

'Per ongeluk misschien? Je bent niet de meest geduldige persoon en je zit al een tijdje op het randje.'

'Als je je zoveel zorgen maakt, waarom ben je dan niet met me meegegaan met de fluwelen handschoentjes?'

'Omdat ze heeft gezegd dat ik me niet met haar leven mag bemoeien.'

'Dat komt overeen met wat ze mij vertelde.' Silver draaide het parkeerterrein van het Marriott hotel op. 'Ze heeft vandaag een goede vriend verloren bij een brand.'

'Verdomme.'

'Zeg dat wel. Daardoor moest ik mijn gezicht eerder laten zien dan gepland, en nu moet ik zorgen dat ik weer afstand neem en haar wat ruimte geef.'

'De president belde vanmiddag. Hij wil dat ik hem terugbel en verslag uitbreng. Hij wil antwoorden hebben.'

'Dat zou ik ook wel willen. Maar ik kan niet alles tegelijk. Als ik haar nu onder druk zet ben ik bang dat ik haar beschadig.' Hij aarzelde even. 'Maar ik moet zeggen dat ik verdomd nieuwsgierig ben naar de reden waarom president Andreas onze hulp heeft ingeschakeld. Als de pers erachter komt, wordt hij verscheurd. Ze hebben tot nu toe veel te weinig kunnen vinden wat tegen hem pleit.'

'Hij beschouwt de situatie als kritiek.'

'En hij denkt dat wij hem van dienst kunnen zijn. Waarom denkt hij dat? Heeft hij een bepaalde reden om te geloven dat wij een oplossing aan kunnen dragen?'

'Ga je weer terug naar Washington?'

Het was duidelijk dat Travis niet van plan was vragen over Andreas te beantwoorden. Hij was een geheimzinnige klootzak en nooit beschaamde hij andermans vertrouwen. Ach, Silver had geen recht tot klagen. Travis had in de afgelopen jaren ook de nodige van zijn geheimen bewaard. 'Nee, ik blijf hier tot ik een manier heb gevonden om haar aan mijn kant te krijgen. De komende dagen zal ze het druk hebben met het troosten van de getroffen weduwe. Ik kan niet anders dan een oogje in het zeil houden.' Hij liet een stilte vallen. 'Jezus, ze is sterk, Michael.'

'Ik zei toch dat ze vijf jaar geleden al een heel eind was. En in plaats van haar talent te onderdrukken, is ze ermee aan de slag gegaan. Niet in uitgebreide mate, maar ze heeft het wel gepolijst.'

'Zij is degene die Trask op kan sporen. Verdomme, ik wéét gewoon dat ze het kan.'

'Als hij haar niet doodt.'

'Excuus. Als hij haar niet doodt.'

'Ik zou bijzonder ontstemd zijn als je dat liet gebeuren, Silver. Ik zou je Kerry nooit gegeven hebben als je me niet iets had beloofd.'

'Waar ik me aan zal houden,' zei hij kortaangebonden. 'Zit me niet zo op mijn huid. Ik zal je bellen om te laten weten hoe het gaat. Als je nog iets nuttigs hoort van Andreas, laat het me dan weten.' Hij hing op.

Het viel Michael niet aan te rekenen dat hij zijn twijfels over hem had. Niemand anders was zo goed op de hoogte van de roekeloze woede die hem dreef. Christus, zelfs hij twijfelde soms aan zichzelf. Zou hij Kerry Murphy laten sterven als hij daarmee Trask in handen kreeg?

Jezus, hij wist het echt niet.

Haar broer, Jason, belde Kerry toen ze op het punt stond vanuit Charlies huis naar de begrafenis te gaan. 'Hoe gaat het met Edna?'

'Naar omstandigheden redelijk. Donna, haar zus, is gisteravond aangekomen uit Detroit en dat helpt. Ze hebben een hechte band.'

'En hoe gaat het met jou?'

'Ik ben verdrietig.' Ze verstrakte. 'Wat verwacht je anders?'

'Nou, rustig maar, ik ben alleen maar bezorgd.'

'Het gaat prima met me. Prima. Jij denkt altijd dat ik de weg weer kwijtraak. Dat gebeurt heus niet.'

'Dat weet ik wel. Maar ik denk dat het hoog tijd is voor een paar dagen rust en ruimte.' Ze hoorde iemand praten op de achtergrond en Jason lachte. 'Laura is het niet met me eens. Ze vindt dat je hierheen moet komen om haar te helpen met het afmaken van het tuinhuisje zoals je hebt beloofd. Je moet voor haar verven. Ze wordt misselijk van de lucht.'

'Zeg maar tegen haar dat ik morgen in de auto stap. Nu Donna hier is heeft Edna me niet meer nodig. Familie biedt toch de meeste troost.'

'Dat ben ik met je eens.' Hij aarzelde. 'Pa was vorige week nog even hier toen hij onderweg was naar Florida. Hij vroeg naar je.'

'O ja?' Ze veranderde van onderwerp. 'Ik moet ophangen. Edna staat te wachten. Ik zie je morgen, Jason.'

'Het is ook jouw vader, Kerry. Je kunt hem niet je hele leven de schuld blijven geven.'

'Ik geef hem helemaal nergens de schuld van. Ik hoef hem gewoon niet te zien. Zeg maar tegen Laura dat ze van die verfkwast afblijft. We krijgen dat tuinhuisje samen wel af.' Ze hing op en ademde diep in. Jason liet nooit een kans voorbijgaan om te proberen haar met haar vader te herenigen. Ze begreep het niet. Ze had hem de waarheid verteld: ze gaf haar vader niet de schuld, maar het contact met hem bracht de pijn terug en verstoorde de balans waar ze zo hard voor gevochten had. Dat kon ze zich niet veroorloven.

'Mag Sam mee, Kerry?'

Ze draaide zich om en zag Gary, Charlies tien jaar oude zoon, de treden afkomen. Hij had een blauw pak met een stropdas aan en zijn gezicht zag strak en bleek. Arme knul. Hij had zich goed staande weten te houden na de eerste nacht vol tranen, maar dit werd een zware dag voor hem.

Een zware dag voor hen allemaal.

'Volgens mij mogen honden niet naar begrafenissen, Gary,' zei ze vriendelijk. 'En je weet dat Sam zich niet altijd even netjes gedraagt.'

'Dat zou papa helemaal niet erg vinden.' Gary slikte moeizaam. 'Hij hield van Sam. Hij mopperde wel, maar hij moest altijd lachen om Sam. Ik denk dat Kim het fijn vindt als hij meegaat. Ze is pas zes en ze is een beetje… Ik denk dat het goed voor haar is als Sam mee mag.'

En voor Gary ook. De aanraking van een warm en liefdevol dier was altijd troostrijk voor kinderen. 'Ik zal je moeder vragen of we na de dienst terug kunnen rijden om hem op te halen voor we naar de begraafplaats gaan. Maar dan moeten jij en Kim ervoor zorgen dat hij geen geintjes uithaalt. Beloof je dat?'

Gary knikte. 'Hij gedraagt zich wel. Hij is slim. Ik denk dat hij wel snapt dat papa…' De tranen sprongen in zijn ogen en hij rende naar de voordeur. 'Kim zal blij zijn dat Sam mee mag. Ze is nog zo klein…'

Kerry's ogen prikten ook toen ze achter hem aan liep naar de veranda. Ook Gary was nog maar een kind. Twee fantastische kinderen die hun vader verloren hadden en nu zouden opgroeien zonder de hartelijke, sterke man die Charlie was geweest... Zet de toekomst van je af. Op dit moment was het haar taak om Edna en de kinderen door de nachtmerrie van deze dag te helpen.

Vaarwel, Charlie.
Kerry liet de roos die ze had gekregen op de kist vallen en deed een pas achterwaarts.
Kleine Kim en Gary hielden hun moeders hand stevig vast en met tranen op hun wangen legden ze hun roos op de doodskist. Kim bukte en klampte zich vast aan de vacht in Sams nek. Goddank gedroeg de hond zich netjes, bedacht Kerry. Ze was blij dat de begrafenis bijna achter de rug was. Ze had niet veel meer aangekund zonder in te storten. Ze rukte haar ogen los van de kist. Niet kijken. Denk aan Charlie zoals je hem gekend hebt. Het was beter om...
Ze verstrakte.
Een heel stuk verderop, in de schaduw van de enorme eik, stond iemand. Hij stond half verscholen achter de boom en zijn gedrag was... stiekem.
Verbeelding. Iedereen had Charlie gemogen en hij had geen geheimen. Waarom zou iemand zich achter een boom willen verstoppen om Charlies begrafenis in het geniep gade te slaan? En toch wist ze zeker dat...
Hij was weg. Net stond hij er nog en nu was hij weggeglipt in het struikgewas.
'Mag ik met jou en Sam meerijden?' Gary stond naast haar.
Ze knikte. 'Als je moeder het goed vindt.'
'Dat heb ik al gevraagd.' Gary pakte haar hand. 'Mama en tante Donna zijn bij Kim. Ze zal me niet missen.'
'Ik weet zeker dat ze je wél zal missen. Ze heeft jou en Kim allebei nodig. Vanaf nu moeten jullie voor elkaar zorgen.'
Hij knikte. 'Ik zal goed voor haar zorgen.' Zijn hand greep die van haar steviger vast. 'Ik zal alles doen wat papa zou hebben gewild. Maar vandaag niet. Goed?'
Ze knikte langzaam. Zij en Edna waren allebei even schuldig

aan het niet onderkennen van Gary's behoeften. Hij kon omgaan met zijn eigen verdriet, en de overweldigende troost die hem omringde, weerhield hem er op dit moment van om voor een ander te zorgen. 'Daar is nog tijd genoeg voor. Er is niemand die dat op dit moment van je verwacht. Als jij Sam even ophaalt dan gaan we.'

Ze keek hem na toen hij zich naar zijn moeder haastte en liet haar blik toen weer naar de eikenboom dwalen.

Niemand.

Waarom zat dit haar zo dwars? Er hoefde geen logische verklaring voor te zijn. Het kon een medewerker van de begraafplaats geweest zijn die zich niet op wilde dringen. Of de een of andere gek die opgewonden raakte van het rondhangen op begraafplaatsen.

Silver.

Het was mogelijk. Ze had de man niet goed gezien. Ze had alleen een indruk gekregen van lengte en spanning en een glimp gezien van een donkerblauw windjack en een baseballpet.

Maar ze kon zich geen voorstelling maken van Silver, verscholen achter een boom. Daar was hij te ongeduldig voor, te schaamteloos. Maar ja, aan de andere kant wist ze eigenlijk niets van Silver en had ze bewust elke gedachte aan hem verdrongen sinds ze drie dagen geleden van huis was vertrokken.

Toch was het de eerste persoon die in haar opkwam bij dat onrustige moment.

Omdat er niemand anders bestond die haar zo onrustig maakte als Brad Silver.

'Ga je mee, Kerry?' Gary was terug met Sam aan de riem. 'Iedereen gaat weg.' Hij keek naar het graf en fluisterde: 'Maar we laten hem niet echt achter, hè? Mama zegt dat hij altijd bij ons zal zijn.'

'Mama heeft gelijk.' Ze pakte zijn hand en begon te lopen. 'Als we de herinnering aan hem maar levend houden. Heb ik je wel eens verteld over de eerste keer dat ik je vader ontmoette? Hij was woest omdat ze mij hadden gestuurd om een van zijn vrienden te vervangen die was overgeplaatst naar...'

3

'Maak dat je wegkomt.' Kerry wierp Laura een strenge blik toe over haar schouder. 'Je hebt me hierheen gehaald om dit verdomde tuinhuisje voor je in de verf te zetten omdat jij misselijk werd van de lucht. En nu ben je niet bij me weg te slaan.'

Laura stak haar een glas limonade toe. 'Ik dacht alleen maar dat je misschien dorst zou hebben.' Kritisch bekeek ze de houten spijlen die Kerry aan het verven was. 'En om te zeggen dat ik denk dat je misschien...'

'Laura!'

'Oké. Sorry,' zei Laura schuldbewust. 'Jason zei dat ik je niet lastig moest vallen. Maar een paar woorden van advies vallen volgens mij niet in de categorie lastigvallen. Je bent tenslotte een verstandige vrouw die...'

'De dingen graag op haar eigen manier doet,' zei Kerry glimlachend. 'En nu terug naar het huis voordat je gaat overgeven. En dat valt wat mij betreft absoluut in de categorie lastigvallen.'

'Ik heb nergens last van.' Laura krulde haar neus op. 'Ik heb net een paar crackers genomen voordat ik je het genot van mijn advies wilde laten smaken. Daar wordt mijn maag rustig van. En ik voelde me eenzaam. Jij bent meteen aan het werk gegaan toen je aankwam. Je had best even een beetje sociaal kunnen doen zodat ik je had kunnen vertellen hoe ik mishandeld word door onze Pete hier.' Ze klopte op haar bolle buik. 'Hij ligt me de hele nacht te schoppen.'

'Daar heb je zelf om gevraagd.'

'Absoluut.' Laura's stralende lach deed haar ronde, sproetige gezicht oplichten. 'Drie jaar lang. Gesmeekt. Gebeden. En elke denkbare hormonenpil geslikt die er te krijgen was.'

'Dat weet ik,' zei Kerry met twinkelende ogen. 'Ach, en dat alles om mij tante te maken. Ik waardeer het enorm, hoor.'

'Daar heb je Jason.' Laura rende naar het huis en riep toen achterom: 'Hij is vroeg vandaag. Ik heb hem gebeld dat je vanmorgen aangekomen was.'

Liefdevol glimlachte Kerry toen de hordeur dichtsloeg en ze Laura Jasons naam hoorde roepen terwijl ze door het huis naar de voorzijde rende. Zelfs nu ze acht maanden zwanger was gedroeg Laura zich nog als een wervelwind. Een warme, zonnige wervelwind...

Als zoiets bestond tenminste. Maar aan de andere kant had Laura altijd volgens haar eigen wetten geleefd. Ze was altijd al...

'Ik hoor dat je bezig bent het tuinhuisje van mijn vrouw te ruïneren?' Jason kwam van de achterveranda aangelopen. 'Ze wil dat ik je aanpak.'

'In godsnaam, Jason, alsof jij iets van schilderen weet.' Ze dipte haar kwast weer in de verf. 'Alsof Laura dat niet weet.'

Hij kwam bij haar staan. 'Waar is Sam?'

'Die heb ik bij Edna en de kinderen gelaten. Ze hadden hem nodig. En nu lijkt het me verstandig als je dat mooie pak van je uittrekt en me komt helpen verven. Ik heb mijn handen vol aan die vrouw van je. Ze doet niets dan me lastigvallen en kritiek leveren.'

'Ze kan het niet uitstaan dat ze zelf niet alles kan doen. Sorry dat ik niet thuis was toen je aankwam. Ik zat voor zaken in Valdosta.'

'Geen probleem.'

'Hoe is het met Charlies gezin?'

'Niet best. Ze proberen te overleven.'

'En jij? Red jij het een beetje?'

'Ik doe mijn best.'

'Pa maakte zich zorgen over je. Hij wilde je helpen.'

Ze verstrakte. 'Hoe? Door me weer in dat gekkenhuis te stoppen?'

Jason keek haar afkeurend aan. 'Hij heeft gedaan wat hij dacht dat het beste voor je was. Je hallucineerde. Je had medische zorg nodig.'

'En het was een stuk gemakkelijker om me af te voeren naar een gesticht dan om daar zelf met me mee aan de slag te gaan. Weet je hoe vaak hij bij me op bezoek is geweest in de tijd dat ik in die inrichting zat? Twee keer. Als jij niet zo vaak gekomen was, was ik gaan denken dat ik een wees was.'

'Hij voelde zich ongemakkelijk bij je. Als klein meisje was je al vijandig, en na je opname droop de hatelijkheid ervanaf.'

'Maar ik was niet gek. Ik had gewoon wat problemen. Hij had me daar op mijn eigen manier mee om moeten laten gaan.'

'Hij was bang dat die hallucinaties een gevolg waren van het coma waarin je als kind had gelegen. Hij voelde zich verantwoordelijk.'

'Hij voelde zich schuldig.'

'Je gééft hem toch ook de schuld?'

'Misschien. Ik weet het niet. Maar ik weet wel dat ik nu even geen zin in hem heb.' Ze wilde maar dat hij het onderwerp liet rusten. Jason kon zich als een pitbull ergens in vastbijten. Ze verplaatste haar gewicht naar haar hielen en toverde met moeite een glimlach op haar gezicht. 'Goed, en ben je nu nog van plan je te verkleden voor je me komt helpen? Als we met z'n tweeën aan de slag gaan hebben we dit klusje nog voor het avondeten klaar.'

'Zo dadelijk.' Hij fronste zijn voorhoofd en ze wist dat hij het onderwerp nog niet zou laten rusten. 'Maar die dokters daar hebben je goed geholpen. En nadat die psychiater was gekomen, dokter Travis, ging het hartstikke goed met je. Binnen twee maanden kon je daar weg. Dus misschien heeft Pa toch het juiste gedaan.'

Ze was ontslagen omdat Michael Travis haar precies had ingefluisterd wat ze tegen het verplegend personeel moest zeggen zodat ze zouden denken dat ze haar genezen hadden. 'Ik ben het met je eens dat ik daar dankzij Travis weg ben gekomen. Maar verder heb je ongelijk.'

Hij was even stil. 'Ik heb me altijd afgevraagd... Geef je mij ook de schuld?'

'De eerste paar weken dat ik daar was wel. Ik voelde me in de steek gelaten. Later besefte ik dat je hem zijn zin had gegeven omdat je van me hield, en die liefde vind ik te belangrijk om je te veroordelen voor het feit dat je een fout hebt gemaakt.'

'Het was geen fout. Je bent nu gezond en normaal. Dat moet je toegeven.'

'Doodnormaal.' Normaler dan dit zou ze nooit worden. 'Kun-

42

nen we het nu ergens anders over hebben en Laura's tuinhuisje afmaken? Ik ben hierheen gekomen omdat ik bij mijn familie wilde zijn, niet voor een preek.'

Hij knikte en draaide zich om. 'Sorry. Het is alleen maar omdat Pa zo'n geweldige man is. Ik denk dat je heel wat mist.'

Ze keek hem na toen hij door de tuin naar het huis liep. Het was logisch dat Jason vond dat ze zichzelf tekortdeed. Hij had de twee jaar dat zij in coma had gelegen na de dood van haar moeder, bij hun vader doorgebracht, en Kerry's vervreemding van het aardse bestaan had vader en zoon alleen maar dichter tot elkaar gebracht. En daarna, toen ze ontwaakt was, had ze de nodige tijd doorgebracht in een herstellingsoord. Jason was tien jaar ouder dan Kerry en had op die leeftijd zwaar onder invloed van zijn vader gestaan. Later hadden Kerry en Jason allebei privé-scholen bezocht en hun vakanties doorgebracht bij tante Marguerite in Macon. Vaag herinnerde ze zich de paar keer dat hun vader hen daar was komen opzoeken. In Jasons buurt was hij charmant, enthousiast en grappig geweest. Met haar alleen was hij vormelijk en niet op zijn gemak.

Haar fout? Misschien. Ze herinnerde zich keren dat ze hem had aangestaard alsof hij een of ander fossiel was. Ze wist zich niet normaal te gedragen. En later, toen de nachtmerries en visioenen begonnen, had hij haar naar Milledgeville gestuurd en daarmee de laatste kans op intimiteit verspeeld.

Ze draaide zich weer om en ging verder met het verven van de spijlen.

Het was niet belangrijk. Ze had Jason en Laura en al haar vrienden van de kazerne. Ze had geen behoefte aan een vaderfiguur. En vooral niet aan iemand als Ron Murphy. Zijn schuldgevoel over Kerry en haar moeder en die afschuwelijke nacht in Boston was zijn probleem.

Kerry stond lachend grappen te maken en was ontspannener dan Silver haar ooit gezien had. Haar broer stond hamburgers te grillen op de barbecue en Laura Murphy, hoogzwanger, zat op een stoel bij de picknicktafel tevreden naar haar tuinhuisje te kijken.

Silver liet de verrekijker zakken. Was het tijd om aan te kloppen en met Kerry te praten? Ze was nu rustig en in haar element. Het trauma van de afgelopen dagen was op de achtergrond geraakt. Waarschijnlijk zou hij gebruik moeten maken van de situatie en opnieuw in beeld moeten stappen.

Nee, vanavond liet hij haar nog met rust.

Wanneer hij haar eenmaal in zijn nachtmerrie getrokken had, zou ze in de nabije toekomst geen enkel spanningsvrij moment meer hebben.

'De president.' Melissa gaf de telefoon aan Michael Travis en zei geluidloos: 'Niet blij.'

Dat verraste hem niet. Andreas was de afgelopen drie dagen steeds ongeduldiger geworden. 'Dag, meneer de president. Ik had u vanavond willen bellen om u op de hoogte te brengen van de voortgang.'

'Doe dat dan nu maar,' antwoordde Andreas scherp. 'Wat is er in godsnaam aan de hand? Waarom loopt Silver de boel te rekken? Beseft hij niet dat er haast bij is?'

'Jawel. Hij probeert haar voorzichtig naar het aanbod te leiden.'

'En in de tijd dat hij diplomatiek bezig is, moet ik dus maar lijdzaam toezien hoe deze idioot een bloedbad aanricht. Tim Pappas is gisteravond met zijn auto tegen een boom gereden. Na de explosie is hij levend verbrand voor iemand de kans kreeg hem eruit te halen.'

'Verdomme.'

'Zeg dat wel. Ik had Pappas verteld dat hij veilig was. Ik hou er niet van voor leugenaar uitgemaakt te worden. En ik hou er al helemáál niet van een goede man te laten sterven omdat wij niet in staat zijn Trask op te sporen.'

'Silver vindt hem wel. Er is niemand die zo gemotiveerd is als hij.'

'Dat is dan ook de enige reden dat ik hem vertrouw.' Andreas liet een stilte vallen. 'Is die vrouw echt noodzakelijk?'

'Zij of een vergelijkbaar persoon. En ik ken niemand anders met dat speciale talent.'

'Maar ze aarzelt nog of ze wil helpen?'

'Misschien. We weten het gewoon nog niet. Vijf jaar geleden wilde ze niets met de groep te maken hebben. Ze is bijzonder zelfstandig en wil een zo normaal mogelijk leven leiden.'

'Dat kan ze vergeten.'

'Ze doet het heel goed tot nu toe. Ze is heel slim en weet zich goed in te dekken.'

'Je hebt me nooit haar volledige achtergrondinformatie gegeven om haar te toetsen. Vertel eens.'

'Kerry's moeder is omgekomen bij een brand in Boston toen ze zes was. Kerry zelf heeft een klap op haar hoofd gekregen van de brandstichter en daarna heeft ze twee jaar in coma gelegen. Zelfs toen ze uit coma ontwaakte heeft ze de dader niet kunnen identificeren. Haar vader, Ron Murphy, en haar moeder lagen ten tijde van de brand in scheiding en de vader had Kerry's broer, Jason, meegenomen voor een visvakantie in Canada. Murphy is freelance journalist en nooit lang op dezelfde plek. De kinderen hebben het grootste deel van hun jeugd doorgebracht op privéscholen en bij hun tante. Toen ze twintig was begon Kerry nachtmerries over branden te krijgen en de gebruikelijke visioenen. Haar vader heeft haar in een inrichting geduwd. Daar ben ik met haar in contact gekomen. Ik wist van haar bestaan vanaf het moment dat een van mijn informanten me over haar achtergrond had ingelicht. Ik vermoedde dat ze wel eens een van ons zou kunnen zijn.'

'Naar aanleiding van het coma.'

'Inderdaad. Ik heb papieren vervalst en ben daarheen gegaan als bezoekend psychoanalyticus. Ik heb haar kunnen helpen met haar woede en verbijstering, maar ze wilde er verder niets mee te maken te hebben. Ze zei dat ze mijn hulp niet nodig had en dat ze niet van plan was als malloot door het leven te gaan.'

'Begrijpelijk.'

'Ik begrijp het heel goed. Ik dacht er ooit hetzelfde over. Daarom wilde ik haar naam in eerste instantie niet aan Silver geven toen hij iemand zocht.'

Andreas dacht even na. 'Bestaat de kans dat hij je gedwongen heeft die informatie te geven?'

'Ik weet het niet. Ik denk dat zelfs Silver niet weet waartoe hij in staat is. Misschien wil hij het niet weten.'

'Volgens mijn rapporten is hij… merkwaardig.'

'En misschien is dat nog maar het topje van de ijsberg.' Travis wreef over zijn slapen. 'Maak je geen zorgen. Hij is niet mild aan het worden. Hij krijgt Kerry Murphy.'

'En snel,' zei Andreas. 'Heel snel graag. Ik heb geen zin in nog een begrafenis.'

'Ik zal je misnoegen overbrengen.'

'Alsof hem dat interesseert. Klaarblijkelijk is hij niet iemand die ergens van onder de indruk raakt. Laat me horen hoe het is gegaan.' Andreas hing op.

Brand!
Mama kon er niet uit. Ze was gewond. Ze moest hulp zoeken.
De man aan de overkant van de straat.
Help mama. Alstublieft, help mama.
Maar ze wist dat hij niet zou helpen.
Elke keer opnieuw. Elke keer opnieuw.
Toch moest ze het proberen. Ze rende naar de overkant. 'Alstublieft. U moet haar helpen.'
Ze keek naar hem op.
Geen gezicht. Geen gezicht. Geen gezicht.
Ze gilde.

Kerry zat rechtop in bed, badend in het zweet. Haar hart klopte zo wild dat het pijn deed. Niets aan de hand. Ze stond niet op die straat in Boston. Ze lag in Jasons logeerkamer in Macon. Het was niet meer dan een droom.

Niet meer dan een droom? Het was de nachtmerrie die al vanaf haar kindertijd terugkeerde. Maar ze had er in geen maanden last van gehad en gehoopt dat het eindelijk voorgoed voorbij was. Waarschijnlijk had de dood van Charlie hem weer teruggehaald.

Het was onbelangrijk wat de oorzaak van de terugkeer was. Hij was er en als ze nu weer ging slapen zou hij haar achtervolgen. Altijd volgens hetzelfde patroon. De droom herhaalde zich keer op keer vanaf het moment dat ze diep in slaap was. Soms duurde het dagen voor het voorbij was en ze er uitgeput en doodmoe uit te voorschijn kwam.

Tja, ze kon hier moeilijk gaan liggen wachten tot ze weer in slaap viel om zich er weer door te laten overvallen.

Ze gooide het dekbed van zich af en stapte uit bed. Naar beneden voor een glas melk. Op de veranda zitten en troostende verkoeling zoeken in de nachtlucht. En misschien, heel misschien, zou ze het geluk hebben dat de droom zover naar de achtergrond raakte dat hij haar niet meer aan zou vallen als ze weer in slaap viel.

Ja hoor, droom maar lekker verder.

Ze ging naar de badkamer, waste haar gezicht en sloop toen zachtjes de trap af naar de keuken. Het laatste wat ze wilde, was een wakkere Jason die om uitleg vroeg. Ze had tegen hem gezegd dat de nachtmerries uit haar kindertijd tot het verleden behoorden. IJdele hoop.

Ze nam haar glas melk mee naar buiten en ging op het trapje van de achterveranda zitten. Het hout voelde koel aan tegen haar blote benen en ze ademde de naar kamperfoelie geurende lucht diep in. Dit was normaliteit. Realiteit. Die schimmige figuur in haar dromen was niet meer dan een monsterlijk hersenspinsel.

Nee, het was geen verbeelding. Hij bestond echt. Hij had die vreselijke daad verricht en was vrij om nog meer levens te verwoesten. Dat was haar schuld. Haar schuld.

Vergeet hem. Ze moest haar eigen leven leiden. Ze kon zichzelf niet eeuwig blijven kwellen. Ze was geen martelares. Haar moeder zou niet hebben gewild dat ze zich schuldig voelde. Ze tilde haar glas op en nam een grote slok van haar melk.

Het tuinhuisje lichtte wit op in het maanlicht. Ze zou morgen een tweede laag aanbrengen, maar het zag er nu al best goed uit. Laura had goed werk geleverd met...

'Is er nog een plekje vrij voor mij op dat trapje?'

Ze verstijfde en haar blik schoot naar de man die een paar meter van haar vandaan stond.

Brad Silver. Woede gierde door haar lijf. 'Nee, er is geen plek. Niet op dit trapje en niet in mijn leven.' Ze verstevigde haar greep om het glas melk. 'En wat doe je hier verdomme midden in de nacht? Dit is privé-terrein.'

'Je hebt me wakker gemaakt.' Hij ging naast haar op de trede zitten. 'Het is je eigen schuld. Als jij jezelf een beetje beter in de hand had, zou ik het een stuk gemakkelijker hebben.'

'Hoe bedoel je, ik heb je wakker gemaakt?'

'Hoe vaak heb je dat soort dromen? Ik kan me er niet meer dan twee herinneren in de afgelopen zes maanden.'

'Waarom zou jij...' Ze haalde diep adem. 'Wat bén je, en wat heb je het afgelopen halfjaar met me gedaan?'

'Ik heb alleen maar met je meegekeken. Ik moest je leren kennen toen ik eenmaal besloten had dat jij de beste keus was. Travis heeft van begin af aan gezegd dat ik bij jou moest zijn, maar dat bepaal ik graag zelf.'

'Meegekeken?' Ze likte over haar lippen. 'Je hebt in mijn hoofd zitten wroeten. Jij bent een van die bizarre vrienden van Michael, is het niet?'

Hij trok een gezicht. 'Hij heeft zeker gezegd dat ik niet helemaal normaal was toen je hem belde. Wat zei hij?'

'Een heerser. Hij noemde je een heerser.' Ze deed haar best haar stem in bedwang te houden. 'Jij hebt mijn gedachten gestuurd toen Charlie stierf. Hoe deed je dat?'

'Ervaring. Ik was er niet zeker van dat ik je verbinding zou kunnen doorbreken en kon vervangen door andere beelden. Je bent erg sterk.'

'Maar je hebt het toch gedaan, verdomme.'

'Omdat je er zelf niet toe in staat was. Als je je had laten onderrichten door Travis, dan was het misschien niet nodig geweest om als een creperend beest in die kast te kruipen.'

'Ik heb geen zin om hiernaar te luisteren.'

Ze maakte aanstalten om op te staan, maar hij stak een hand uit en trok haar met een ruk omlaag. 'Het kan me niet schelen of je het wilt horen of niet. Ik heb me een aardig tijdje op de achtergrond gehouden omdat jij moest herstellen van het trauma van de dood van je vriend. En nu ben ík aan de beurt en luister je naar wat ik je te zeggen heb.'

'Dat had je gedacht.' Ze keek hem kwaad aan. 'Blijf met je handen van me af.'

'Dat zal ik zeker doen. Ik heb geen enkele behoefte je aan te raken.' Hij beantwoordde haar boze blik. 'Maar nu ga je naar me luisteren, want anders maak ik je broer wakker en zullen we het eens uitgebreid over jouw twee nachtmerries hebben en hoe ik daarvan weet. Ik heb niet de indruk dat jij wilt dat hij zich zorgen maakt over de geestelijke gesteldheid van zijn zus.'

'Klootzak.'

'Klopt, dat ben ik. Maar dat verandert niets aan de zaak. Het zou je er alleen maar van moeten overtuigen dat ik altijd doe wat ik zeg.'

Hij meende het. Ze wendde haar blik af. 'Brand los.'

'Ik wil dat je een klus voor me doet.'

'Nee.'

'Waarom niet?'

Met opeengeklemde kaken antwoordde ze: 'Omdat je een gek bent en wilt dat ik dat ben. Ik wil niets met jullie te maken hebben. Dat heb ik vijf jaar geleden al tegen Michael Travis gezegd.'

'Ik hoef geen abnormaal mens van je te maken. Dat ben je al. Toen je uit coma kwam, heb je iets met je mee teruggenomen. Dat weet je best, maar je weigert er iets mee te doen.'

'Ik doe er wél iets mee,' zei ze vinnig. 'Ik wérk ermee. Maar dat betekent niet dat ik me aan hoef te sluiten bij een stelletje gekken als jij en Travis. Ik wil een normaal leven leiden.'

'Jammer dan. Toen je uit coma ontwaakte ben je automatisch lid geworden van een vrij exclusief clubje. Je hebt een bijzonder talent, en ik heb je nodig.'

'Krijg de kolere.'

'Travis heeft je laten gaan. Hij had je bij zich kunnen houden om jou je dankbaarheid te laten tonen nadat hij je had verteld hoe je uit die inrichting kon komen, maar dat heeft hij niet gedaan. Hij heeft je je eigen weg laten gaan. Heeft hij je ooit geprobeerd te werven?'

'Te werven?'

'Een verkeerd woord? Wat heeft hij tegen je gezegd?'

'Hij zei dat ik niet gek was, dat mijn visioenen telepathisch waren, en dat ik ermee moest leren leven. Hij zei dat ik niet de enige was, en dat er meer mensen waren die helderziende gaven ontwikkeld hadden nadat ze uit een coma waren ontwaakt waarin ze als kind hadden gelegen. Hij en zijn vrouw werkten aan het zoeken, vinden en helpen van deze mensen.'

'Omdat zowel Michael als Melissa het zelf hebben meegemaakt.'

Ze knikte. 'Dat vertelde hij, ja. Hij zei dat als ik naar hun huis in Virginia wilde komen, ze me zouden helpen het onder controle te krijgen.' Ze kneep haar lippen tot een streep. 'Ik had geen hulp nodig. Ik hoefde alleen maar te weten dat ik niet gek was. De rest kan ik zelf aan. Ik heb een prima leven opgebouwd voor mezelf.'

'Ook al ben je gehandicapt.'

'Je bent niet wijs. Ik ben níet gehandicapt.'

'Je bent gestopt als brandweervrouw omdat je bang was. Angst verlamt mensen.'

'Ik ben niet bang.'

'Niet van de branden zelf. Je bent bang nog een keer door dezelfde hel te gaan als toen Smitty Jones twee jaar geleden omkwam in de vlammen.'

'Smitty?'

'Jullie hebben samen op school gezeten en werden allebei gestationeerd bij Kazerne Nummer Tien. Jullie waren dik met elkaar. Minnaars?'

Er verscheen een scheve grijns op haar gezicht. 'Weet je dat dan niet?'

'Ik heb me niet opgedrongen. Er zijn grenzen.'

'Onzin.'

'Ik ben ver genoeg binnengegaan om te weten dat de relatie innig genoeg was om er kapot van te zijn toen hij stierf. Had je met hem dezelfde verbinding als met Charlie?'

Ze gaf geen antwoord.

'Ik denk van wel. Maar het is je kennelijk gelukt om je los te rukken voor hij stierf. Je hebt geluk gehad. Als je die kracht niet had gehad, zou hij je met zich meegesleurd hebben.'

'Ik zou gestorven zijn?' fluisterde ze.

'Ik denk dat je dat wel wist. Daarom heb je je instinctief losgemaakt.'

Ze keek van hem weg. 'Misschien.'

'Maar aangezien je dat niet nog een keer wilde meemaken, heb je je over laten plaatsen. Je dacht dat alles in orde zou zijn zolang je uit de buurt bleef van de brand.' Hij schudde zijn hoofd. 'Maar zo werkt het niet, Kerry. Niet als je een emotionele verbinding hebt.'

'Het was een poging waard,' zei ze onrustig. 'Smitty was mijn vriend, mijn beste vriend. Ik denk dat we op den duur nog intiemer geworden zouden zijn. Maar daar hebben we de kans niet voor gekregen. Hij stierf, en ik moest er niet aan denken om dat nog een keer...'

'Je gaat door de hel.' En toen, met rauwe stem: 'Denk je dat je daar de enige in bent? Denk je dat geen van ons diezelfde bijzondere ervaring heeft? Het hoort er nu eenmaal bij.'

'Wat mij betreft niet. Ik wil er niets mee te maken hebben.' Ze richtte haar blik weer op hem. 'En met jou ook niet. Michael heeft me destijds uitgelegd dat er allerlei gaven bestonden, zowel kleinschalig als grootschalig, maar ik heb nooit durven dromen dat er zo iemand bestond als jij. Jij bent walgelijk.'

'Dat is geen ongebruikelijke reactie. Iemand die een blik werpt in jouw denkproces, dat is nog te verdragen, maar niet als die persoon daar veranderingen in aanbrengt.' Hij haalde zijn schouders op. 'Ik heb ermee leren leven. Je zult merken dat dit soort walgelijkheid heel nuttig kan zijn.'

'Je hoeft niet nuttig voor me te zijn. Ik wil dat je weggaat.'

'Maar je hebt me nog niet eens de kans gegeven je te vertellen wat ik voor je zou kunnen doen.'

'Niets. Er is helemaal niets dat je voor me zou kunnen doen.'

'Integendeel. Ik kan je geven waar je al je hele leven naar op zoek bent.' Hij liet een stilte vallen. 'Hij heeft namelijk wél een gezicht, weet je. Ergens in je onderbewustzijn weet je hoe hij eruitziet. Je hebt je alleen nog niet door de verschrikking van die nacht kunnen vechten om die herinnering naar de voorgrond te halen.'

'En dat zou jij voor me kunnen doen?' Ze schudde haar hoofd. 'Nadat ik uit coma kwam, heeft de politie er alles aan gedaan om die herinnering bij me boven te krijgen, tot hypnose aan toe. Het was gewoon weg. De hersenschudding en het coma hebben het uitgegumd.'

'Maar niet voorgoed. Het zit verborgen. Ik kan je helpen het weer zichtbaar te maken. Het zal niet eenvoudig zijn, maar ik weet dat ik het kan.'

'Ik geloof je niet. Als ik het me had kunnen herinneren, dan was dat allang gebeurd. Denk je niet dat ik wil dat die klootzak gestraft wordt? Hij heeft mijn moeder vermoord. Hij heeft haar in dat brandende huis laten sterven.' Haar stem trilde. 'Ze hebben me later verteld dat er niets dan botten over waren toen ze de brand eindelijk geblust hadden.'

'Als je hem echt graag wilde vinden, dan kon je hem wel uit je herinnering te voorschijn halen.'

'Nonsens.' Ze kwam overeind. 'Ik betwijfel of je mij zou kunnen helpen, en zelfs als het wel zo zou zijn durf ik het risico niet aan om met je in zee te gaan.'

'Omdat je bang bent dat ik rare dingen zou doen in je hoofd. Ik beloof je dat dat niet zal gebeuren. Gewoonlijk stap ik niet binnen zonder toestemming.'

'Zoals je in die kast hebt gedaan?'

'Dat was noodzakelijk. Ik wilde niet dat je zou instorten voor ik je mijn voorstel had gedaan.'

Stomverbaasd staarde ze hem aan. Die kilte. Die hardheid. 'Dat zou erg onhandig geweest zijn.'

'Precies.' Eén van zijn mondhoeken krulde op in een sardonische grijns. 'Ik kon het me niet veroorloven op zoek te gaan naar eenzelfde talent als jij. Het spijt me als ik je heb geschokt met mijn gebrek aan menselijkheid. Er is snelheid geboden bij mijn taak om te proberen je enige finesse bij te brengen. En ik durf te beweren dat je te eerlijk en oprecht bent om genoegen te nemen met gevlei.'

'Ik ben oprecht genoeg om je af te wijzen en te zeggen dat je uit mijn leven moet verdwijnen.'

'Ben je niet eens nieuwsgierig naar wat ik van je wil?'

'Nee.' Dat was gelogen. Dat was ze wel. Hoe kon het anders? 'Ik wil dat je een monster voor me opspoort. Een monster dat de man die jouw moeder heeft vermoord een engel doet lijken.'

'Wie?'

Hij schudde zijn hoofd. 'Ik heb eerst je belofte nodig. Ik heb Travis beloofd dat ik niets zou vertellen totdat ik er zeker van was dat het tussen ons zou blijven. Er zijn mensen die het je burgerplicht zouden noemen. Ikzelf geef geen zier om burgerplicht.' Zijn gezichtsuitdrukking was glashard. 'Ik wil alleen maar dat je hem voor me vindt.'

'En ik wens geen opdrachten te krijgen van jou, van de regering of van wie dan ook.' Ze trok de hordeur open. 'Goed, je hebt je voorstel gedaan en ik heb het afgewezen. En nu wegwezen.'

Hij schudde zijn hoofd. 'Dit was de openingszet. Ik wist dat je niet meteen zou toegeven. Ik zal je moeten blijven achtervolgen tot je instemt.'

'Als ik je hier nog een keer in de buurt zie, dan bel ik de politie.'

Hij stond op. 'Dan zal ik zorgen dat je me niet ziet. Maar ik ben er wel. Denk er eens over na. De klootzak die je moeder heeft vermoord, houdt jou nog steeds gevangen. Wil je niet vrij zijn? Wil je hem niet zien branden in de hel?'

'Die vraag is de moeite van het beantwoorden niet waard.'

'Laat mij dan het vuurtje voor die hel opstoken.' Met gespannen blik zei hij: 'Geloof me. Ik kan het.'

Op dat moment geloofde ze hem bijna. Elke vezel van zijn lichaam leek tot het uiterste gespannen. Mijn god, bij hun vorige ontmoeting had ze zijn wilskracht herkend, maar nu besefte ze dat dit slechts het topje van de ijsberg was.

Reden te meer om geen contact met hem te willen. Zelfs als hij geen gebruik maakte van dat talent dat ze zo weerzinwekkend vond, was hij nog veel te overtuigend. Tegelijkertijd deed hij geen enkele moeite die meedogenloosheid of dat botte eigenbelang dat bij zijn karakter leek te horen te verbergen. Hij was een vreemde die iets van haar wilde, en ze kon hem noch vertrouwen noch geloven. 'Je kunt me niet helpen. Vaarwel, meneer Silver.'

Hij grijnsde. 'Ik had je bijna, is het niet?'

'Absoluut niet.'

Hij knikte. 'Jazeker wel. Je zat op het randje. Je wilt wat ik je kan geven, maar je bent bang. Dat is begrijpelijk. Maar ik vind dat ik het niet slecht heb gedaan. Het is een opluchting voor me te weten dat ik geen radicale stappen hoef te ondernemen.'

Ze verstijfde. 'Radicale stappen?'

'Laat maar. Welterusten, Kerry.' Hij liet zijn ogen over het tuinhuisje glijden. 'Je hebt goed schilderwerk geleverd. Maar er moet nog wel een tweede laagje overheen.'

'Dat weet ik. Morgen.'

'En daar zul je niet te moe voor zijn. Je zult lekker slapen.' Zonder zijn blik van het tuinhuisje af te wenden zei hij: 'Ik weet dat je bang bent dat de nachtmerrie terugkomt, maar dat zal niet gebeuren.'

'Hè?'

Hij keek haar aan. 'Een klein cadeautje. Een aanbetaling voor te leveren diensten.' Hij liep over het gras in de richting van het hek. 'En een demonstratie van mijn nut.'

'Wel godverdomme! Ik hoef geen cadeautjes. Ik wil dat je...'

Hij was weg.

Mooi zo, dacht Kerry toen ze het huis binnenliep en de keukendeur achter zich op slot deed. Ze merkte dat ze rilde. Hij had haar bijna net zo erg van haar stuk gebracht als die eerste keer dat ze hem had ontmoet, met al dat gepraat van hem over het monster waarvan hij wilde dat zij het voor hem vond.

Ze had al voldoende eigen boze geesten. Ze had geen behoefte er voor hem ook nog een te zoeken. Zijn zogenaamde cadeautjes waren beslist verdacht. Vooral nu bleek dat hij haar beleving van de werkelijkheid kon verdraaien zoals hij al eerder had gedaan. Het leek bijna ondenkbaar dat een dergelijke gave bestond. Het beangstigde haar. Ze wilde haar hoofd onder het dekbed verstoppen zoals ze als kind had gedaan. Het verstandige volwassen alternatief was om Silver te mijden als de pest, en ze had er goed aan gedaan zich niet door hem te laten inpalmen.

Je bent bang dat de nachtmerrie terugkeert, maar dat zal niet gebeuren.

En dat beangstigde haar ook. Niet alleen het feit dat hij op de hoogte was van het bestaan ervan, maar ook dat hij zei dat hij hem kon tegenhouden. Alsof er met haar... geknoeid werd.

Maar dat zou niet gebeuren. Waarschijnlijk maakte hij gebruik van positieve bekrachtiging en hoopte op een gelukstreffer. Maar de nachtmerrie kwam altijd terug, met zo'n kracht dat ze weigerde te geloven dat iets ter wereld hem tegen kon houden.

Hij houdt je nog steeds gevangen.

Zet Silver uit je hoofd. Ga naar bed en vecht tegen de slaap.

Want ze wist, ondanks zijn mooie woorden, dat de nachtmerrie terug zou keren.

Rook.

Brandende longen.

Ze wist dat ze de vlammen zou zien wanneer ze haar ogen opendeed.

Silver had gelogen. Waarom was ze zo teleurgesteld? Het bewees alleen maar dat haar wilskracht groot genoeg was om het hoofd te bieden aan het idee dat hij had geprobeerd te implanteren.

Geknetter van vlammen.

Nu kwam haar moeder zo binnen om haar wakker te maken.

Hitte.

Mama!

Haar ogen vlogen open.

De vlammen likten als hongerige drakenkoppen aan de gordijnen van de logeerkamer.

De logeerkamer?

Jasons logeerkamer. Ze droomde niet.

Brand!

Ogenblikkelijk stond ze naast haar bed en rende ze naar de deur van de gang.

Een deken van rook.

'Jason! Laura! Kom naar buiten.'

'Ik ben onderweg.' Jasons slaapkamerdeur stond open en hij kwam met een in een laken gewikkelde Laura in zijn armen naar buiten. 'Ze is gewond. Ze probeerde de vlammen in de gordijnen te doven en toen vatte haar nachthemd...'

'Naar beneden. Ze moet naar buiten.' Aan alle kanten in huis brak brand uit. Volledig willekeurig. Krankzinnig. Zonder enige volgorde. Onsamenhangend. De trapspijlen. En toen het tafeltje in de hal.

O god, de voordeur was ineens een grote zee van vuur.

'De keukendeur.' Kerry duwde hen naar de achterkant van het huis. 'Snel.'

Lieve God, alstublieft. Niet de keukendeur. Laat ze alstublieft door de achterdeur buitenkomen.

De keukenkastjes stonden in lichterlaaie met een vuur zo heet dat de pannen smolten.

Maar vooralsnog stond de keukendeur niet in brand.

Ze draaide de deur van het slot en gooide de deur open. 'Nu!'

Dat hoefde ze Jason niet te vertellen. Hij was de trap al af en stond halverwege de tuin. Kerry rende achter hem aan. 'Zet haar neer. Laat me naar haar kijken.'

'Ze is gewond.' De tranen stroomden over Jasons gezicht. 'Ze kreunde toen ik haar...'

'Maar ze leeft.' Ze slikte moeizaam toen ze Laura's armen en schouders bekeek. Christus. 'Blijf bij haar. Hou haar vast. Ik ren naar de buren om 911 te bellen.'

'Schiet op dan. Schiet in godsnaam op.'

Ze vloog door de tuin naar het hek. 911. Hulp halen.

Er schoot een pijnscheut door haar slapen en ze greep zich vast aan het hek om niet te vallen.

Monster. Monster. Lachend.

Hij zat achter het stuur van een SUV, één straat hiervandaan, starend naar de vlammen die het huis verwoestten. Hij hield ervan naar branden te kijken. Branden waren het bewijs van zijn macht. Nee, de dood was het bewijs. De branden waren alleen maar het wapen.

Maar deze brand was geen doorslaand succes. De kleine schotel moest nog verfijnd worden. Hij kon hem niet besturen van deze afstand en wist dus niet zeker of Kerry Murphy dood was. Goed, er was maar één manier om daar achter te komen.

Hij startte de SUV en reed weg van de stoeprand. Het was tijd om te maken dat hij wegkwam voor zijn laatste hoera klonk...

Hij drukte op de afstandsbediening in zijn hand.

Naast zich hoorde Kerry een suizing met het zuigende geluid van een tornado.

Binnen enkele seconden was Jasons huis weggevaagd.

4

'Laat dat verdomde hek los.' Silver peuterde haar dichtgeknepen handen los van het metaal. 'Je moet hier weg. De vonken vliegen in het rond.'

'Laura,' zei ze als verdoofd. '911.'

'Ik heb al gebeld.' Hij duwde haar de straat op. 'Wacht hier en wijs ze de weg terwijl ik Jason en Laura weghaal uit de vonken.'

Ze schudde haar hoofd in een poging verlost te raken van de kloppende pijn en liep toen de straat op. Laura. Dat was het enige belangrijke. Ze moesten Laura redden.

Niet aan het monster denken.

Silver kwam de wachtruimte van het ziekenhuis binnen met een kop koffie voor Kerry. 'Hoe gaat het met haar?'

'Ze haalt het wel.' Ze nam een slokje van de koffie. 'Maar van de baby kunnen ze nog niets zeggen. Op dit moment proberen ze zijn leven te redden.'

'Ik zal positieve gedachten zenden.' Hij kwam naast haar zitten. 'De baby was bijna voldragen?'

'Acht maanden. Hij maakt een goede kans.' Ze staarde naar de klok. 'Ze zijn al twee uur bezig. Je zou denken dat ze...'

'Is het een jongetje?'

Ze knikte. 'Ze wilden hem Pete noemen.' Ze haalde diep adem. 'Ze gáán hem Pete noemen. Ik weiger hieraan toe te geven. God zou dit Jason en Laura nooit laten gebeuren. Hun kind is zo gewenst. Ze zijn er drie jaar mee bezig geweest. Ze waren van plan een kind te adopteren als Laura niet zwanger kon worden, maar toen gebeurde het wonder toch ineens. Nou ja, voor hen was het een wonder.' Ze nam een slokje van haar koffie. 'Ik geef de hoop niet op.'

'Hoop is een geweldig iets.'

Ze keek hem zijdelings aan. 'Weet jij wat er in die operatiekamer gebeurt? Je wist ook van de brand.'

Hij schudde zijn hoofd. 'Alleen maar omdat dat in verbinding stond met jou. Het werkt niet altijd op dezelfde manier.'

'Dus je hebt je beperkingen?' Ze trok een grimas. 'Ik sta versteld.'

'We hebben allemaal onze beperkingen. We werken met wat we hebben. Dat zou je geweten hebben als je met Travis samengewerkt had.' Hij staarde in zijn koffie. 'Je hoeft niet bang voor me te zijn, Kerry. Ik ben niet gekomen om je pijn te doen.'

'En ik neem aan dat de man die Jasons huis in brand heeft gestoken ook niet van plan was me pijn te doen?' Ze likte haar lippen. 'Hij genoot ervan. Hij was... afgrijselijk. Het speet hem dat hij niet dicht genoeg in de buurt kon komen om de geur van verbrand vlees te ruiken.'

Hij verstijfde. 'Je hebt contact met hem gelegd?'

Ze knikte. 'Hij is dat monster waarover je het had, is het niet? Al die tijd dat hij naar de brand keek, zat jij in zijn achterhoofd.'

'Ja, ik ben ervan overtuigd dat hij de brand aangestoken heeft. Niemand anders is in staat tot dat ontbrandingspatroon.'

'Het was heel raar.' Ze wreef over haar slapen. 'Er zat geen enkele logica in. Diverse meubelstukken leken zomaar uit zichzelf in brand te vliegen.'

'Ja.'

'En die laatste explosie...' Ze draaide zich om om hem aan te kijken. 'Waarom? Waarom heeft hij Jasons huis in brand gestoken?'

'Waarschijnlijk heeft hij jou in de gaten gehouden omdat hij dacht dat ik je zou overhalen me te helpen.'

'Dus heeft hij Jason, Laura en mij alleen maar willen vermoorden omdat hij mij met jou heeft gezien?'

'Het interesseert hem helemaal niet hoeveel mensen hij heeft vermoord. Dat is iets dat je absoluut van Trask moet weten.'

'Je wéét wie dit heeft gedaan? Je hebt een naam?'

'Ja, ik heb een naam. Maar ik weet niet waar ik hem kan vinden. Hij is briljant in het uitwissen van zijn sporen. Hij is superslim, nagenoeg geniaal.'

Ze schudde haar hoofd. 'Hij is gek. Het vuur is zijn kind. Maar hij is boos op je... Boos en bang.'

Aarzelend zei hij: 'Je hebt veel van hem opgepikt vannacht.'

'Niet omdat ik daar mijn best voor deed. Hij bombardeerde me gewoon. Zijn venijn spoot eruit.' Ze sloot haar ogen. 'Misselijkmakend. Laura...'

'Je hebt pijn,' zei hij zachtjes. 'Ik kan je helpen. Je hoeft me alleen maar toestemming te geven.'

Haar ogen schoten open. 'Als je het maar laat. Mijn pijn is van mij. Het is een teken dat ik leef en functioneer. Als ik een pijnstiller wil, dan vraag ik die wel aan de dokter, en niet aan de een of andere halfbakken...'

'Al goed, al goed. Ik bied het je alleen maar aan.' Hij liet zich achterover op zijn stoel zakken. 'Soms vind ik het moeilijk om het juiste evenwicht te vinden.'

'Laat dat evenwicht maar zitten. Gedraag je gewoon als een normaal menselijk wezen.'

'Ik ben normaal. Meestal. Kan ik iets te eten voor je halen?'

'Nee. Van jou wil ik helemaal...'

'We zijn hem kwijt, Kerry.' Jason stond in de deuropening terwijl de tranen over zijn wangen stroomden. 'Hij was dood. Hoe moet ik dit in godsnaam aan Laura vertellen?'

'Verdomme.' Kerry sprong overeind en stortte zich in zijn armen. 'Jezus, het spijt me zo, Jason. Ik hoopte met heel mijn hart dat...'

'Ik ook.' Hij verstevigde zijn greep. 'Ik kénde hem, Kerry. We praatten met hem. Het was net alsof Pete al onderdeel van ons gezinnetje was. Laura... Hoe moet ik...'

'Ik ga met je mee naar haar toe. Dan praten we erover. Ik ben er voor je.'

Hij knikte. 'Je bent er altijd voor me. Maar misschien kun je...' Hij haalde zijn schouders op. 'Ach, ik heb geen idee wat je zou kunnen doen. Volgens mij kan niemand iets doen.'

Ze draaide hem in de richting van de deur. 'Maar nu gaan we eerst naar Laura. Ze zal je naast zich willen hebben als ze wakker wordt.' Woest veegde ze de tranen van haar wangen. 'Over de rest kunnen we ons later nog wel zorgen maken.'

Jason knikte. 'Eerst Laura.'

'Precies.' Ze sloeg een arm om zijn middel en deed de deur open. Ze keek om naar Silver. 'En jij blijft hier,' zei ze nadrukkelijk.

'Ongeacht hoe lang ik weg blijf, ik wil je hier zien als ik terug-
kom.'
'Ik ga nergens heen.' Hij keek haar recht aan. 'Waarom zou ik?
Ik durf er iets om te verwedden dat Trask mijn werk voor me
heeft gedaan.'

Het duurde drie uur voor Kerry terugkeerde naar de wachtka-
mer.
'Kom, we gaan,' zei ze kortaf.
Hij stond op. 'Mag ik vragen waarheen?'
'Ik heb behoefte aan een douche, eten en andere kleren dan dit
groene operatiesetje dat ik van de verpleegster heb gekregen.'
'En je broer?'
'Hij wil Laura niet alleen laten. Hij mag hier in het ziekenhuis
blijven.'
'Wil je niet bij hem blijven?'
'Op dit moment heeft hij niemand anders nodig dan Laura. Ik
zou storen bij privé-verdriet.' Vanuit de deuropening vroeg ze:
'Waar logeer jij?'
'In het Marriott.' Hij pakte zijn telefoon. 'Ik zal een kamer voor
je reserveren, en vanaf morgen ook een voor je broer. Goed?'
Ze knikte. 'Ik weet niet of hij er gebruik van zal maken, maar
het lijkt me prima. Kleren?'
'Ik zal vragen of ze het winkeltje vroeger open willen doen zo-
dat ik wat spulletjes voor je kan kopen waarmee je het kunt uit-
zingen tot we je dingen uit Atlanta hier hebben.'
'Ik zal maar niet vragen hoe je dat nu weer voor elkaar wilt krij-
gen.'
'Zonder trucjes.' Hij pakte haar elleboog. 'Ik ga ze omkopen.'

Kerry had gedoucht en stond haar natte haren te drogen, toen
Silver twee uur later op de deur klopte.
Hij had zich ook gedoucht en verkleed, en hij stak haar een plastic tas toe toen ze de deur openmaakte. 'Die handdoek staat je
geweldig, maar ik denk dat je je hier gemakkelijker in zult voelen. Een broek, een sweatshirt en wat make-up. Het spijt me,
maar ze hadden geen ondergoed. Ik heb de piccolo naar het win-
kelcentrum gestuurd om daar iets voor je te halen.'

'Ik neem aan dat je mijn maat weet.'

'Vijfenzeventig B en slipje maat zesendertig.' Hij liet zich in het gemakkelijke stoeltje bij het raam zakken. 'Ik heb roomservice besteld. Soep, broodjes kipfilet en koffie. Goed?'

Ze knikte. 'Ik vind het best.' Ze nam de tas mee naar de badkamer en deed de deur achter zich dicht. Een paar minuten later kwam ze te voorschijn in een zandkleurige broek en groen sweatshirt. 'Schoenen?'

'Die komen tegelijk met je ondergoed. Tennisschoenen maat negenendertig. New Balance, geen Nike.'

Ze kneep haar lippen op elkaar. 'Je schijnt alles over me te weten.'

'Nee, hoor. Maar dat soort details zijn moeilijk te negeren.'

'Als je met me meekijkt, zoals jij dat noemt. Heb je enig idee hoe kwaad je me daarmee maakt?'

'Natuurlijk. Ik zou ook ziedend zijn.' Hij glimlachte vaag. 'Je ziet eruit als Annie het weesmeisje, met die krullen in je haar. Erg aantrekkelijk. Ik snap niet waarom je zoveel moeite doet het steil te krijgen.'

'Omdat ik niet Annie het weesmeisje ben. Ik ben volwassen en zo wil ik er graag uitzien.' Ze ging tegenover hem zitten. 'Ik hou niet van bedrog en ik heb een grote hekel aan inbreuk op mijn privacy.'

'Dat heb je me al duidelijk gemaakt.'

'Omdat je je op de meest intieme en walgelijke manier opgedrongen hebt. Dat is goed waardeloos.'

Hij knikte, wachtte rustig af.

'En ik zal je nooit vergeven dat je dat monster in ons leven hebt gebracht. Er valt jou bijna net zoveel te verwijten als die vent die de brand aangestoken heeft.'

'Dat accepteer ik.' Hij ving haar blik. 'Maar ik geloof ook dat je een beslissing genomen hebt wat betreft de persoon die boven aan je lijstje staat.'

'En daar sta jij heel dicht bij in de buurt,' zei ze koel.

'Ik sta voor alles wat jij haat. Ik ben een ontzettende klootzak. Maar je zou niet met me praten als je daar geen goede reden voor had. Dus vertel me maar waarom ik hier zit.'

'Ik wil antwoorden.' Haar handen klemden zich om de stoelleuningen. 'Ik wil die klootzak die Jasons zoon vermoord heeft te pakken krijgen. Ik proef de smaak van wraak in mijn mond.'

'Ik vermoedde al dat je er zo over zou denken. Je bent een liefhebbende en zorgzame vrouw met sterke moederlijke trekjes.'

'Hou op me te analyseren. Je weet eigenlijk niets van me.'

Hij haalde zijn schouders op.

Woede borrelde in haar op. 'Verdomme. Alles wat je van me weet, heb je gestolen. Ik voel me alsof je me beroofd hebt.' Met grote moeite onderdrukte ze haar woede. 'Het gebeurt niet meer. Als ik besluit je te helpen met die Trask, dan moet je me beloven dat je nooit meer zult doen wat je deed toen Charlie stierf.'

'Dat beloof ik je.'

'En dat je niet meer... meekijkt.'

'Niet zonder je toestemming.'

'En die krijg je niet.'

'Dat zullen we nog wel eens zien. Bepaalde situaties vragen soms om radicale maatregelen.' Hij schudde zijn hoofd toen ze haar mond opendeed. 'Maar ik zal niet meer over de schreef gaan. Dat doe ik normaal gesproken trouwens zelden. Waar zie je me voor aan, een voyeur? Het is een absoluut oncomfortabele situatie voordat ik me alle hoekjes en gaatjes eigen heb gemaakt.'

'Hoekjes en gaatjes?'

'Bovendien heb je ondertussen blokkades tegen me opgeworpen. Het zal niet eenvoudig zijn daaroverheen te springen.'

'Maar niet onmogelijk?'

Hij keek haar fronsend aan. 'Dat zou je me moeten vragen op het moment dat ik probeer je op je gemak te stellen.'

'Denk je dat je het zou kunnen?'

'Misschien. Ik ben behoorlijk goed.' Hij voegde eraan toe: 'Maar zoals ik al zei: ik hou me aan bepaalde ethische regels. Toen ik merkte wat ik allemaal kon met mijn gave, heb ik mezelf grenzen gesteld. Anders had ik wel eens een erg onplezierig persoon kunnen worden.' Hij grijnsde. 'Niet dat ik niet vaker uit mijn rol val dan ik zou willen. Ik ben niet zoals Travis. Als ik kwaad word dan wil ik terugslaan zonder enige terughoudendheid.'

'Als je probeert me op mijn gemak te stellen, dan ben je nu op de verkeerde weg.'

'Ik wil dat je me leert kennen. En de duivel waar je mee leeft...'

Hij ving haar blik. 'Je hebt me al laten weten dat je een hekel hebt aan bedrog. Daar zul je bij mij geen last van hebben. Ik ben wie ik ben. Ik heb je iets beloofd en daar zal ik me aan houden.'

'Zolang ik je niet tegen de haren in strijk.'

'Dat lijkt me niet waarschijnlijk als we aan dezelfde kant staan.'

Er klonk een beleefd klopje op de deur.

'Roomservice.' Hij stond op en liep naar de deur. 'Je zult je beter voelen als je iets in je maag hebt. Je bloedsuikerspiegel wil nog wel eens dalen en als je geen eiwit binnenkrijgt word je prikkelbaar.'

'Er is niets mis met mijn bloed...' Ze liet het er maar bij. Het was maar een kleine steek onder water en ze had belangrijker zaken aan haar hoofd. 'En ongeacht de hoeveelheid eiwitten die ik binnenkrijg, heb ik op dit moment het volste recht om prikkelbaar te zijn.'

'Juist.' Hij duwde het wagentje voor zich uit naar binnen en schopte de deur met zijn voet achter zich dicht. 'Inderdaad. Maar een hapje eten kan geen kwaad.'

Het kon inderdaad geen kwaad. Ze merkte pas dat ze honger had toen ze eenmaal begon te eten. Binnen een paar minuten had ze de tomatensoep en het broodje kip op.

'Ben je nu minder trillerig?' Silver schonk een kop koffie voor haar in.

Ze was niet van plan hem te vertellen dat ze inderdaad trillerig was geweest. 'Ik voel me prima.' Ze bracht het kopje naar haar lippen. 'Jij hebt niet veel gegeten.'

'Ik heb de minibar in mijn kamer geplunderd in de tijd dat jij je aan het douchen en opknappen was.' Hij schonk koffie voor zichzelf in. 'Ik heb een zwak voor cashewnoten.'

'Goh. Ik had je niet ingeschat als iemand die ergens een zwak voor zou hebben.'

'Dat had je dus mis. Maar je mag van me denken wat je wilt, hoor, als het jou een veiliger gevoel geeft me als een kil en klinisch persoon te zien.' Hij grijnsde. 'Ik heb een heleboel zwakheden. Ik ben gek op NASCAR-rennen, honkbal, diepzeeduiken, opera, honden, en op blonde vrouwen die op Gwyneth Paltrow lijken. Ik heb er alleen weinig tijd voor.'

'Omdat je het te druk hebt met je neus in andermans zaken te steken?'

'Precies.'

'Hoe komt het dan dat je Trask niet kan vinden?'

'Aha, we zijn terug bij af.' Hij nam een slok van zijn koffie. 'Ik kan hem niet waarnemen. Hij zit in mijn blinde hoek. En bovendien liggen mijn talenten elders.'

'Waarom heb je dan niet een van je helderziende vriendjes ingeschakeld om hem op te sporen?'

'Geloof me, dat heb ik gedaan. Maar zonder resultaat. Dus heb ik het moeten proberen met ouderwets speurwerk, maar tot nu toe zonder geluk.'

'Waarom haal je er dan niet iemand met wat meer ervaring bij, de politie bijvoorbeeld?'

'Dat hebben we gedaan. Politie. FBI. ATF. De geheime dienst. Geen van allen hebben ze er iets van gebakken.'

'En waarom hebben die overheidsinstanties belangstelling voor Trask?'

Hij zweeg even. 'Heb ik de garantie dat je meedoet?'

'Als hij de vent is die Jasons huis in de as heeft gelegd.'

'Ik denk dat je weet wie hij is.'

Ja, dat wist ze. De flarden van emotie en herinnering waren onmiskenbaar geweest. Ze had niet alle fragmenten van zijn bewustzijn kunnen ontcijferen of zelfs maar herkennen, maar de dreiging, de haat voor Silver was duidelijk overgekomen. 'Waarom haat hij je zo?'

'Ik heb hem een paar keer bijna te pakken gekregen. Hij ziet zichzelf graag als ongrijpbaar. Dat is een belangrijk onderdeel van zijn ego.'

'Hoe weet je dat?'

'Ik heb zijn profiel bestudeerd en ik geloof dat ik kan voorspellen hoe zijn karakter zich ontwikkelt gezien de omstandigheden.'

'Welke omstandigheden? En waarom zou de overheid zich daarmee willen bemoeien?'

'James Trask stond aan het hoofd van een wetenschappelijk project dat werd gefinancierd door het ministerie van Defensie. Het project is ongeveer een jaar geleden stopgezet en Trask en de andere wetenschappers kwamen op straat te staan. Hij was woest. Hij heeft zijn spullen gepakt, heeft de spionnen van de CIA van zich afgeschud, en is verdwenen.'

'Waarom hield de CIA hem in de gaten?'

'Omdat hij informatie bezat die bruikbaar kon zijn voor buitenlandse machten. Het feit dat we besloten af te zien van het Firestorm-project, betekende niet dat het niet aantrekkelijk was voor een aantal andere landen.'

'Firestorm?'

'Trask was bezig een methode voor zelfontbranding met behulp van een radiozender te ontwikkelen. Die methode transformeerde ook de moleculen die intense hitte voortbrengen. Hij beweerde dat hij kleine geïsoleerde doelen kon bestoken, of, met een grotere zender zelfs een hele stad.' Bars voegde hij eraan toe: 'Over verschroeide aarde gesproken.'

'En het is hem gelukt, is het niet?' Ze herinnerde zich de vreemde manier waarop de brand zich door Jasons huis had verspreid.

'Hij heeft het project voltooid voor het stopgezet werd.'

Hij knikte. 'Inderdaad. Hij werkte er zowel binnen als buiten werktijd aan. Hij wierp de andere wetenschappers slechts kleine brokjes toe, zodat hij de totale controle bezat. Dat is precies de reden dat hij werd gezien als een veiligheidsrisico. Hij wilde niet dat zijn werk ergens onder in een afgesloten la weggestopt zou worden. Hij wilde dat het gebruikt werd en dat hij daar alle eer voor zou krijgen. Nadat hij verdwenen was, is het laboratorium met daarin alle informatie van de andere teamleden opgeblazen. De opdracht van het Witte Huis luidde dat de uitkomsten van dit project het daglicht nooit mochten zien.'

'Was het zo gevaarlijk?'

'Vergelijkbaar met een aangepaste vorm van de pokken die de vrije loop krijgt in de stad. Maar dan sneller. Een stad als Atlanta zou binnen een tijdsbestek van twee uur vernietigd kunnen worden. De brand zou zo krachtig zijn dat hij onmogelijk geblust zou kunnen worden.'

'Jezus.'

Hij knikte. 'Andreas wilde niet dat de wereld geconfronteerd zou kunnen worden met dat soort vuurkracht. Er bestaan al genoeg massavernietigingswapens.'

'Dat had hij misschien moeten bedenken voordat ze het gingen financieren.'

'Hij kan niet op elk project toezicht houden. Het was het troetelkindje van een groepje senatoren die het principe 'hoe meer hoe beter' huldigden. Ze hadden de financiering weggewerkt in andere projecten. Toen Andreas op de hoogte kwam van het bestaan van dit project, heeft hij het afgeblazen. Maar tegen die tijd was Trask al met schotel en al verdwenen. Hij was woedend, een beetje gestoord en zinde op wraak.'

'Heeft hij geprobeerd zijn kennis aan het buitenland te verkopen?'

'We hebben inderdaad berichten van overzeese bronnen binnengekregen die daarop duiden. We hebben bewijzen dat hij zaken doet met Ki Yong, een Noord-Koreaanse regeringsleider. Maar op dit moment is dat niet waarop hij zich richt.' Hij stopte even. 'Tot nu toe heeft hij het gemikt op collega-wetenschappers van zijn project en regeringsbeambten van wie hij het gevoel heeft dat ze hem hebben tegengewerkt.'

'Hoe bedoel je?'

'In het afgelopen jaar zijn er zes wetenschappers van het betreffende project vermoord. Allemaal verbrand.'

'Waarom zou hij dat willen doen?'

'We gaan ervan uit dat hij moet hebben gedacht dat ze op eigen houtje Firestorm zouden kunnen vervaardigen en hij wil het alleenrecht behouden.'

'En de regeringsdoelen?'

'Wraak. Drie senatoren en een lid van het Huis van Afgevaardigden hebben het project onder de aandacht van Andreas gebracht en hem ervan overtuigd dat het afgeblazen moest worden.' Met een onverbiddelijke blik kneep hij zijn lippen op elkaar. 'Tot nu toe zijn er twee senatoren en een afgevaardigde vermoord.'

'Levend verbrand?'

Hij knikte. 'En daarbij heeft hij geen moeite gedaan ze af te zonderen voor hij zijn daad pleegde. Cameron Devers was in gezelschap van zijn vrouw toen zijn auto in vlammen opging. Afgevaardigde Edwards was onderweg naar een honkbalwedstrijd met zijn zoontje. Ze zijn allebei omgekomen.'

'Dat verbaast me niets. Hij had totaal geen scrupules wat betreft Laura en Jason.' Ze rilde. 'En ook niet voor de baby.'

'Precies. Het is maar dat je het in het juiste licht ziet. Ik heb je verteld dat het een monster is.'

Ze knikte. 'Je weet niet half hoe erg. Afschuwelijk... Zo afschuwelijk.' Met grote moeite rukte ze zichzelf los van die herinnering. 'Maar wat ik niet begrijp, is hoe hij de ruimte heeft gekregen om zoveel schade aan te richten terwijl iedereen naar hem op zoek was. Hij heeft kennelijk toch kans gezien om zelf die mensen te volgen en die moorden voor te bereiden.'

Hij knikte. 'Dat ben ik met je eens. Tenzij hij daar hulp bij heeft gehad.'

'Wat voor soort hulp?'

'Dat is een van de dingen waar we achter moeten zien te komen. Het zou een zwakke schakel kunnen zijn.'

'Waarom ik? Hij wist niet eens zeker dat ik je zou willen helpen. En zelfs als hij vermoedde van wel, wist hij dan waar je mij voor nodig had?'

Hij schudde zijn hoofd. 'De voornaamste reden is dat ik je wilde inhuren. En verder moet hij hebben ontdekt wie je bent en hoe goed je je vak verstaat. Dat alleen al maakt je tot een bedreiging voor hem. Jij blust branden en dat maakt je automatisch tot de vijand.'

'Dat klinkt logisch. Het vuur is zijn kind...'

'Is dat de manier waarop hij denkt?'

Ze knikte. 'Ik begrijp nu ook waarom. Hoe lang heeft hij aan die zelfontbranding gewerkt?'

'Vijftien jaar.'

Ze schudde haar hoofd. 'Nee, het gaat verder terug. Een jaar of vijfentwintig misschien?'

'Hij is pas rond de veertig.'

'Het speelt al heel lang.' Ze dronk haar kopje leeg en kwam overeind. 'En wat is onze volgende stap?'

'We gaan naar Washington. Hij heeft zijn dodenlijstje daar nog niet afgewerkt. De kans dat we hem daar te pakken krijgen is veel groter.'

'Ik weet niet of ik echt iets voor je kan doen, weet je. Ik heb nooit begrepen hoe dit gedoe werkt. Ik heb er geen zeggenschap over, ik kan het niet oproepen.'

'Je weet nu al meer over hem dan ik. Misschien leert de ervaring je hoe je hem kunt doorgronden.' Hij aarzelde. 'Of misschien kan ik je daarbij helpen.'

'Nee.'

Hij haalde zijn schouders op. 'Zoals je wilt. Ik wil alleen maar dat je het probeert.'

'En ik wil niet dat Jason en Laura gevaar lopen. Ze hebben al genoeg doorstaan.'

'Ik zal zorgen dat ze veilig blijven.'

'En daar moet ik op vertrouwen? Je hebt nu niet bepaald een onberispelijke staat van dienst.'

'Goed, ik ben niet perfect. Maar ik heb al contact gehad met Washington en ze krijgen fulltime bewaking. Ik beloof je dat ze geen gevaar zullen lopen. Ik wil net zomin als jij dat ze gekrenkt worden.'

Ze twijfelde niet aan zijn oprechtheid. 'Dank je.'

Hij haalde zijn schouders op. 'Het spijt me verschrikkelijk dat Trask verantwoordelijk is geweest voor de dood van hun baby. Ik had er geen idee van dat hij me gevolgd was naar Atlanta.'

'Je had het kunnen weten. Hij beschouwt je als een bedreiging. Iedere bedreiging voor Firestorm moet geëlimineerd worden.'

Ze wendde haar gezicht af. 'En nu ga ik het ziekenhuis bellen om te vragen hoe het met Laura gaat. Boek jij maar tickets van Atlanta naar Washington voor vanavond.'

'Ik kan voor een privé-vliegtuig zorgen vanaf hier.'

Ze schudde haar hoofd. 'Nee, ik moet nog een paar dingen regelen in Atlanta. En ik wil Sam ophalen. Het werkt alleen maar in ons voordeel als Trask denkt dat ik niets anders doe dan branden onderzoeken met behulp van een heel slimme hond. Misschien kom ik dan minder bedreigend over.'

'Heel slim.'

'Weet hij van... weet hij wat jij bent?'

'Dat betwijfel ik. En daarbij, ik heb je al gezegd dat ik niet in zijn hoofd kan kijken.'

'Waarom beschouwt hij jou dan als zo'n grote bedreiging?'

'Omdat Cameron Devers mijn broer was.' Zijn glimlach was bitterzoet. 'En Trask weet als geen ander wat wraakgevoelens met een mens kunnen doen.'

Ze haalde diep adem toen de deur zich achter Silver sloot. In welke waanzin had ze zich gestort? Maar het was geen waanzin. Het zou juist waanzin zijn om Trask vrij rond te laten lopen op aarde en hem daar zijn afschuwelijke gang te laten gaan. Dus stop met je af te vragen of je de juiste beslissing genomen hebt. Het enige wat ze kon doen, was zichzelf zo veel mogelijk beschermen door zoveel mogelijk informatie te verzamelen. Ze pakte de telefoon en belde Michael Travis.

'Het spijt me verschrikkelijk wat er gebeurd is met je broer en zijn vrouw,' zei Travis toen hij opnam. 'Ik vind het afschuwelijk.'

'Dat was het ook. Ik neem aan dat Silver je gebeld heeft om te zeggen wat er is gebeurd. Hoewel ik daar natuurlijk naast kan zitten. Misschien heeft een van die helderziende vriendjes uit dat rare groepje van je op me ingelogd.'

'Silver heeft me gebeld. Hij heeft me laten beloven dat ik contact op zou nemen met de autoriteiten en beveiliging voor je familie zou regelen. En er is niets raars aan onze groep. We zijn gewoon mensen die proberen te overleven. Niemand van ons heeft gevraagd om deze bijzondere gaven. En niemand van ons heeft de behoefte die gave te benutten. Het is eerder een vloek dan een zegen, zoals je zelf heel goed weet. Een aantal van onze mensen is net als jij geëindigd in een inrichting. Een aantal heeft zelfmoord gepleegd. En er zijn er ook die hun talent verborgen hielden maar stiekem dachten dat ze gek waren.'

'Totdat Michael Travis als redder in nood verscheen.'

'Ik heb geprobeerd te helpen,' antwoordde Michael zachtjes. 'Ik weet zelf wat het is.'

Het duurde even voor ze zei: 'Je hebt me inderdaad geholpen. En daar heb ik je nooit voor bedankt. Maar ik was zo boos en opstandig omdat ik opnieuw in een inrichting terecht was gekomen nadat ik al die jaren in coma had gelegen, dat ik niets anders wilde dan een doodnormaal leven. Ik wilde niet denken of horen of praten over mensen zoals… ik.'

'Maar ik geloof dat je er nu voor openstaat.' Hij grinnikte. 'En ik beschouw het als een doorbraak dat je toegeeft dat je niet de enige bent.'

'Geniet daar dan maar van. Maar ik zal me nooit aansluiten bij

dat heksenclubje van je. Ik los mijn problemen zelf wel op.'
'Dat doen wij ook. En we hebben ons niet echt georganiseerd.
We hebben alleen maar een band omdat we weten dat we contact kunnen zoeken en praten met iemand die ons begrijpt. En dat is een zegen als je jezelf de helft van de tijd niet eens begrijpt. Wij geloven ook in onafhankelijkheid en privacy, en niemand zal het in zijn hoofd halen om die grens te overschrijden.'
Hij aarzelde. 'Behalve wanneer een van ons doldraait en een bedreiging gaat vormen voor de rest.'
'Doldraait?'
'De een is nu eenmaal stabieler dan de ander, zoals meestal het geval is binnen een groep. Het evenwicht raakt wat sneller verstoord wanneer je leeft onder de druk waarmee wij leven. En er bestaat altijd een kans dat degene die afglijdt het vertrouwen beschaamt en ons allemaal blootstelt aan pijn en vernedering.'
Spottend voegde hij eraan toe: 'En het laatste wat we willen, is een voorpagina-artikel in *Newsweek*.'
'En wat doen jullie dan met die uitzonderingen?'
Hij lachte. 'Niets dodelijks. Allemachtig, wat klink je achterdochtig. We proberen ze te helpen. We laten een of twee leden van de groep een poging doen ze te helpen om weer op de rit te komen.' Hij voegde eraan toe: 'En meestal slagen we daarin.'
'En zo niet?'
'Dan vragen we of Silver uit Washington over wil komen om een poging te wagen. Wanneer hij niet druk bezig is met een project, dan komt hij meestal wel.'
'Goh. Ik zou denken dat hij daarvoor alles zou laten vallen. Hij is toch een van je vriendjes?'
'Nee. We respecteren elkaar, maar ik zou het geen vriendschap willen noemen.'
'Maar hij behoort wel tot de groep.'
'Nee, hij is net als jij. Hij wil zijn zelfstandigheid niet opgeven. Ik heb hem niet gevonden, hij heeft mij gevonden. Maar in tegenstelling tot jou wilde hij zijn gave juist tot het uiterste benutten. Toen ik hem voor het eerst ontmoette werkte hij bij een researchinstituut binnen de Georgetown University aan een uiterst geheim project dat werd gefinancierd met privé-gelden, waar ze onderzoek deden naar de mogelijkheden van de men-

selijke psyche. Hij was daar gestuit op een van mijn minder stabiele mensen die psychotisch aan het worden was. Hij belde me om te vragen of ik er prijs op stelde dat hij hem weer op het rechte spoor zou zetten. Ik was op mijn hoede, maar heb uiteindelijk ingestemd.'

'En, is het hem gelukt?'

'Ja. Jim is niet volledig normaal. Maar wie is dat wel? In ieder geval zal hij niet in het gekkenhuis eindigen. Ik zal je een keer meenemen naar hem, als je dat wilt.'

'Omdat Silver hem gehersenspoeld heeft?'

'Nee, omdat Silver wat van het vergif heeft verjaagd en hem scherper heeft doen zien. Hij is met grote voorzichtigheid te werk gegaan om Jim in geen enkel opzicht te bezeren. Daarom heb ik er geen moeite mee hem af en toe ergens bij te betrekken.'

'Ik zou het vreselijk vinden.'

'Tenzij je aan het doordraaien was. Jim koestert geen wrok.'

'Misschien zou hij dat eigenlijk wel doen, maar heeft Silver hem verteld dat hij dat niet moest doen. Hoe weet je dat hij dat niet heeft gedaan?'

'Dat weet ik niet. Zoveel inzicht heb ik niet in Silvers gave. Maar ik weet wel dat hij tot nu toe een geschenk uit de hemel is geweest. Daarom heb ik hem jouw naam doorgegeven toen hij bij me kwam met de vraag om hulp.'

'Een wederdienst. Mijn hoofd op een zilveren presenteerblad?'

'Op dit moment lijkt je hoofd me prima in orde.'

'Maar Laura's baby is dood.'

'Ja, maar het was Trask, en niet Silver, die daar verantwoordelijk voor was. En ik heb er lang en diep over nagedacht voor ik je naam aan Silver heb doorgegeven. Maar ik ben ervan overtuigd dat hij je heeft ingelicht over de haast die geboden is om Trask te pakken te krijgen voordat hij informatie aan een andere mogendheid doorverkoopt.'

'Ja. Hij heeft me ook verteld dat Trask zijn broer heeft vermoord.'

'Zijn halfbroer. Maar ik geloof dat ze een bijzonder goede band hadden. Hij is een gedreven man sinds Devers' dood.'

Ze herinnerde zich de kille wreedheid die zich had afgespiegeld op Silvers gezicht. 'Dat geloof ik graag.' Ze aarzelde even. 'Hij heeft beloofd dat hij niet... mee zou kijken. Kan ik hem ver-trouwen?'

Hij aarzelde. 'Ik denk het wel. Hij bepaalt zijn eigen spelregels, maar is nooit anders dan oprecht geweest in onze omgang.'

'Dat klinkt niet bepaald geruststellend.'

'Meer dan dat kan ik er niet van zeggen.' Hij zweeg even. 'Bo-vendien ben je een zelfstandige dame. Je wilt je eigen beslissingen toch nemen?'

'Kan ik hem een halt toeroepen als hij zich niet aan zijn belof-te houdt?'

'Misschien. Als je je concentreert. Als je probeert iedere inbreuk te bespeuren en hem afweert. Je bent erg sterk. Het is mogelijk.'

'Goh, bedankt,' zei ze op sarcastische toon.

'Meer dan dit kan ik je niet bieden. Zoals ik al zei ken ik zijn gave niet door en door. Hij praat er niet over. Hij gaat gewoon aan de slag en doet wat hij moet doen. Maar het zou me meer geruststellen als je gewoon op hem vertrouwde.'

'Net zoiets als erop vertrouwen dat er geen landmijnen liggen in Afghanistan?'

Hij grinnikte. 'Ik denk dat je wel wat veiliger bent dan dat. Wil je dat ik met hem praat?'

'Zou het helpen?'

'Waarschijnlijk niet.'

'Zorg dan maar gewoon dat ik je kan bereiken voor het geval ik Silver niet uit kan staan en ik wil dat je iemand zoals hij stuurt om me te helpen.'

'Er is niemand zoals hij. Ik ben nog nooit eerder een heerser te-gengekomen. Hij is uniek.'

'Op meer dan één manier. Tot ziens, Michael. Ik wou maar dat je mijn naam nooit aan Silver had doorgegeven.'

'O ja? Maar dan zou je nooit van het bestaan van Trask gewe-ten hebben. Je hele leven heb je die zieke geesten die brand stich-ten bevochten en gehaat, en nu heb je de koning van allemaal gevonden. Voel je nu zelfs geen klein beetje adrenaline stromen bij de gedachte hem ten val te brengen?'

Adrenaline? Ze herinnerde zich de gevoelens van verdorvenheid en afgrijzen die ze had beleefd toen ze Trasks wereld was bin-nengesleurd. Gewaarwordingen die ze nooit eerder had gehad.

Nee, ze stond niet bepaald te springen om dat opnieuw te ervaren, ook al wist ze dat ze wel zou moeten.
Het was geen adrenaline die door haar lijf gierde.
Het was angst.

5

Trask reed midden in Atlanta toen zijn telefoon overging.

'Ik heb al meer dan een week niets van je gehoord,' zei Ki Yong toen Trask opnam. 'Ik begin te geloven dat je mijn geduld op de proef stelt.'

'Ik heb het druk gehad.'

'Dat zei Dickens al. Hij begint zenuwachtig te worden.'

'Dat is zijn probleem. Je hebt me een beroeps beloofd en dan verwacht ik vakkundig gedrag.'

'Hij stond bijzonder goed aangeschreven.' Ki Yong zweeg. 'Ik begrijp dat je voorrang geeft aan het afwikkelen van bepaalde zaken in de Verenigde Staten, en je kunt niet van me zeggen dat ik niet meewerk. Maar ik word onder druk gezet door mijn superieuren. Ze willen overhandiging van Firestorm... Spoedig.'

'Dat krijgen ze.'

'Niet als jij dood bent of gevangenzit. Je speelt een gevaarlijk spelletje. Ik heb je wel degelijk aangeboden je hele agenda daar voor je af te werken. Ik wil met alle plezier alle losse eindjes voor je afwikkelen. Ik wil je veilig en wel uit de Verenigde Staten hebben.'

Veilig? Wanneer Ki Yong zijn handen eenmaal op Firestorm had gelegd, zou hij geen zier meer om Trasks veiligheid geven. Dat was precies de reden waarom hij zo voorzichtig moest zijn. 'Ik heb genoeg aan Dickens. Ik wil niet dat iemand zich er verder mee bemoeit.' En hem en het kind van het plezier zouden beroven waar ze recht op hadden. 'Het zal nu niet lang meer duren.'

'Er komt een moment dat het geduld opraakt en de prijs te hoog wordt.'

'Niet voor Firestorm. Ik heb je met dat eiland in de Stille Oceaan laten zien wat het kan doen. En als ik me goed herinner was je diep onder de indruk. Je zei dat het jaren zou duren voor dat eiland weer iets anders zal zijn dan een afgebrande aardkorst.'

74

Hij besloot de tegenaanval in te zetten. 'Dus probeer me nu niets wijs te maken. Je wilt het hebben, heel dringend zelfs. Ik neem contact met je op als ik klaar ben voor vertrek.'

De stilte die volgde was geladen met Ki Yongs ongenoegen. 'Snel. Zorg ervoor dat het snel is.' Hij hing op.

Arrogante klootzak. Trask stak de telefoon met een bruusk gebaar in de zak van zijn jas. Ki Yong was beleefd en mierzoet geweest toen hij nog dacht dat hij Trask naar zijn hand kon zetten. Maar goed, dat had niet lang geduurd en nu was hij verre van blij dat Trask de touwtjes in handen had. Jammer dan. Trask had de leiding en ze konden springen wanneer hij aan de touwtjes trok. Hij had de macht in handen.

Hij had het kind.

Maar het kind had niet goed gepresteerd gisteravond, bedacht hij bedrukt. Hij had gedacht dat de kleine schotel ondertussen perfect werkte, maar hij was grillig geweest in het huis van de Murphy's. Het was duidelijk dat hij nog een aantal belangrijke aanpassingen moest doen voor hij in onderhandeling ging met Ki Yong.

En Kerry Murphy had Firestorm overleefd. Die wetenschap liet een bittere smaak achter in zijn mond. Voor die tijd was ze min of meer een ongemak geweest, een mogelijke dreiging, maar nu was ze het symbool van zijn falen geworden, van het falen van zijn kind. Hij voelde hoe zijn woede als een zuur door zijn lichaam brandde.

Hij moest rustig blijven. Hij moest zijn woede in bedwang houden zoals hij Firestorm in bedwang hield. Hij had geen kans gezien zijn fout recht te zetten in het ziekenhuis van Macon. Dat zou te gevaarlijk zijn geweest met Silver die daar dag en nacht op de loer had gelegen. Maar hij zou ervoor zorgen dat hij andere mogelijkheden creëerde.

Tot die tijd zou hij aan Kerry Murphy denken en genieten van de geweldige vernietiging die het kind haar zou berokkenen.

'Bedankt dat je Sam hier achtergelaten hebt.' Edna omhelsde Kerry. 'Hij was een grote troost voor de kinderen.'

'Hij heeft het vast en zeker met plezier gedaan. Je hebt hem waarschijnlijk schandalig verwend.'

'We hebben ons best gedaan.' Edna aarzelde. 'En nog bedankt voor al het andere, Kerry. Ik weet niet wat ik zonder jou had gemoeten.'

'Gaat het intussen een beetje? Kan ik nog iets voor je doen?'

Ze schudde haar hoofd. 'Donna is hier en de kinderen zijn dol op haar. We redden ons wel.' Ze probeerde te glimlachen. 'Het zal niet geweldig zijn, maar we overleven het wel. We zullen wel moeten, is het niet?'

Kerry knikte. 'Je doet het verbazingwekkend goed. Charlie zou trots op je zijn geweest.' Ze aarzelde. Verdorie nog aan toe. 'Kom eens even mee naar de veranda.'

'Waarom?'

'Kom nu maar.' Kerry deed de deur open en liep voor haar uit. 'Ik weet dat het geen goede timing is, maar misschien juist ook wel. In ieder geval voor de kinderen.' Ze gebaarde naar een grote bastaardhond die aan een paal van de veranda vastlag. 'Dit is Sandy. Ik heb hem zo genoemd omdat hij op die hond van de film *Annie* lijkt. Ik heb hem uit het asiel.'

'Is dat een hond?'

'Onder al dat vuil zit absoluut een hond. En het staat ook vast dat hij lief is, en zindelijk, hoogstwaarschijnlijk tenminste. Zie het maar zo: het zal een hele uitdaging zijn voor de kinderen om...'

'Ik weet het niet, hoor...' Edna fronste. 'Ik weet niet of...'

'Als je hem over een paar dagen niet in je hart gesloten hebt, dan mag je me bellen en dan zoek ik een ander tehuis voor hem.' Na een snelle kus op Edna's wang nam ze Sam mee het trapje af.

'Alles in orde?' vroeg Silver vanaf de bestuurdersstoel van de suv. 'Ze ziet er niet bepaald enthousiast uit.'

'Het is een schat van een hond. Edna is een moeder in hart en ziel en hij zal haar aandacht een beetje afleiden. En ik vond het verschrikkelijk om Sam weg te moeten halen bij de kinderen.'

'Ze staat hem te aaien,' observeerde Silver. 'Heel voorzichtig. Misschien wordt het wat.'

'Ik hoop het.' Ze veegde over haar ogen toen ze het achterportier opendeed en gebaarde dat Sam op de bank kon springen. 'Weet je? Het leven is waardeloos. Charlie is dood en zijn gezin heeft verdriet. Voor altijd.'

'Maar dat zal slijten.'

'Ja, je zult wel gelijk hebben.' Ze stapte naast hem in en trok de deur dicht. 'Ik doe mijn best daaraan te denken.' Sam hing met zijn achterpoten over haar stoelleuning en probeerde haar wang te likken. 'Ga zitten, gek.' Maar ze gaf hem een knuffel voor zé zich weer tot Silver wendde. 'Wat mij betreft kunnen we gaan.'

'Geen boodschappen meer? Wat heb je gedaan toen ik bij je kantoor moest stoppen?'

'Ik had een gunst nodig van een van de brandinspecteurs. Een van de kinderen in het ziekenhuis wordt dit weekeinde weer overgedragen aan zijn oma, en de verpleegster in het ziekenhuis durfde niet met zekerheid te stellen dat hij niet mishandeld werd. Ik heb gevraagd om wat extra ruimte, totdat de kinderbescherming tijd heeft om een onderzoek in te stellen.'

'De kleine jongen, Josh.'

Ze glimlachte verbitterd. 'Waarom verbaast het me dat je dat weet? Je had hem zelfs voor me in je mooie sprookje gestopt.' Met een ongeduldig gebaar snoerde ze hem de mond toen hij wilde reageren. 'Heb je alles in orde gemaakt voor onze reis?'

'Ik zou niet anders durven.' Hij draaide weg van de stoeprand. 'Er staat een privé-vliegtuig voor ons klaar in Hartsfield. Ik nam tenminste aan dat je je hond bij je zou willen hebben in de cabine.'

Ze knikte. 'Hij houdt er niet van om in een bench gestopt te worden. Het roept herinneringen aan het asiel bij hem op.'

'Ja, hij is een gevoelig type.' Silver keek even om naar de hond. 'Ach, misschien is blijdschap een groter goed dan intelligentie.'

'Hij is best slim... soms. Vooral als het om eten gaat.' Ze haalde haar telefoon te voorschijn. 'Ik moet mijn werkgever even melden dat ik een paar weken vrij neem.' Ze trok een gezicht. 'Ik denk niet dat hij daar blij mee zal zijn nadat ik net zoveel tijd bij Edna en de kinderen heb doorgebracht.'

'Ik heb Travis al naar Washington laten bellen om alles op alles te zetten om het pad een beetje voor je te effenen.' Hij wierp haar een zijdelingse blik toe. 'Hoe is het met je broer en zijn vrouw?'

'Naar omstandigheden redelijk. Maar nu je toch bezig bent met je kruiwagens, kun je dan misschien een goede plek regelen waar

Jason Laura mee naartoe kan nemen als ze uit het ziekenhuis komt?'

'Geen probleem. Ik had zo gedacht dat een hotel met volpension voor de eerste week het beste was, en dan kunnen we daarna een huurhuis voor ze regelen. Mee eens?'

Ze knikte. 'Je hebt overal al aan gedacht.'

'Ik zal ervoor moeten zorgen dat jij geen zorgen aan je hoofd hebt.' Hij voegde eraan toe: 'Ik weet zeker dat je me niet zal geloven als ik zeg dat ik wil dat ze zo gelukkig mogelijk zijn en het zo veel mogelijk naar hun zin hebben.' Hij grijnsde boosaardig. 'Ik ben tenslotte walgelijk.'

'Deed dat zeer?'

'Ach.' Hij dacht na over zijn antwoord. 'Ik geloof het wel. Ik ben eraan gewend, maar soms wil er nog wel eens een woord of een bijzonder harde aanval door mijn schild raken.'

Ze was even stil. 'Je kunt het mensen niet kwalijk nemen dat ze kwaad worden als je met hun hoofd knoeit. Ik denk dat het de meest afschuwelijke bemoeienis is.'

'Dat neem ik ook niemand kwalijk. Ik zou het zelf ook vreselijk vinden,' zei hij mat. 'Denk je dat ik het leuk vind? Je hebt geen idee van de weerzinwekkende dingen die mensen voor de rest van de wereld verbergen. De menselijke geest kan een ontzettende beerput zijn.'

'Zorg er dan voor dat je uit de mijne blijft.'

Hij glimlachte. 'Jouw geest is opmerkelijk zuiver. Ach, hier en daar wat verdrongen seksuele gevoelens en fantasieën, maar door de bank genomen is hij schoon en eerlijk en zonnig. Het is me grotendeels een genoegen geweest om met je mee te kijken. De enige problemen die ik ondervonden heb, waren de nachtmerries en de blokkades waarachter je je verstopte als je aan je moeders dood dacht. Een soort kruising tussen het gevangenzitten in een tornado en een doodskist.' Hij keek even opzij. 'Ik kan me voorstellen hoe het voor je moet zijn. Je zou Travis moeten vragen je te leren jezelf in bedwang te krijgen.'

'Ik stel geen prijs op je mening en ik ben niet op zoek naar een steun en toeverlaat.'

'Een beetje steun zoeken tot je hebt geleerd op eigen benen te staan is geen zwakheid.'

'Spreek je uit ervaring?'

Hij trok een scheef gezicht. 'Betrapt. Nee, ik was te zeer in de war en te eigenwijs om me door iemand te laten helpen. Maar je zou moeten doen wat ik je zeg en niet wat ik heb gedaan. Dat is veel gezonder. Mijn leven zou een stuk gemakkelijker zijn geweest als ik me in die beginjaren door Michael Travis had laten helpen.'

'Hij heeft me verteld dat je niet echt deel uitmaakt van zijn groepje.'

Hij schudde zijn hoofd. 'Het enige dat ik gemeen had met Travis en zijn vriendjes, was dat mijn gave op dezelfde manier tot mij gekomen is. Ik ben gewond geraakt bij een auto-ongeluk toen ik dertien was en heb daarna bijna een jaar in coma gelegen. Toen ik bijkwam heeft iedereen lange tijd gedacht dat ik normaal was. Iedereen behalve ikzelf. Ik wist dat ik abnormaal was, maar had geen enkele behoefte om andere mensen te laten weten dat ik het idee had dat ik andermans geest binnengezogen werd. Ik dacht dat ik gek aan het worden was, en had me voorgenomen zo veel mogelijk van het leven te genieten voordat ze me op zouden sluiten in het gekkenhuis. Mijn ouders hadden het te druk met het pushen van de politieke carrière van mijn broer Cam om veel tijd voor me te hebben, dus lieten ze mij mijn gang maar gaan. En die gang leidde naar elk denkbaar extreem onder deze hemel en het uitvinden van dat wat niet voorhanden was.' Hoofdschuddend zei hij: 'Over zwarte schapen gesproken.'

'Michael zei dat jij en je broer een goede band hadden. Het verrast me dat hij niet ingegrepen heeft.'

'Hij heeft het geprobeerd. Vaak geprobeerd, maar ik luisterde niet. Uiteindelijk ben ik mijn wilde haren wel zo'n beetje kwijtgeraakt en ben ik de wereld rond gaan trekken. Ten slotte bereikte ik mijn dieptepunt in Tanger en overwoog ik serieus naar huis te gaan en me ter plekke te laten opnemen in het gekkenhuis.'

'En wat heeft je daarvan weerhouden?'

'Trots. Ik besloot dat iemand als ik die in elk ander opzicht zo volkomen normaal was, niet gek kon zijn puur vanwege het feit dat ik andermans brein binnengezogen werd. Dus ik gaf mezelf zes maanden de tijd om te experimenteren en te kijken of ik nu echt gek was of dat ik een bijzondere paranormale gave had. Het bleken zes interessante maanden. Ik heb geluk gehad dat ik aan het einde ervan niet psychotisch was geworden. Je zou versteld staan hoeveel gemene, verwrongen geesten er daarbuiten rondlopen, en ik heb mijn neus in een paar wel heel bijzondere exemplaren gestoken. Soms kon ik alleen maar overleven door hun realiteit om te zetten in fantasie en het van daaruit te veranderen zodat ik me kon losmaken.'

'Zoals je bij mij hebt gedaan.'

Hij knikte. 'Alleen moesten hun fantasieën een stuk smeriger en ingewikkelder zijn. Ik heb nooit geweten dat dat een onderdeel van mijn talent was, maar ik ben expert uit pure noodzaak geworden.'

'En wat gebeurde er na die zes maanden?'

Hij gaf niet meteen antwoord. 'Je bent wel erg geïnteresseerd. Zoek je een touw om me aan op te knopen?'

'Ik zoek een manier om mezelf te beschermen. Ik wil je niet straffen. Dat is zonde van mijn tijd. Bovendien heb ik je misschien nodig om Trask op te sporen.'

'Gelukkig maar.' Hij draaide de parkeerplaats van de luchthaven op. 'Ik heb er niets op tegen je over mijn jeugd te vertellen als jij je daardoor beter voelt. Wat wil je weten? O ja, je vroeg me wat ik ging doen na die zes maanden dat ik me heb bekwaamd in mijn vak.'

'Je vak?'

'Mijn vak, vaardigheid, talent. Hoe je het ook wilt noemen. Ik kwam tot de conclusie dat ik een manier moest ontwikkelen om mijn gekte in bedwang en in het gareel te krijgen omdat ik er anders uiteindelijk aan onderdoor zou gaan. Ik ben op zoek gegaan naar paranormale groeperingen en universiteitsprojecten waar ik iets zou kunnen opsteken. Het was vrij moeilijk om dat soort dingen te onderzoeken zonder iemand te laten merken dat ik van buitenaf mee kon kijken. Tijdens die zoektocht ben ik op Michael en Melissa Travis gestuit. Het waren geen kwakzalvers, en op het eerste gezicht leken ze betrouwbaar, maar voorzover ik kon zien hadden ze geen contacten met mensen met mijn specifieke gave, dus zou ik niet veel aan ze hebben. Ik was hoopvol gestemd over een Russisch staatsproject, maar dat heeft ook niets opgeleverd. Ik kon geen enkele groep of opleiding vinden waar iemand zat zoals ik.'

'Goh, vreemd,' zei ze droogjes.

'Dus toen besloot ik het dan maar in mijn eentje te doen. Ik heb me bij een paranormaal researchinstituut van de Georgetown University aangesloten waar ze interessante dingen leken te doen, en daar heb ik mijn draai gevonden.'

'In welke zin?'

Hij glimlachte. 'Alles van spionage en het bijstaan van de Homeland Security tot aan het bijdragen van mijn steentje bij plaatselijke geestelijke gezondheidszorginstituten.'

Ze trok haar wenkbrauwen op. 'Toe maar, wat heldhaftig en barmhartig.'

'God verhoede. Ik wilde niets anders dan kennis opdoen en de grenzen van mijn talent verkennen, in plaats van het mijn leven te laten bepalen. Ik wilde me nooit meer zo hulpeloos voelen als in die eerste paar maanden dat ik uit coma was gekomen.' Hij ontmoette haar blik. 'Ik denk dat je je daar wel mee kunt identificeren.'

Dat kon ze inderdaad, maar ze was niet van plan aan hem toe te geven dat ze iets gemeen hadden. 'Ik wist niet wat er met me gebeurde, maar ik heb nooit gedacht dat ik gek aan het worden was. Ik wist alleen maar dat ik grip moest zien te krijgen op dat wat er in mijn hoofd gebeurde.'

'Nou ja, onze talenten verschillen nogal. Dat van jou stak willekeurig de kop op. Aan het mijne viel niet te ontsnappen. Ik moest het elke dag onder ogen zien. Voordat ik de boel onder controle kreeg, wist ik nooit in wiens brein ik nu weer binnengesleurd zou worden.'

Ze probeerde zich voor te stellen hoe dat moest zijn en rilde bij de gedachte. Mijn God, zijzelf had met Trask maar heel even geproefd aan wat hij doorgemaakt moest hebben, en het was voer voor je ergste nachtmerrie. 'Ja, dat verschilt nogal.' Jezus, ze had daadwerkelijk medelijden met hem, en dat was een megafout. Niemand verdiende minder medelijden dan Brad Silver. Hij had zijn problemen onder ogen gezien en een manier gevonden ze op te lossen, maar dat was nog geen reden om haar privacy te schenden. 'Maar ik heb je nergens in meegesleurd.'

'Dat is waar.' Hij parkeerde de auto en deed de deur open. 'Jij bent het slachtoffer en ik ben de slechterik. Ik verwacht niet van je dat je me vergeeft.'

'Gelukkig maar.' Ze sprong de auto uit en liet Sam van de achterbank. 'Want dat was ik ook absoluut niet van plan.' Ze liep in de richting van de vertrekhal. 'Kom Sam.'

'Er schiet me net iets te binnen. Kan Sam tegen vliegen?'

'Ik heb geen flauw idee. Hij heeft nog nooit gevlogen.' Ze wierp hem een kwaadaardige blik toe. 'Maar hij wil nog wel eens wagenziek worden.'

'Is dit jouw huis?' Kerry staarde met dezelfde verbaasde blik naar het landhuis met de witte zuilen als waarmee ze net het ijzeren hek had bekeken dat het Oakbrook-landgoed afsloot. 'Ik sta versteld. Dit past helemaal niet bij je.'

'O nee?' Hij parkeerde de auto en hielp haar uit de auto. 'Kom ik niet over als het Rhett Butler-type?'

'Nee.'

'Je hebt gelijk. Ik heb Oakbrook van Cam geërfd. Hij voelde zich als een vis in het water in dit scenario van het diepe Zuiden. Maar aan de andere kant voelde hij zich maar zelden ergens niet thuis. Hij was zo'n man die...' Hij stopte en schraapte zijn keel. 'Hij was een geweldige vent.'

En Silver had overduidelijk erg veel van hem gehouden. 'Het spijt me voor je.'

'Dank je.' Hij beklom de treden. 'Hij heeft altijd geprobeerd om me naar zijn voorbeeld te kneden. Hij dacht dat dat veiliger voor me zou zijn.' Hij glimlachte cynisch. 'Maar dat was het kennelijk toch niet, is het wel?'

'Nee, ik neem aan van niet.'

'Hij had me willen vragen Trask voor hem op te sporen. Hij heeft meerdere malen geprobeerd daar een afspraak met me over te maken, maar ik wees hem elke keer af. En toen ik uiteindelijk kwam, was dat op de avond dat Trask besloot om Cam in de as te leggen.'

'Maar je wist toch niet dat hij gevaar liep? Het was niet jouw schuld.'

'Ik hang de martelaar niet uit. Ik wilde alleen maar... Hallo, George,' zei hij tegen de lange, onberispelijke man die de voordeur opendeed. 'Hoe staat het leven?'

'Saai, meneer.' De butler wierp Silver een berustende blik toe. 'Heeft u bagage bij u?'

'Jazeker.' Silver stak hem de autosleutels toe. 'Mag ik je voorstellen aan George Tarwick, Kerry? George, dit is mevrouw Murphy. George heeft altijd voor Cam gewerkt, en ik ben nogal een teleurstelling voor hem.'

'Nee, geen teleurstelling,' zei George met een vage glimlach rond zijn lippen. 'Eerder een uitdaging. Als u me daar tenminste de kans toe biedt. Aangenaam, mevrouw Murphy. Ik ben verheugd u welkom te mogen heten.' Hij bewoog zich langs hen heen naar de auto. 'Als u mevrouw Murphy meeneemt naar de bibliotheek, zal ik u daar zo een verfrissing serveren.'

'Juist.' Silver pakte Kerry's arm. 'Kom Kerry. Je hebt het gehoord. Laten we George vooral niet verstoren. Hij heeft zo zijn manieren om je dan terug te pakken.'

'Absoluut,' mompelde George.

Kerry keek om naar de butler toen ze bij de deur stond. George Tarwick liep de trap af met een atletische gratie en vitaliteit die niet overeenstemden met zijn verheven manier van doen. In eerste instantie had Kerry gedacht dat hij waarschijnlijk midden veertig was, maar zijn manier van lopen met die onderdrukte energie was die van een jongere man. Rond de dertig? Aan zijn slapen schemerden wat grijze haren en zijn bruine ogen schitterden intelligent en humorvol. 'Hij is nou niet bepaald Mr. Jeeves, is het wel?'

'Beslist niet. Voordat hij deze specifieke carrière begon, heeft hij twee jaar bij de geheime dienst gewerkt. Hij heeft een zwarte band, is commando geweest, en is een uitstekend scherpschutter.'

'Wat?'

'Er bestaan allerlei soorten discreet werkende organisaties die butlers leveren als bodyguard. Vier jaar geleden heb ik Cam overgehaald om zo iemand in dienst te nemen. Het leek me geen kwaad kunnen als hij wat bescherming in zou huren. Hij was een publiek gezicht en er lopen nogal wat gekken rond.' Hij vertrok zijn lippen tot een scheve grijns. 'Maar George heeft Trask ook niet tegen kunnen houden. Ik ook niet. We konden niets anders dan lijdzaam toezien hoe Cam voor onze ogen levend verbrandde.'

'Hoe is het gebeurd?'

'Trask had geknoeid met de limousine. Hij sprong automatisch op slot zodat Cam en zijn vrouw er niet uit konden, en toen heeft hij een portie Firestorm op ze losgelaten. Zo verdomde heet... Ze zijn levend verbrand voor we een portier open konden krijgen.'

'Christus.'

'Dus George en ik zijn de afgelopen maanden nogal naar elkaar toegegroeid. We hebben een band. Die van het falen. En daar ergeren we ons kapot aan.'

'Heb je bewijzen gevonden dat Trask hier was toen het gebeurde?'

Hoofdschuddend antwoordde hij: 'Het terrein werd op dat moment bewaakt door de geheime dienst. Cam was niet het eerste slachtoffer, en de president zat niet te wachten op meer zogenaamde incidenten. Maar we hebben geen enkel bewijs van zijn aanwezigheid weten te vinden.'

'Ik durf te wedden dat hij er was. Misschien niet heel dichtbij, maar hij houdt te veel van zijn daden om de val te zetten en dan te vertrekken.' Afwezig aaide ze Sam over zijn kop toen ze daarover nadacht. 'En je broer was een moeilijk doelwit. Trask zal hebben willen zien hoe zijn kind hem uitschakelde.'

'Zijn kind.' Silver grijnsde vol walging. 'Iedere keer dat je dat zegt word ik misselijk. Het is gewoon... obsceen.'

'Ja, maar jij hebt vast wel vaker te maken gehad met obscene denkbeelden.'

'Maar die betroffen geen mensen waar ik om gaf.' Hij deed de deur van de bibliotheek open. 'Het overschrijdt alle grenzen die ik voor mezelf gesteld heb. Kennelijk ben ik niet zo stoer als ik dacht.'

O, hij was stoer genoeg, bedacht ze. En dan wilde ze nog niet eens nadenken over zijn kwetsbare plekken. 'Geen tekenen van

Trask op de andere plaatsen van misdrijf?'

Hij schudde van nee. 'Je zei dat hij in een straat verderop was bij het huis van je broer?'

'Ja, maar het kostte hem moeite de brand te besturen. Ben jij bekend met de reikwijdte van Firestorm?'

'In theorie kan Firestorm met behulp van een klein zendertje over een afstand van rond de duizend meter bestuurd worden. Een grotere zender heeft een reikwijdte van een kilometer of drie. Tenzij hij hem opnieuw aangepast heeft.'

'Hetgeen mogelijk is.' Ze haalde haar schouders op. 'Maar ik denk dat hij hoe dan ook zal willen kijken. Dat is iets wat hij volgens mij gemeen heeft met andere pyromanen met wie ik te maken heb gehad. Niets zo prettig als kijken en ruiken.' Ze likte over haar lippen. 'En als hij aanwezig is, dan denk ik dat ik het zal weten.'

'Daar reken ik op.'

'Juist. Je hebt zoveel maanden met me meegekeken dat het een hele teleurstelling zou zijn als ik je nu in de steek liet.'

'Bijdehandje.' Hij zweeg even. 'Toch denk ik niet dat je dat doet. Tot nu toe ben je met vlag en wimpel geslaagd. Ik had zeker niet verwacht dat je bij het eerste treffen contact met hem zou krijgen.'

'Dit ging om mensen van wie ik houd. Misschien was het eenmalig.'

'Maar je vermoedt van niet.' Hij kneep zijn ogen tot spleetjes. 'Je gelooft dat je contact met hem hebt gemaakt, en dat je dat een volgende keer opnieuw kunt. Hoe werkt jouw gave precies? Heb je wel eens contact met de dader vóór de handeling?'

Ze ontkende hoofdschuddend. 'Ik heb het een keer of twee kunnen zien terwijl het gaande was. Maar meestal krijg ik een visioen als ik op de plaats van het misdrijf ben.' Ze aarzelde. 'Maar dit was de eerste keer dat ik het gevoel had dat ik... binnen was. Het was alsof ik Trask wás.'

'Welkom bij de club.'

Ze huiverde. 'Ik hoop dat ik dat nooit meer hoef mee te maken.'

'Ik ook. Dat gevoel zou ik mijn ergste vijand nog niet eens toewensen.' Hij grijnsde. 'Nee, dat lieg ik. Ik wens het Trask toe.'

'Thee,' kondigde George aan vanuit de deuropening met een zilveren dienblad in zijn handen. 'En sandwiches. Dames houden van thee.'

'Is dat zo?' vroeg Silver aan Kerry. 'Houd je van thee?'

'Ja.'

'Ik heb geen theezakjes gezien in je keuken.'

'En ik heb jouw glazen bol niet gezien.' Ze glimlachte naar George: 'Ik hou meer van de ceremonie dan van het drankje zelf.'

'Ziet u wel,' zei George tegen Silver. 'Dames hebben een aangeboren waardering voor de finesse en systematiek van het theedrinken. Ik heb uw bagage naar de logeerkamer boven aan de trap gebracht, mevrouw Murphy.'

'Kerry.'

Hij deinsde terug. 'Ik wil niet onbeleefd zijn, maar dat druist tegen mijn gevoel voor etiquette in. Ik stel voor dat ik u dank voor uw aanbod en het daar verder bij laat.' Hij wierp een zijdelingse blik op Sam. 'Heb ik uw permissie dit dier mee naar buiten te nemen en hem wat water te geven?'

'Zijn naam is Sam,' zei Kerry toen ze hem de riem toestak. 'En ik denk dat hij iets moet eten.'

'Vreemd hè?' zei Silver wrang. 'Hij heeft overgegeven in het vliegtuig.'

'Ik zal er rekening mee houden,' antwoordde George toen hij Sam meenam de kamer uit. 'Dat wordt dus een lichte dis.'

Kerry keek hem geamuseerd na. 'Weet je zeker dat hij bij de commando's is geweest?'

'O, ja. Maar hij is ook opgeleid als dienstbode in Engeland. Hij hecht enorm aan etiquette, of dat nu het afvuren van een Sam7 betreft of het serveren van een staatsbanket.'

'Interessant.' Ze bracht het kopje naar haar lippen. 'Het verbaast me dat hij bij je is gebleven. Ik had niet verwacht dat jij zijn goedkeuring zou kunnen wegdragen.'

'Omdat ik zo'n slons ben? Hij hoopt dat hij me kan bekeren.'

'Maar dat is toch niet alles?'

'Nee. Hij wil erbij zijn als we Trask pakken. Zoals ik al zei: hij houdt niet van mislukkingen.'

'Wat weet hij van jou?'

'Alleen maar dat mijn broer me een mafkees vond die hydrostatica studeerde aan de universiteit.' Hij nam een slokje van zijn thee en vertrok zijn gezicht. 'Dit doet hij expres. Hij weet dat ik thee bijzonder smerig vind.'

Ze glimlachte. 'Weet je, ik geloof dat ik George aardig begin te vinden.'

De slaapkamer die ze gekregen had, was net zo groot als het hele slaapverblijf op de brandweerkazerne. Hij was subtiel elegant ingericht met koele blauwe en perziktinten, en ook hier weer druiste alles in tegen haar indruk van Silver.

'Daar heb je gelijk in,' zei Silver. 'Ik houd van warme kleuren en een knusse inrichting.'

'En van Gwyneth Paltrow,' mompelde ze. Toen verstijfde ze en vroeg: 'Zat je mee te kijken?'

'Nee hoor. Ik heb je beloofd dat je veilig voor me bent. Maar aangezien ik je door en door ken, is het niet zo moeilijk je te doorzien.' Hij knikte naar de bel op tafel. 'Bel maar als je iets nodig hebt. Ik zal George vragen om je over een uurtje een licht avondmaal te brengen. Waarom ontspan je je tot die tijd niet een beetje, en misschien kun je je broer even bellen. Neem een lekkere lange douche en laat wat van die knopen in je nekspieren wegspoelen. Neem even de tijd om te acclimatiseren. Er is nogal wat gebeurd.'

Ze had inderdaad even wat tijd nodig om tot zichzelf te komen, maar dat gaf ze liever niet aan hem toe. Het feit dat hij haar geestelijke gemoed en gesteldheid zo goed begreep, was bijna net zo erg als dat hij in haar geest rond kon wroeten. 'En wat ga jij in de tussentijd doen?'

'Ik moet een paar telefoontjes plegen.'

'Naar Travis?'

'En andere bondgenoten.' Hij glimlachte. 'Mijn leven draait niet alleen maar om Trask. Dat lijkt alleen maar zo.'

Ze dacht terug aan hun eerste ontmoeting. 'Gillen? Met wie je aan de telefoon zat toen ik die ene avond mijn keuken binnenkwam?'

Hij keek verbaasd. 'Je hebt een goed geheugen. Ik had niet de indruk dat je die avond aan iets anders dacht dan aan de dood van Charlie.'

'O, alles dat verband heeft met jou komt luid en duidelijk over. Wie is Gillen?'

'De huidige nagel aan mijn doodskist. Maar niet iemand over wie jij je zorgen hoeft te maken.'

Hij was niet van plan haar meer te vertellen. 'En wanneer gaan we het hebben over Trasks toekomstige doelen?'

'Binnenkort.' Hij wendde zich af. 'Je hebt maar één koffer meegebracht. Als je andere kleren nodig hebt hoef je dat alleen maar tegen George te zeggen, en dan zorgt hij ervoor dat alles wat je wilt wordt bezorgd door de plaatselijke middenstand.'

'Ik red me wel met wat ik bij me heb. Ik was niet van plan me op te doffen voor het avondeten.' Ze vertrok naar de badkamer. 'In tegenstelling tot hoe het volgens George waarschijnlijk hoort.'

Twee minuten later stond ze zachtjes te vloeken onder de warme douche. Hij had gelijk. Er zaten inderdaad knopen in haar nekspieren en de douche werkte ontspannend. Het was ontzettend irritant dat hij zo opmerkzaam was.

Maar waarom wist ze dan zo zeker dat hij niet gelogen had toen hij zei dat hij niet in haar brein gekropen was? Misschien moest ze zich eigenlijk ongemakkelijk voelen. Toch was ze dat niet en geloofde ze hem. Intuïtie? Wat het ook mocht zijn, ze zou het moeten accepteren. Ze kon niet aan haar gevoelens blijven twijfelen. Ze moest vertrouwen hebben in haar kracht om te weten wanneer hij op verboden terrein kwam. Anders zou hun partnerschap een nachtmerrie worden.

Een nachtmerrie.

Ze ademde diep in toen die gedachte haar overviel. Dit zou de eerste keer zijn dat ze weer ging slapen sinds gisternacht, de nacht van de brand. De nacht waarvan Silver haar had verzekerd dat ze niet over haar moeders dood zou dromen. Ze had hem toen niet geloofd, maar het was niet echt op de proef gesteld. Trask had ervoor gezorgd dat haar droom over brand bewaarheid was.

Ze sloot haar ogen. God, ze hoopte maar dat ze vannacht niet zou dromen. Haar zenuwen stonden zo gespannen dat ze bijna knapten. Maar ze zou niet knappen. In de loop der jaren was ze geregeld door dit soort nachtmerrieperiodes gegaan. Ze kon het aan. Dus houd op met mekkeren. Kom onder die douche vandaan, zorg dat je iets in je maag krijgt en bel Jason.

Over die nachtmerries kon ze zich later nog wel zorgen maken.

'Ik heb hier een biefstuk, wat salade en een citroenpuddinkje voor u,' zei George toen ze de deur opende op zijn kloppen. 'Voedzaam doch niet te zwaar op de maag.' Hij stapte de kamer binnen en zette het blad op het bureautje tegen de muur. 'Ik stel voor dat u alles opeet, aangezien u geen hap hebt gegeten van de sandwiches bij de thee.'

'Ik had geen trek.' Lieve God, ze voelde zich daadwerkelijk schuldig. Dit was belachelijk. 'Waar is Sam?'

'Ik heb hem achtergelaten in de keuken bij het zoontje van de kokkin. Ik geloof dat hij zich wel amuseert.' Hij schonk koffie voor haar in. 'Hij gaat goed om met kinderen.'

'Ja, ik ga elke week met hem naar de kinderafdeling van het ziekenhuis. Kinderen zijn gek op hem.'

'Wel, ze zullen in ieder geval niet onder de indruk raken van zijn kracht en coördinatievermogen. Hij rende me bijna omver toen ik zijn waterbak aanvulde.'

'Hij is wat onhandig.'

'En hij heeft water door de hele keuken gelekt.'

'En wat lomp.' Ze stak haar kin naar voren. 'Als u hem niet mag, brengt u hem maar bij mij.'

'Ik stoor me niet aan hem. En de kokkin is al bijzonder gecharmeerd van het dier.' Hij glimlachte. 'Het is een vat vol verrassingen. Brad vertelde me dat hij getraind is in het speuren naar brandversnellende middelen.'

'U noemt Silver wél bij zijn voornaam. Voelt dat dan niet aan als incorrect?'

'Zeer zeker. Maar hij heeft de wedstrijd gewonnen, dus heb ik me eervol overgegeven. Toen ik mijn ongenoegen erover uitsprak, zei hij dat hij de zaak zou laten rusten als ik hem twee of drie keer neer zou weten te leggen.' Hij schudde zijn hoofd. 'Het is me slechts één keer gelukt. Maar ik ben in voorbereiding voor ons volgende treffen.'

'Hij vertelde dat u een zwarte band heeft.'

Hij kromp even in elkaar. 'Is het nu werkelijk nodig me te herinneren aan mijn schande? Inderdaad, ik had hem neer moeten kunnen leggen. Hij overrompelde me. Meneer Cam had me verteld dat Brad bij de researchafdeling van een universiteit werkte en dat hij daar iets deed met hydrostatica. Wat dat dan ook mag wezen.' Hij trok een lelijk gezicht. 'Maar dit werk heeft hij niet op de universiteit geleerd. Hij is een straatvechter, en een goede ook, en hij acht het zeker niet beneden zijn waardigheid om vals te spelen als hij daarmee kan winnen.'

'Hij heeft me verteld dat hij de wereld rondgezworven heeft en het zwarte schaap van de familie was.'

'Hij is in ieder geval geenszins vergelijkbaar met meneer Cam.' Hij trok de stoel voor haar naar achteren. 'Meneer Cam zou nooit bezwaar hebben gemaakt tegen mijn gevoel voor etiquette. Hij bood iedereen altijd de ruimte voor zijn eigen levensstijl.'

'Zelfs zijn broer?'

Hij ontkende hoofdschuddend. 'Nee, daarvoor hield hij te veel van hem. Het is moeilijk om toe te zien hoe iemand een levenspad bewandelt waarvan jij denkt dat het rampzalig zal eindigen.'

'En werken bij een researchinstituut eindigt rampzalig?'

'Ik heb geen idee. Het enige dat ik daarop kan zeggen, is dat meneer Cam zich continu zorgen maakte over Brad.'

Ze glimlachte. 'U spreekt zijn naam uit alsof hij een bittere smaak achterlaat.'

'O, dat is ook zo.' Hij liep in de richting van de deur. 'Maar binnenkort zal ik ervoor zorgen dat ik hem niet langer hoef te gebruiken. Tot die tijd zal ik er "meneer" aan toe blijven voegen. Ik heb nooit ingestemd met het weglaten van "meneer".' Hij deed de deur open. 'Ik kom over drie kwartier terug voor het dienblad. Ik hoop werkelijk dat u iets zult eten. Het aanpakken van die labrador moet vast en zeker veel energie kosten.'

'Hij houdt me alert. U mag hem straks meenemen als u weer hierheen komt.'

'Daar hoopte ik al op. De kokkin vindt hem nu misschien nog leuk, maar ik verwacht niet dat ze hem nog zo zal waarderen nadat hij klaar is met haar keuken.'

Kerry betrapte zich erop dat ze hem glimlachend nakeek. George was een vreemd type, maar ze mocht hem wel. Er liepen verdorie al genoeg doorsneemensen rond op deze wereld. Het was verfrissend af en toe eens iemand tegen te komen die zijn eigen route en regels uitstippelde.

Zoals Brad Silver.

De gedachte kwam in haar op maar ze onderdrukte hem onmiddellijk. Silver stippelde dan misschien zijn eigen weg uit, en hij bepaalde inderdaad zijn eigen regels, maar er zat niets verfrissends of beminnelijks aan de weg die hij gekozen had.

Of die hem gekozen had. Eerlijk gezegd had hij daar niet meer keus in gehad dan Kerry zelf, en zijn ervaring was net zo traumatisch geweest. Hij leefde dag in dag uit met andermans brein, niet zomaar sporadisch. Wie was zij om hem te verwijten dat hij daarin een manier zocht om te overleven?

Allemachtig, ze begon mild over hem te worden.

Dat besef trok als een schok door haar heen. Dat moest niet gebeuren. Ze moest een manier vinden om zich naast hem staande te houden, maar ze mocht hem niet aardig gaan vinden. Hij was te sterk, met een kracht die ze niet vertrouwde.

George daarentegen vormde geen bedreiging. Zijn wonderlijkheid was vreemd en grappig, niet gevaarlijk. Ze ging aan het bureau zitten en tilde het zilveren bolvormige deksel op. De biefstuk zag er goed uit. En ze wist zeker dat George haar op haar kop zou geven als ze er niet iets van at.

Bovendien zou ze misschien sloom worden van het eten. Ze wilde elke mogelijkheid aangrijpen om vannacht diep te slapen.

Diep, en met Gods wil, droomloos.

6

Schroeiend vlees. Schroeiend vlees.
Trek je terug. Trek je terug.
Ze kon het niet. Hij sleurde haar het vuur in.
Ze gilde!
'Wakker worden.' Ze werd door elkaar geschud. 'Word in godsnaam wakker.'
Silver.
De geur van... schroeiend vlees...
'Nee! Je gaat niet terug. Doe je ogen open. Nu!'
Haar ogen schoten open en daar was het gezicht van Silver; gespannen, vorsend, niet meer dan dertig centimeter boven dat van haar.
Hij slaakte een opgeluchte zucht. 'Zo, dat is beter. En nu openhouden die ogen. Geen vuur meer.' Hij trok haar uit bed. 'We gaan naar beneden voor een kop koffie. Waar is je ochtendjas?' Hij zag hem op bed liggen en hielp haar erin. 'Kom. Langzaam lopen en praat met me. Wat heeft George je te eten gebracht?'
Ze probeerde haar gedachten te ordenen tussen de dikke walmen rook die haar omringden. 'Sla.'
'En wat nog meer?'
'Vlees.'
Hij leidde haar de trap af. 'Wat voor vlees?'
Wat deed dat er in godsnaam toe? *Rook. Vlammen.*
'Het doet er wél toe. Denk na.'
Zijn stem was als een zweepslag die als een zwaard door de rook sneed. 'Biefstuk.'
'Goed zo. Vertel, waar ben je?'
Het werd al eenvoudiger. De rook begon op te trekken. 'Op de trap. Het huis van je broer. O nee, het is nu jouw huis, toch?'
'Precies.'
'Wat erg. Je broer... de brand.' Ze klapte dubbel toen er een

plotselinge pijnscheut door haar heen trok. 'Ik ruik niets. Verdomme, ik ruik niets. Te ver weg.'

'Jezus Christus.' Hij tilde haar op en droeg haar de resterende treden naar beneden. 'Ik kan hier niet meer tegen. Ik kom binnen. Heel even maar. Erin en eruit. Ik beloof het je.'

Wegtrekkende pijn. Optrekkende rook.

Ze waren in de bibliotheek en hij liet zich in een grote leren gemakkelijke stoel voor de open haard vallen, Kerry op zijn schoot wiegend alsof ze een klein kind was. 'Je bent wakker. Niemand kan je nu pijn doen. Dat zal zo tot je doordringen. Ik blijf hier zitten en als je straks zin hebt om op te staan voor die kop koffie in de keuken, dan laat je me dat weten.'

Geen rook. Geen pijn.

Warmte. Kracht. Een kruidige geur. Aftershave.

'Het is in orde.' Hij streek over haar haren. 'Ontspan je maar. Er gebeurt niets. Kom maar bij me terug. Dat wil je toch, of niet?'

Ze knikte slaperig. Ze hoorde het kloppen van zijn hart bij haar oor.

'En nu moet je alles loslaten. Geen rook. Geen pijn. Het is weg. Ik ga eruit.'

Vreemd. Leeg. Vredig.

Wakker.

Lieve God!

Ze schoot rechtovereind. 'Shit!' Ze sprong op.

'Dat is niet bepaald de hartelijkste reactie die ik ooit heb gehad op een helpende hand.' Hij hield haar staande. 'Gaat het?'

'Nee, je hebt het verdomme weer gedaan.'

Er verscheen een rimpel op zijn voorhoofd. 'Ik beken schuld. Maar ik kon niet... Je verging van de pijn. Wat had ik dan moeten doen?'

'Wat ieder normaal mens zou doen.'

'Dat hielp niet. Ik kon het niet aan om... Zo erg was het nu ook weer niet. Jezus, ik heb tegen je gezegd dat ik het ging doen. En je was anders verdomd blij dat ik daarbinnen zat. Dus ga nu niet achteraf lopen zeuren.'

'Maar ik wilde niet dat je...' Ze brak haar zin af en haalde diep adem. Hou op met tegen hem en jezelf te liegen. Hij had gelijk.

Ze zou dankbaar zijn geweest voor elke mogelijke manier om die afgrijselijke pijn te bestrijden. Ze had hem verwelkomd. 'Goed dan. Het was niet alleen jouw schuld.'

'Ik had liever iets anders gehoord,' zei hij terwijl hij opstond. 'Maar ik zal het ermee doen. Lieverkoekjes worden kennelijk nog steeds niet gebakken. Laten we maar eens op zoek gaan naar die koffie.'

'Ik hoef geen koffie.'

'Nou, ik wel. Dankzij jou ben ik vannacht door de hel gegaan. Ik wil óf een borrel, óf een kop koffie, en ik heb het gevoel dat ik maar beter helder kan blijven.'

Ze strompelde achter hem aan van de bibliotheek naar de keuken. Haar blote voeten werden koud op de marmeren vloer en ze zag nu pas dat hij ook op blote voeten liep, in een bruine velours ochtendjas. 'Heb ik je weer wakker gemaakt?'

'Pff. Zeg dat wel. Ik werd ineens de hel binnengetrokken en het hellevuur in geslingerd. En vervolgens lukte het me niet om jou wakker te krijgen zodat we allebei bevrijd zouden worden.' Hij duwde de keukendeur aan het einde van de gang open. 'Dus, aangezien ik dit niet nog een keer mee wil maken, gaan we een kop koffie drinken en ga jij me vertellen wat er zich allemaal afspeelde in je hoofd. Oké?'

'Denk je soms dat ik dit nog een keer...' Ze zag zijn gezicht en knikte. 'Oké.'

'Mooi.' Hij liep naar een kastje en pakte een bus koffie. 'Ik stel voor dat je aan tafel gaat zitten en op adem komt terwijl ik koffie zet.' Hij wierp een korte blik over zijn schouder. 'Je trilt niet meer.'

Vanbinnen trilde ze nog wel. 'Meestal ben ik niet zo'n bangerik. Het was niet de...'

'In godsnaam! Ik weet wat je doormaakte. Ik was erbij. Aan de zijlijn tenminste. Ik dacht dat ik een blokkade opgeworpen had zodat je die nachtmerrie niet meer kon krijgen. Kennelijk ben ik niet zo goed als ik dacht.'

'Een blokkade? Een soort van posthypnotische suggestie? Is dat hoe je het doet?'

'Het komt in de buurt.' Hij zette het koffiezetapparaat aan voordat hij zich op de stoel tegenover haar liet zakken. 'Maar het te hypnotiseren onderwerp moet meewerken, en die van mij verzetten zich vaak met hand en tand. Ik moet vaak een geheime operatie uitvoeren om een gevecht te vermijden.'

'Maar dat was vanavond bij mij niet nodig.' Het was een vaststelling van een feit. Ze rilde. 'Jezus, wat wilde ik daar graag weg.'

'Dat was zonneklaar. Je beet je in me vast.' Hij bestudeerde haar gezichtsuitdrukking. 'Zo gewelddadig als daarnet zijn je nachtmerries meestal niet. Ik weet nog van toen ik net met je mee begon te kijken, dat er veel angst en afgrijzen was, maar niet zoals...'

'Omdat het niet dezelfde nachtmerrie was.'

Hij verstijfde. 'Wat zeg je?'

'Dit was Trask.'

'Aha.' Hij stond op om koffie uit de stomende kan te schenken. 'De brand in het huis van je broer?'

'Nee, ik denk dat je wel weet wat dit was.'

'Je had het over Cam.' Hij bracht de kopjes naar de tafel en ging weer zitten. 'Je zei: "Wat erg"... en toen zei je iets over dat je niets rook.'

Ze deed haar ogen dicht toen de herinnering aan daarnet in alle hevigheid terugkwam. 'Niet ik. Hij. Trask kon het schroeiende vlees van je broer niet ruiken. Hij was niet zo heel ver weg. Hij kon de brandende limousine zien, maar hij rook niets. Hij was woest toen hij daaraan terugdacht.' Ze deed haar ogen open. 'Hij is nog steeds woest.'

'Nog steeds?'

'Hij stond naar dit huis te staren en te bedenken hoe hij zijn kind hier op los kon laten. Maar hij weet dat je broer een beveiligingsblokkade tegen Firestorm heeft laten installeren. Die frustratie maakte hem ziedend.'

Hij zweeg even. 'Je hebt het niet over een nachtmerrie.'

'Voor mij was het een nachtmerrie. Het ene moment lig ik te slapen en het volgende moment ben ik bij hem, voel ik wat hij voelt.' Haar hand trilde toen ze het kopje naar haar mond bracht. 'Nee, het was geen nachtmerrie. Hij was hier vanavond. Hij stond onder de bomen bij de poort.'

'Shit!'

Ze schudde haar hoofd toen hij half overeind kwam van zijn stoel. 'Hij is nu weg.'

'Waarom heb je me dat niet verteld?'

Ze wierp hem een boze blik toe. 'Ik was niet bepaald in de conditie om alarm te slaan, zoals je je misschien kunt herinneren. Ik functioneerde nauwelijks. En ik wist dat hij er niet meer was toen ik wakker werd.'

Hij onderdrukte een vloek en zei toen met grote moeite: 'Het spijt me. Ik baal alleen ontzettend van het idee dat hij zo dichtbij was en weer ontkomen is.'

'Had je dan niet verwacht dat hij achter ons aan zou komen?'

'Jezus, jazeker wel, en George heeft nog extra beveiliging geregeld om over het terrein te patrouilleren. Hoe heeft hij in godsnaam zo dicht bij de poort kunnen komen? De klootzak lijkt wel een geestverschijning.'

'Het is geen geest, het is een monster. Daar had je helemaal gelijk in.' Ze vouwde haar koude handen om haar kopje. 'En ik denk dat we maar beter de lijst van zijn potentiële slachtoffers kunnen doornemen.'

'Nu?'

Ze knikte. 'Hij is razend door de herinnering aan zijn teleurstelling over de dood van je broer. Hij hongert naar volledige genoegdoening van zijn zinnen.' Ze likte over haar lippen. 'Zijn kind wacht op een goede prooi.'

'Hoe snel?'

'Ik weet het niet. Ik denk... vannacht. Hij dacht: 'Voor deze nacht voorbij is.' Hij zou het graag nu meteen doen, maar hij moet wachten op de opstelling.'

'Wat voor opstelling?'

Hulpeloos schudde ze haar hoofd.

'En je hebt geen idee wie het zal zijn?'

Ze schudde haar hoofd. 'Hij denkt alleen maar aan ze als zijn doelwit. Hij ziet iedereen als doelwit. Hij denkt niet aan ze als mensen. Alleen maar als brandstof voor Firestorm.'

'Heb je verder niets opgepikt?'

Ze dacht na over de vraag. 'Water. Iets met water. Heel vaag.'

'Een meer? De zee? Een beekje?'

Hulpeloos haalde ze haar schouders op. 'Verdomme, ik weet het niet. Ik voel me net een spons. Ik ben niet als jij. Ik heb geen gezag. Ik kan zijn gedachten niet sturen.'

'Ik weet het. Ik weet het.' Hij zette zijn kopje op tafel en stond op. 'Laten we maar eens wat foto's en dossiers gaan bekijken in de bibliotheek om te zien wat we kunnen vinden. Misschien heb je meer in je opgenomen dan je denkt.'

'Ik hoop het.' Ze kwam overeind. Ze voelde de spanning en de rusteloze energie die hij uitstraalde en daar was ze nog niet klaar voor. Ze had wat tijd nodig om tot zichzelf te komen. 'Ik ga even naar boven om me aan te kleden. Ik zie je over een kwartier in de bibliotheek.'

Hij keek haar fronsend aan. 'Moet je echt…? Goed plan.' Hij wierp een blik op zijn eigen ochtendjas. 'Ik doe hetzelfde. Kom.' Hij geleidde haar door de hal naar de trap. 'Laten we er een halfuur van maken. Stap even onder de douche. Het zou wel eens een lange nacht kunnen worden.'

'Met de dossiers doornemen?'

'En misschien met het bezoeken van plekken die er veelbelovend uitzien.'

Ze had kunnen weten dat hij op volle kracht achter Trask aan zou willen gaan. Nou, dat was precies wat zij wilde. De gedachte aan de haast van Trasks dreigementen maakte haar doodsbenauwd. Maar ze moest even bijkomen voordat ze weer met hem in contact zou komen.

'Goed?' Hij bestudeerde haar gezichtsuitdrukking.

'Natuurlijk.' Ze begon de trap op te lopen. 'Het gaat weer prima hoor.'

'Nee, dat gaat het niet. Je bent doodsbang.' Met samengeknepen ogen keek hij haar aan. 'En er schoot me zojuist een klein stukje van die nachtmerrie te binnen. Jij was degene die dat vuur ingesleurd werd. Niet Cam. Het was jouw vlees dat schroeide.'

Ze knikte.

'Verdomme, praat met me.'

'Wat moet ik zeggen dan? Wat had je dan verwacht?' Ze keek hem niet aan. 'Ik ben automatisch zijn doelwit geworden op het moment dat hij dacht dat ik je zou gaan helpen. Maar het werd een persoonlijke kwestie toen zijn dierbare kindje naliet mij te vernietigen. Hij wil me.' Met een scheve grijns keek ze hem even

97

aan. 'Misschien nog wel meer dan dat hij jou wil, Silver. Hij fantaseert over hoe ik eruit zal zien, hoe ik zal ruiken als hij me in vlammen op laat gaan.'

'Jezus.'

'Maar dat zal niet gebeuren.'

'Om de dooie dood niet. Dat sta ik niet toe.'

'Nee, vast niet,' glimlachte ze vreugdeloos. 'Als je het niet erg vindt, vertrouw ik liever op mezelf aangezien we allebei onze prioriteiten hebben gesteld.' Ze deed de deur naar haar kamer open. 'Dertig minuten, Silver.'

Silver vloekte zachtjes toen hij de deur achter haar dicht zag gaan. Waarom voelde hij zich zo beledigd en gefrustreerd? Ze had gelijk. Hij had zijn prioriteiten en had allang besloten dat hij haar zou gebruiken. Ze was zijn sleutel tot Trask. Dat hadden de gebeurtenissen van vanavond zonder enige twijfel bewezen. Ze had contact gemaakt met Trask op een moment dat er geen direct gevaar voor brand was. Volgens haar was dat de allereerste keer dat haar dat overkwam. Bij elk contact leerde ze hem beter kennen en raakte ze hem dieper.

En elk contact was pijnlijker en gruwelijker dan het vorige.

Hij kon haar beschermen. Het was hem vanavond ook gelukt haar uit dat drijfzand te trekken.

Ternauwernood.

Zonder twijfel. Hij had alles onder controle. Als hij snel stappen ondernam, dan zou er nauwelijks gevaar gloren.

Hoopte hij.

Zijn telefoon rinkelde toen hij zijn slaapkamerdeur opende.

'Excuses,' zei George toen Silver opnam. 'Hoewel ik eigenlijk niet inzie waarom ik me verontschuldig voor het feit dat jullie mij storen. Zoals u wellicht weet, bevinden mijn vertrekken zich recht onder de keuken, en het klonk alsof er twee paarden boven mijn hoofd galoppeerden. En nu ben ik de laatste die een nachtelijk rendez-vous wenst te verstoren, maar het leek me toch beter om even te informeren of er iets mis is, of dat ik misschien ergens mee van dienst kan zijn.'

'Je kunt je beveiligingsmensen die vannacht de ronde doen gaan ontslaan. Trask is hier vannacht geweest.'

Stilte. 'Weet u het zeker? O'Neill heeft geen enkele onregelmatigheid aan me gerapporteerd.'

'Ik weet het zeker.'

'Hoe?'

'Verdomme, ik zei toch dat ik het zeker weet. En nu lijkt het me verstandig dat je stopt met deze ondervraging en uitzoekt waarom O'Neill zijn werk niet heeft gedaan.'

'Wat een uitmuntend idee. Ik hoop werkelijk dat ik tot de conclusie zal komen dat u zich zult moeten schamen omdat u er helemaal naast zit.' George hing op.

Silver was bezig de dossiers over zijn bureau uit te spreiden toen Kerry de bibliotheek binnenkwam. 'Hoi. Zo, jij ziet er een stuk wakkerder uit. Ben je er klaar voor?'

Ze knikte. 'Zou het verschil maken als het niet zo was?'

Hij hield haar blik vast. 'Ja, dat zou het. Ik vind het verschrikkelijk om je te moeten opjutten. En dat verrast me net zo hard als jou.'

Ze richtte haar ogen snel op de dossiers op het bureau. 'Hoe dan ook, ik ben er klaar voor.'

Silver kwam achter het bureau vandaan en ging naast haar staan. 'Dit is alles wat er nog over is van Trasks zwarte lijst. Eén senator. Drie wetenschappers van project Firestorm die door Trask als bedreiging worden gezien. Waar wil je mee beginnen?'

'Wie was zijn laatste doelwit?'

'Senator Pappas. Hij is een paar dagen geleden levend verbrand bij een auto-ongeluk.'

'En daarvoor?'

'Bill Doddard. Professor in de moleculaire chemie aan Princeton.'

'Dus hij slaat willekeurig toe?'

'Daar lijkt het wel op.'

'Laten we dan eerst maar eens naar de wetenschappers kijken.' Ze sloeg een van de mappen open en bestudeerde de foto van een vrouw van midden veertig met kort golvend haar en een innemende glimlach. 'Heb je dit dossier al bestudeerd?'

'Al vele malen. Je kijkt nu naar Dr. Joyce Fairchild. Ze heeft een driedubbele doctorsgraad en was werkzaam aan de afrondende fase van de grotere schotel. Ze was verre van gelukkig met het feit dat het onderzoek stilgelegd werd.'

'Ongelukkig genoeg om er zelfstandig aan door te willen werken?'

'Dat is mogelijkerwijs wat Trask denkt.' Hij sloeg een volgende map open en toonde een foto van een gezette man van midden zestig met een woeste haardos. 'Dr. Ivan Raztov. Gedurende de Koude Oorlog werkte hij bij een researchinstituut in Rusland en daarna is hij naar Firestorm gekomen. Hij was hoofd van de testafdeling en leverde daarnaast bijdragen aan de ontwikkeling van de grotere schotel. Afgaande op zijn aantekeningen heeft Trask hem nooit vertrouwd. Maar ja, Trask vertrouwde natuurlijk helemaal niemand. Hij was veel te bezitterig.' Hij stak haar de laatste map toe. 'Gary Handel. Achter in de twintig en naar men zegt een wonderkind op het gebied van moleculaire techniek. Hij is pas tegen het einde van het project binnengehaald, maar hij is geniaal, ambitieus, en ongetwijfeld onderweg naar de top.'

Handel was mager, donkerblond en had de gretige blik die Silver beschreven had, dacht Kerry. 'En de senator?'

'Senator Jesse Kimble. Zit al twintig jaar in de senaat. Een goeie vent uit Louisiana.' Hij zweeg even. 'Cam mocht hem graag. Ze waren het zelden ergens over eens, maar hij vond hem integer.'

'Kennelijk waren ze het wel eens over Firestorm.'

Hij knikte. 'Kennelijk, ja.'

'Hoe goed zijn deze mensen beveiligd?'

'Verdomd goed. Na de eerste moorden hebben ze geen enkel risico meer genomen. Ze werden trouwens toch al geschaduwd. De president had besloten dat het niet verstandig was om mensen te vertrouwen die aan het project verbonden waren geweest, en heeft Homeland Security ingezet om ze onder druk te zetten vooral niet over Firestorm te praten of te proberen het op eigen houtje voort te zetten. Maar sinds de eerste moorden zijn hun woningen beveiligd met een afweersysteem en hebben ze allemaal een partij agenten van de geheime dienst toegewezen gekregen om hen en hun gezinnen te beschermen.'

'Hetgeen schijnbaar weinig geholpen heeft.'

'Het heeft het moeizamer gemaakt.' Hij trok een gezicht. 'Maar we hebben het hier over intelligente, verstandige vakmensen met een enorm ego. Ze denken allemaal dat ze heel goed voor zichzelf kunnen zorgen. Ze weigeren naar een beveiligd pand te verhuizen tot Trask gepakt is.'

'Ik snap heel goed hoe ze zich voelen.'

Hij glimlachte. 'Omdat jij waarschijnlijk zo mogelijk nog zelfstandiger en eigenwijzer bent dan zij.'

'Ik houd er niet van om mijn leven in andermans handen te leggen.'

'En toch vertrouwde je je collega's van de brandweer wel.'

'Dat was iets anders. Heb je een dossier over Trask?'

Hij knikte en stak haar een map toe. 'Er staat nauwelijks meer in dan wat ik je al heb verteld. Hij is geboren en getogen in Marionville, West Virginia. Geniaal als kind en geniaal als puber. Lief voor dieren en slijmerig tegen volwassenen. Heeft alle mogelijke psychologische toetsen die ze hem hebben laten doen met vlag en wimpel doorstaan. Kreeg een studiebeurs aan het Fulbright. Heeft nooit één stap verkeerd gezet totdat hij ervandoor ging met Firestorm.'

'Dat vind ik moeilijk te geloven. Maar misschien staat er ergens iets waardoor er een belletje gaat rinkelen, iets dat je eerder over het hoofd hebt gezien. Bovendien wil ik nu wel eens zien hoe hij eruitziet.' Ze sloeg het mapje open en bestudeerde de foto die erin zat. Er trok een rilling door haar heen. Trask was rond de veertig en had een wijkende haargrens. Grote blauwe ogen staarden haar met kinderlijke nieuwsgierigheid aan vanuit een glad, rimpelloos gezicht. Hij kwam niet over als een monster, en op de een of andere manier maakte dat het nog enger. Met een vlugge beweging sloeg ze het dossier dicht en legde het terug op het bureau. Ze merkte dat ze op dit moment even niet in staat was tot een grotere dosis Trask. 'Later. We verdoen onze tijd.' Ze keek op de klok. Het was nog geen een uur, maar dat maakte niet dat ze zich minder gehaast voelde. Ze drukte Silver twee mappen in handen, hield de andere twee zelf en maakte het zich gemakkelijk in de leren stoel. 'Water. We moeten een link zien te leggen met een plek waar water is...'

Hij kroop achter het bureau. 'Aan de slag dan maar.'

'Helaas zat hij er niet naast,' verzuchtte George toen hij de bibliotheek binnenstapte. 'Tot mijn grote teleurstelling en verdriet.' George had een zwarte spijkerbroek en trui aan en zag er niet echt als een butler uit, bedacht Kerry toen ze opkeek van het dossier waarin ze zat te lezen. 'Hoezo?'

'Hij had gelijk,' zei George. 'We hebben voetafdrukken gevonden bij de poort. Ik heb er een blik op geworpen en de bewakers gevraagd ze te vergelijken met Trasks schoenmaat.'

'Ze zijn van Trask,' zei Kerry.

'U lijkt net zo zeker van uw zaak als Brad.' George keek haar nieuwsgierig aan. 'Waarom? Heeft u hem gezien?'

'Nee.' Ze richtte haar ogen weer op het dossier. 'Ivan Raztov woont in een appartement in Baltimore. Ik heb even op de plattegrond gekeken, Silver, maar zijn woning ligt niet in de buurt van water. Joyce Fairchild heeft een huis in een buitenwijk van Fredericksburg. Hetzelfde verhaal. Geen meren en rivieren in de buurt. Maar Gary Handel heeft een appartement met uitzicht over de Potomac.'

Silver knikte. 'En senator Kimble woont in de chique woonwijk Twin Lakes in Virginia. Het zou kunnen.'

'Wat zou kunnen?' vroeg George.

Silver aarzelde even voor hij zei: 'Ik heb een informant die me heeft gemeld dat Trasks volgende slachtoffer een relatie zou hebben met water.'

George trok een wenkbrauw op. 'U meent het. En is dat toevallig dezelfde informant die heeft gezegd dat Trask hier vanavond was?'

Silver knikte.

'Vindt u dan niet dat het tijd wordt om de identiteit van deze informant bekend te maken aan mij en de autoriteiten?'

'Nee,' zei Kerry.

'O, zo'n politiek betrouwbare informant?' knikte George. 'Ik begrijp het. Ik voel me weliswaar gekwetst, maar als het zo moet, dan...'

'Kappen, George,' zei Silver. 'Als je er zo op gebrand bent om informatie uit te wisselen, waarom bel je dan niet een van je vriendjes bij de geheime dienst om hier met grote spoed wat mensen heen te sturen? Misschien voelen ze zich geroepen om even te komen checken of alles hier in orde is.'

'Ik verwacht dat zij ook zullen weten wie deze informant is.'

'Dan hebben ze pech.'

'Ze hebben nog wel eens de neiging om vals te worden.' Hij liep naar de deur. 'Maar maken jullie je geen zorgen. Ik red jullie hier wel uit. Ik zal zeggen dat ik iets heb gezien in mijn kristallen bol...'

Kerry keek Silver geschokt aan toen George weg was. 'Ik dacht dat je had gezegd dat hij niet wist...'

'Dat is ook zo.' Hij fronste zijn voorhoofd. 'Die opmerking kan puur toeval zijn.'

'Of die geweldige dekmantel waar je me over hebt verteld heeft niet naar behoren gewerkt, en nu weet hij dat die research van jou niets te maken had met hydrostatica.'

'Dat is mogelijk,' zei hij met een flauw glimlachje. 'Het is nooit verstandig om George te onderschatten.'

'Ik onderschat hem niet. Dat doe je zelf.' Ze wreef in haar ogen. God, wat was ze moe. 'En, gaan we naar de woningen van de senator en Gary Handel om te zien of ik een signaal van Trask op kan vangen?'

Hij knikte. 'Zodra George heeft nagevraagd of er niet al een slachtoffer gevallen is.'

'Volgens mij hebben we nog even. Het is nog te vroeg. Hij wilde het sneller doen, maar hij moest wachten...'

'Maar je hebt het idee dat het vannacht zal zijn.'

Ze knikte. 'Ik kreeg de indruk dat de voorbereiding een paar uur zou kosten. Maar we kunnen hier moeilijk blijven wachten op de uitkomst.' Ze stond op. 'Laat George je maar bellen terwijl we onderweg zijn naar Handel en de senator.'

Hij knikte en liep naar de deur. 'Dat is precies wat ik wilde voorstellen.'

Ze grijnsde sarcastisch toen ze achter hem aan liep naar buiten. 'Misschien heb ik je gedachten gelezen.'

'Ik hoop van niet. Zeker gezien het type slijmbal waarin jij je schijnt te specialiseren.' Hij hield het portier van de auto voor haar open. 'Waarom doe je niet even een dutje? Je hebt er al een behoorlijke nacht op zitten.'

Dat was zo. En het zou slim zijn om een beetje rust te nemen nu het kon. Ze moest helder zijn voor alles waarmee ze vannacht geconfronteerd kon worden. 'Ik denk niet dat dat zal lukken. Maar mocht ik in slaap vallen, maak je me dan wakker zodra je iets van George hebt gehoord?'

'Natuurlijk. Dat weet je. Ik heb je nodig.'

O ja. Wat stom van haar. Hij had haar nodig...

Het water was helder en golfde over de gladde stenen in de kristalheldere stroom.

Een dodelijke stroom, dacht Trask. Dodelijk voor Firestorm. Het bleef frustrerend dat hij ondanks al zijn onderzoek nooit een oplossing had gevonden voor dit ene element dat het vuur kon doden. Het enige reddende pluspunt, was dat Firestorm zo hevig en heet brandde dat het zijn werk meestal al gedaan had voordat het gedood werd door water. Maar ach, hij zou nog tijd genoeg hebben om aan Firestorm te werken als hij het eenmaal aan de Noord-Koreanen had verkocht. Hij zou eisen dat ze hem in de koop op zouden nemen, ondanks hun verzet daartegen. Die verdomde Aziaten vonden zichzelf zo superieur. En toch hadden ze niet zoiets hoogstaands als Firestorm weten te ontwikkelen. Ze vertrouwden nog op atoomwapens, terwijl Firestorm veel schoner en minstens zo dodelijk was.

Hij klom in de eikenboom en verstelde nog wat aan de kleine schotel die hij een week geleden op de derde tak van onderen had geplaatst. Hij had geen kans meer gezien om nog veranderingen aan te brengen in de schotel sinds de mislukking bij het huis in Macon, maar aangezien het hier maar om één persoon ging, verwachtte hij geen problemen. Toen maakte hij het zich gemakkelijk op het kleine zeildoek dat hij daar voor zichzelf had neergelegd om de hardheid van de tak wat te verzachten. Hij voelde de adrenaline door zijn lichaam jagen bij de gedachte aan de aanstormende dood. Het was afschuwelijk geweest om weg te gaan bij het huis dat nu van Silver was zonder Kerry Murphy aan te kunnen raken. Voor hem en het kind was zij het symbool van hun falen.

Het deed er niet toe. De dood van dit doelwit zou hem kalmeren en de voorpret om Kerry Murphy zou de vreugde later des te groter maken.

De maan begon te zakken, maar hij kon de heldere weerspiegeling op het water nog steeds zien.

Dodelijk, dodelijk water...

'Wakker worden, Kerry.'

'Dat heb ik je geloof ik eerder horen zeggen.' Gapend deed ze haar ogen open. 'Ik slaap niet echt. Waar zijn we?'

'Bij Twin Lakes.' Hij stapte uit en liep om de auto heen om haar portier open te doen. 'Het huis van senator Kimble ligt om de hoek. Ik dacht dat je misschien de tijd zou willen nemen en langzaam in de buurt van het huis zou willen komen.'

'Als dat werkt. Ik ben volslagen blanco op dit gebied, en ik heb geen idee wat wel en wat niet zal werken.' Ze keek om haar heen. Als ze dit een woonwijk noemden, dan was het wel een woonwijk vol vooroorlogse landhuizen. 'Prachtig. Elk huis hier moet op minstens tien are grond staan. Ik weet niet of ik wel zou stemmen op iemand met zoveel geld. Ik zou me afvragen waar hij het vandaan haalde.'

'Privé-middelen. Oud geld,' zei Silver. 'Cam zei altijd dat het een behoorlijk eerlijke vent was.' Hij wees naar het westen. 'Zie je die glinstering door de bomen? Dat is een van de twee meren. Het grenst pal aan Kimbles grond.'

'En waar zijn de mannen van de geheime dienst die Kimble als het goed is bewaken?'

'Ik ben ervan overtuigd dat ze ons zien. Ik betwijfel of ze zich zullen vertonen als ze dat niet nodig achten. Laten we hopen dat George ze duidelijk heeft kunnen maken dat we ongevaarlijk zijn.'

'Dat zou dan een grote leugen zijn. Jij bent niet ongevaarlijk.' Ze verstijfde toen ze zag dat twee mannen zich losmaakten uit de schaduw van de bomen. 'En kennelijk vinden ze het nodig om dat zelf te bepalen.'

'Blijf hier.' Silver liep naar de mannen toe. 'Ik ga even met ze praten.'

Ze knikte. Ze had geen enkele behoefte aan contact met de autoriteiten. Ze zou niet eens weten wat ze tegen hen zou moeten zeggen. Ik ben hier om te kijken of ik negatieve signalen op kan vangen? Jezus, ze was haar hele volwassen leven bezig geweest te voorkomen dat ze over zou komen als een randgeval, en nu was ze midden in een situatie geslingerd waar ze elke minuut van de dag op haar qui-vive moest zijn.

Silver glimlachte tegen de agenten voor hij zich omdraaide en weer naar haar toe kwam. 'Het is goed. Ze nemen gewoon geen enkel risico. Ik heb tegen ze gezegd dat jij een brandexpert bent en dat je hier bent om het terrein te onderzoeken op verdachte voorwerpen. Ze houden een oogje op ons en ondertussen gaan ze onze gegevens even na, maar ze zullen zich er niet mee bemoeien.'

'Waarmee bemoeien?' Ze liep naar het huis. 'Ik heb verdomme geen flauw idee waar ik mee bezig ben.'

'Het belangrijkste is dat je je niet gek laat maken,' zei Silver kalm. 'We weten allebei dat dit misschien wel iets, maar misschien ook niets zal opleveren. Je kunt niet meer doen dan je best.'

Ze ademde diep in. 'Jij hebt dit soort dingen vaker gedaan. Wat doet een echte helderziende?'

Silver onderdrukte een grijns. 'Kerry, je bént een echte helderziende.' Hij stak een hand op. 'Ik weet het. Zo zie je jezelf niet.' Hij haalde zijn schouders op. 'Iedereen doet het op zijn eigen manier. De een concentreert zich. Anderen ontspannen zich juist en laten het over zich heen komen.'

'Goh, aan jou heb ik wat.'

'Je moet het zelf weten. Dat heb ik van begin af aan gezegd. Maar wat dacht je ervan om in de tijd dat je hier een beslissing over neemt eens op je knieën te gaan zitten en te doen alsof je op zoek bent naar draden of zo?'

Ze ging op haar knieën zitten en liet haar ogen over de grond glijden. 'Ik dacht dat je had gezegd dat alle huizen van potentiële slachtoffers waren beveiligd door dat afweersysteem. Weten die mannen van de geheime dienst dat dan niet?'

'Nee. Inzake Firestorm weet niemand meer dan het hoognodige.'

Ze keek op. 'Het lijkt wel of ik hier zit te bidden. Wat trouwens misschien niet eens zo'n slecht idee is.' Ze deed haar ogen dicht. 'Ik kan wel wat hulp gebruiken.'

Hij gaf geen antwoord. Waarschijnlijk wilde hij haar niet uit haar concentratie halen. Goed, ze zou zich concentreren.

Waar ben je, Trask, klootzak die je bent?

Niets.

Goed, stel je open en laat hem in je geest doordringen. Diep in- en uitademen. Ontspan je.

Vijf minuten later deed ze haar ogen open.

'Niets,' zei ze. 'Helemaal niets.'

'Dan is hij er misschien niet,' antwoordde Silver. 'Misschien is Kimble niet het doelwit.'

'En misschien is hij dat wel en voel ik Trask gewoon niet.' Moeizaam kwam ze omhoog. 'Ik heb toch gezegd dat ik hier niet goed in ben?'

'Rustig maar.' Hij pakte haar elleboog vast en liep met haar naar de auto. 'Ben je klaar voor een bezoek aan ons wonderkind aan de Potomac-rivier?'

'Waarom niet? Slechter dan dit kan het niet gaan. Ik zal het moeten proberen.' Ze voelde een scheut van paniek toen ze naar het oosten keek waar de zon de hemel begon te verlichten. De dageraad zou zo inzetten, en Trask was van plan geweest toe te slaan voor het einde van de nacht. Ze versnelde haar pas. 'Hoe lang is het rijden naar dat appartement van ons wonderkind?'

'Een minuut of dertig.'

'Dan moeten we snel zijn.'

'Maak je geen zorgen.' Silver hield het portier voor haar open. 'Ik ben niet van plan tijd te verspillen, Kerry.'

7

Het was bijna halfzes. Zijn doelwit zou nu onderweg moeten zijn.

Trask keek met samengeknepen ogen in de verte. De Volkswagen van het doelwit werd geparkeerd en hij zag dat de wagen van de geheime dienst op gepaste afstand daarachter tot stilstand kwam.

Geamuseerd glimlachend keek hij toe hoe de agenten uit de wagen stapten. Hoe serieus. Hoe officieel. Hoe volslagen ongerijmd binnen hun beperkte ervaring. Het maakte de uitdaging alleen maar groter nu hij wist dat zij er waren.

Zijn spanning steeg tot een hoogtepunt toen hij een laatste aanpassing aan de schotel deed.

Kom maar op. Aan de slag. Ik ben er klaar voor...

'Rustig aan,' zei Silver met een zijdelingse blik. 'Je bent veel te gespannen. We hebben nog een kwartier te gaan.'

Ze keek naar de lucht in het oosten. Het begon al lichter te worden, de hemel was nu eerder grijs dan zwart. 'Weet je zeker dat George iedereen heeft ingelicht?'

'Wat denk je? George is niet iemand die fouten maakt. Kimbles lijfwachten wisten toch ook dat we onderweg waren?'

Hij had gelijk. Ze verwachtte niet dat George onvoorzichtig zou zijn of iets aan het toeval over zou laten, maar dat weerhield haar zenuwen er niet van tot het uiterste gespannen te staan. Haar vertwijfeling was alleen maar toegenomen sinds ze waren weggereden van Kimbles huis. Verdorie, ze voelde zich zo ontzettend hulpeloos. 'Misschien zat ik ernaast. Misschien was het wel bij Kimble.'

'Wil je terug?'

'Ja. Nee. Ik weet het niet. Maar dit gevoel is gewoon niet... goed.'

'Wat voelt er niet goed aan?'

'Ik weet het niet.' Ze likte over haar lippen. 'Misschien ben ik alleen maar moe.'

'Voel je iets?'

'Nee. Ik ben helemaal leeg. Misschien was dat contact met Trask niet echt. Misschien heb ik het verkeerd geïnterpreteerd. Misschien lukt het me vanaf nu niet meer om contact met hem te maken.' Ze schudde haar hoofd. 'Haast je nu maar. Goed?'

'Goed.' Hij bleef even stil. 'Maar ik denk niet dat je aan jezelf moet gaan twijfelen. Naar mijn ervaring is de eerste indruk meestal de juiste.'

'Nou, ik heb nu eenmaal geen ervaring met dat soort dingen,' zei ze vinnig. 'Ik kan je alleen maar vertellen wat ik voelde. Hij wilde doden en dat is wat hij ging doen. Hij was gekrenkt en hij is woest op me en hij was blij dat hij... Wel godverdomme!' Ze schoot recht overeind. 'Jezus Christus.'

'Wat?'

'Het is een vrouw. Zijn doelwit is een vrouw.' Haar onderlip trilde. 'Het moet Joyce Fairchild zijn.'

'Hoezo?'

'Hij wilde mij, maar zo was het ook goed. Een plaatsvervangster. Een andere vrouw in mijn plaats. Snap je het dan niet? Dat zou het kind tevredenstellen.'

'Je begint te klinken als hij. Je hebt het nooit over een vrouwelijk doelwit gehad.'

'Denk je dat ik dat zelf niet weet? Hij heeft nooit bewust aan haar gedacht als vrouw. Ze was een doelwit. Ik kreeg alleen maar signalen door van water en dat het op dit moment niet erg was dat hij mij niet ter verbranding aan het kind kon voeren. Zijn doelwit was niet ideaal, maar het kwam in de buurt.'

'Water. Haar huis staat niet aan het water.'

'Verdomme. Dat kan me niet schelen. Draai om, je moet naar...' Ze probeerde het zich te herinneren. '... Fredericksburg. Was dat niet waar ze woonde?'

Hij knikte en zocht naar een afrit. 'Pak mijn mobiel en bel George. Hij staat in mijn telefoonboek. Zeg tegen hem dat hij contact op moet nemen met haar lijfwachten om te kijken of alles in orde is met haar.'

Zijn doelwit rende over het pad naar hem toe.

Ze rende hard, soepel, haar weg schijnbaar zonder enige moeite afleggend. Maar ja, Joyce was altijd een fanatieke hardloopster geweest. Hij herinnerde zich nog de keren dat ze met zijn allen hele nachten doorgewerkt hadden, en dat zij dan pauze nam om haar ochtendloop te maken. Ze zei dat het hielp haar hoofd leeg te maken en dat het haar creativiteit verhoogde.

Stomme trut. Ze wist niet eens wat creativiteit was. Het hele project had ze onder zijn vleugels meegevlogen. Maar dat zou haar niet weerhouden om de eer en zoveel mogelijk andere dingen van hem te stelen.

Hij ging roet in het eten gooien.

'Joyce Fairchild gaat elke ochtend hardlopen in het Tyler Park,' zei George bondig toen hij Kerry terugbelde. 'Ze bevindt zich daar op dit moment. Geheim agent Ledbruk heeft de leiding over de beveiligingsmaatregelen en hij is onderweg. Ik heb tegen hem gezegd dat jullie onderweg zijn en dat hij zijn mannen achter haar aan moet sturen om haar terug te halen.'

'Laat ons weten wanneer ze haar in veiligheid hebben gebracht,' antwoordde Kerry en hing op. Ze keek Silver aan. 'Ze is in het Tyler Park. Ze is een hardloopster. Ze gaan proberen haar terug te halen. Hoeveel tijd hebben we nodig om daar te komen?'

'Tien minuten.'

Ze begon het branden te voelen, bedacht Joyce, en ze versnelde haar tempo. Over een paar seconden zou ze het euforische punt bereiken.

Het branden. Haar lippen krulden geamuseerd op. Er bestonden legio dagelijkse uitdrukkingen die te maken hadden met vuur, en dit was een van haar lievelingsuitspraken. Iedere spier in haar lichaam voelde uitgerekt en levendig, en de wind op haar wangen was als een hardhandige liefkozing. Als die van een moeder die haar dierbare kind zachtzinnig straft.

Kind. Zo had die gek van een Trask Firestorm altijd genoemd. Zijn kind. Zijn creatie. Niemand anders verdiende erkenning. De klootzak.

Hoorde ze daar haar naam roepen?

Het waren de agenten van de geheime dienst die achter haar aan hobbelden. Ze waren waarschijnlijk van streek omdat ze haar niet bij konden houden. Straks zou ze vertragen en zich laten inhalen. Maar niet nu. Nog niet.

Haar longen deden niet langer pijn. Haar hoofd was glashelder. Nog een paar passen en dan ging ze door de pijngrens.

Daar was ze!

Ze voelde hoe haar binnenste explodeerde.

Nee. *Pijn.*

Er was iets mis...

'O, god,' fluisterde Kerry.

Het verkeer op de weg langs het Tyler Park stond helemaal vast. Silver schoot achter een ambulance en sprong uit de auto. Kerry was de auto al uit en rende naar het pad waar zich een groepje mannen en vrouwen verzameld had.

'Wacht.' Silver haalde haar in.

'Waarop?' vroeg ze vinnig. 'Het is waarschijnlijk toch al te laat. Wil je dat ik...'

'Halt.' Er verscheen een lange jongeman in een donkerblauw trainingspak. 'U kunt niet verder. U moet omdraaien.'

'Ik ben Brad Silver. En dit is Kerry Murphy.' Hij las het identificatieplaatje op het jack van de man. 'Agent Ledbruk. George Tarwick heeft contact met u opgenomen.'

'Identificatie alstublieft.'

Silver stak hem zijn portefeuille toe.

Ledbruk bestudeerde zijn rijbewijs nauwkeurig voor hij het teruggaf.

'Wat is hier in godsnaam gebeurd?' vroeg Kerry.

Ledbruk keek langs haar heen in de verte. 'Godverdomme, daar komt de pers al. Hoe weten ze het in vredesnaam zo snel?' Hij riep een andere agent die een paar meter verderop stond. 'Hou ze weg tot we het lichaam hier weg hebben. Ik had gehoopt dat we dit konden afwikkelen voor...'

'Wat is er gebeurd?' vroeg Kerry met opeengeklemde kaken. 'Welk lichaam?'

'U bent van de brandweer? Kom mee. Misschien kunt u het me uitleggen.' Hij draaide zich om en liep weg over het pad. 'Zoiets als dit heb ik nog nooit gezien. En ik hoop het nooit meer te zien ook. We renden achter Fairchild aan om haar terug te halen. Het eigenwijze mens. We hebben haar gezegd dat het moeilijk zou zijn haar te beschermen bij dat hardlopen van haar, maar ze was zo arrogant als de pest. Ze zei dat ze veilig zou zijn als wij ons werk naar behoren deden. We hebben ons best gedaan, verdomme. We hebben elke dag verkenners op pad gestuurd om te checken of er geen scherpschutter op de loer lag. Maar we hebben het over tien kilometer bosrijke omgeving. Het is niet moeilijk om iemand over het hoofd te zien. Maar ze wilde niet luisteren. Ze rende het liefst in het park en ze was...'

'Water,' zei Kerry op doffe toon.

'Wat?'

Kerry staarde naar het smalle kabbelende beekje dat ineens te voorschijn was gekomen achter een bocht. 'Het pad loopt langs een stroompje. Water.'

'Nou en?'

Ze voelde Brads hand onder haar elleboog. 'Het is gewoon een constatering van een feit, agent Ledbruk. Ze is brandinspecteur, en u zult begrijpen dat ze...'

'Jezus, die lucht.' Kerry deed haar ogen dicht toen ze overspoeld werd door een vlaag van misselijkheid. 'Ik krijg geen...'

'Je hoeft niet verder,' zei Silver. 'Blijf hier, dan ga ik...'

'Nee.' Ze deed haar ogen open en ademde diep in. Ze vervolgde haar weg over het pad. 'Wat is er met Joyce Fairchild gebeurd, agent Ledbruk?'

'Ze heeft... vlam gevat. Het ene moment rende ze nog voor ons uit, en het volgende moment... stond ze in vuur en vlam.' Hij kneep zijn lippen op elkaar. 'Spontane ontbranding? Het is belachelijk. Ik weet niet wat ik ervan...'

'Heeft u geprobeerd het vuur te doven?' vroeg Silver.

'Denkt u dat we gek zijn? Natuurlijk, we...' Hij slikte. 'Kijkt u zelf maar. Ze ligt recht voor u.'

In eerste instantie zag Kerry haar niet. Er was al een politieagent bezig met het bekende gele afzetlint, en diverse forensisch experts onderwierpen de locatie aan een nauwkeurig onderzoek. Een man in een witte jas stond gebukt over een hoopje...

Botten. Zwartgeblakerde botten.

'Mijn God,' fluisterde Kerry. Ze schoof dichterbij tot ze boven de vrouw gebogen stond. Of boven dat wat ooit een vrouw was geweest. Er was geen spoor meer van huid of organen. Alleen nog een schedel en een skelet. 'Ze ziet eruit alsof ze meer dan vierentwintig uur in brand heeft gestaan.'

'Vijf minuten,' antwoordde Ledbruk. 'We hebben er niet meer dan een paar minuten over gedaan om bij haar te komen. Het leek wel alsof ze van binnenuit explodeerde, of ze smolt en op-loste, en het vuur was zo heet dat we gewoon niet bij haar in de buurt konden komen. Een van mijn mannen heeft geprobeerd haar in zijn jasje te wikkelen, maar dat vatte vlam voordat hij haar zelfs maar aanraakte. En een paar minuten later zag ze eruit zoals ze nu is.' Hij keek Kerry aan. 'Maar u bent de ex-pert. Vertelt u me maar eens hoe dit kan. Want mijn baan staat op het spel.'

'Heeft u de omgeving afgezocht naar Trask?' vroeg Silver.

'We hebben niemand gevonden. Voetsporen bij een afvoerpijp naar buiten, ongeveer anderhalve kilometer verderop.'

'Kerry?' vroeg Silver.

'Hij is hier niet meer,' antwoordde ze langzaam. 'Waarom zou hij ook? Hij heeft wat hij wilde. De totale beleving van alle zin-tuigen. Hij heeft haar zien sterven en was waarschijnlijk dicht genoeg in de buurt om de geur van haar verbrande vlees te rui-ken. Daar zal hij gelukkig mee zijn geweest.'

'Maar hoe heeft het zo snel kunnen gaan?' vroeg Ledbruk. 'We konden helemaal niets doen.'

'Misschien zal uw laboratorium daar uitsluitsel over kunnen ge-ven.' Ze moest hier weg. 'Ik kan het niet.' Ze draaide zich om en liep terug naar de auto.

Silver haalde haar in. 'Gaat het?'

'Nee, natuurlijk gaat het niet.' Ze propte haar handen in haar zakken. 'Of vraag je je af of ik moet kotsen of zo? Nee hoor. Ik heb door de jaren heen wel smeriger kadavers gezien.'

'Dit is anders.'

'Dat kun je wel stellen, ja,' zei ze hortend. 'Ze is dood omdat ik het heb laten gebeuren.'

'Nonsens.'

'Ik had het moeten zien. Waarschijnlijk heb ik de gedachte aan mezelf als doelwit zo ver onderdrukt dat ik daardoor te laat begreep dat het om haar ging.'

'Je kunt het ontleden. Je kunt erover piekeren. Je kunt jezelf je haren uit je hoofd trekken. Maar het blijft een feit dat Trask verantwoordelijk is, en niet jij.' Hij hield het portier voor haar open. 'Je hebt je best gedaan. We hebben geprobeerd hem tegen te houden en het is ons niet gelukt.'

'Zeg dat maar tegen Joyce Fairchild.' Ze stapte in en keek strak vooruit. Ze spande haar spieren aan. Hij mocht niet zien dat ze begon te trillen. Ze had de waarheid gesproken. Ze had ergere dingen gezien, maar dit had haar diep geraakt. 'Kunnen we naar huis, alsjeblieft? Ik ben bekaf.'

Hij observeerde haar even en vloekte toen zachtjes. 'Voor iemand die niet op het punt staat over te geven, zie je eruit alsof je er behoorlijk dicht bij in de buurt bent.' Hij draaide de weg op. 'Over een halfuur zijn we thuis.'

'U ziet eruit alsof u wel een lekker kopje thee kunt gebruiken, mevrouw Murphy,' zei George toen hij hen tegemoetkwam op de trap. 'Of een stevige whisky misschien.'

'Nee, dank u.'

George keek Silver aan. 'Ik heb niemand meer te pakken kunnen krijgen bij het Tyler Park vanaf het moment dat ik ze gewaarschuwd heb. Dat is geen goed teken.'

'Een waardeloos teken zelfs,' zei Kerry toen ze de trap opliep. 'Geel afzetlint, een bos vol geheim agenten, ambulances, en niemand die iets kon doen.'

'Is ze dood?'

'Krokant gebakken. En als jullie me nu willen excuseren, dan denk ik dat ik mijn kamer maar eens opzoek.' Ze liep langs George en ging naar binnen. De trap leek eindeloos. Als ze nu maar eenmaal boven was in haar kamer. Dan kon ze zich opkrullen onder het dikke dekbed en stoppen met trillen. En dan kon ze na een tijdje rustig tot zich door laten dringen wat er met Joyce Fairchild was gebeurd.

'Het gaat niet goed met haar,' zei George toen hij Kerry langzaam de trap op zag klimmen. 'En ik had gedacht dat ze zo'n

taaie was. Het moet een afschuwelijke nacht geweest zijn.'
'Inderdaad, boven op alles wat ze deze week al meegemaakt heeft,' antwoordde Silver. 'Dit was wel de slagroom op de taart.'
'Geen sporen van Trask ter plekke?'
'Voetsporen bij een afvoerpijp.' Hij aarzelde even en nam toen een besluit. 'Ik ga even bij haar kijken.'
'Denkt u niet dat ze even alleen moet zijn?'
'Nee.' Misschien had George gelijk, maar Silver wilde niet wachten. De zwijgzame rit naar huis had hem mateloos geïrriteerd. Hij kon het niet uitstaan zich zo hulpeloos te voelen. 'Waar is haar hond?'
'In de keuken. Waar anders? Denkt u dat u bescherming nodig heeft? Dan heeft u het verkeerde dier voor ogen.'
'Ik heb een buffer nodig.' Hij liep naar de keuken. 'En die buffer is Sam.'

'Silver hier. Mag ik binnenkomen?'
Ze kroop dieper onder het dekbed. 'Waarom?'
'Ik heb Sam bij me.' Hij deed de deur open. 'Ik dacht zo dat je wel wat hondachtige therapie kon gebruiken.'
'Het is geen…' Ze stopte halverwege haar zin toen Sam door de kamer vloog, boven op haar bed sprong en haar gezicht begon te likken. 'Kappen, Sam. Daar ben ik nu niet voor in de stemming.' Maar uit automatisme begon ze over zijn kop te aaien. Behoedzaam keek ze Silver aan over Sams kop. 'Ik hoef geen therapie, Silver.'
'Je hebt troost nodig, dat lijkt er een beetje op.' Hij ging op de stoel naast haar bed zitten. 'Ik dacht dat het geen kwaad zou kunnen. Ik wist dat je het niet van mij aan zou nemen.'
'Jij wilde me troosten?' lachte ze vreugdeloos. 'De wonderen zijn de wereld nog niet uit.'
'Ik kan hier niet tegen. Het liefst zou ik binnengaan en rechtzetten wat scheef is. Dat is mijn wérk, verdomme. Dat is waar ik goed in ben. Maar ik heb je een belofte gedaan.' Hij trok een gezicht. 'Dus heb ik Sam maar gebracht.'
'Sam was liever in de keuken gebleven om de voedselketen te bestuderen.'
'Dat is dan jammer voor hem. Zijn taak ligt op dit moment hier.'

Hij boog voorover en stopte het dekbed vaster om haar heen in. 'Iedereen heeft een taak. Heb je het koud? Je lijkt wel een eskimo.'

'Ik heb het wat frisjes.'

'Van de schok.' Hij stond op en liep naar de badkamer. 'Ik zal even een beker oploskoffie voor je maken. Er staat een waterkoker in de badkamer.'

'Ik hoef geen...' Ze praatte in het luchtledige. Ze hoorde het geluid van stromend water en even later kwam hij te voorschijn met een dampende beker. 'Waarom doe je dit?'

'Dat heb ik al gezegd.' Hij stak haar de beker toe. 'Mijn voornaamste taak is om te helen wat stuk is, en dit is de enige manier waarop je me dit laat doen.'

Ze nam de beker aan en vouwde haar handen eromheen. De warmte voelde goed tegen haar koude handpalmen. 'Helen wat stuk is... Is dat echt wat je probeert?'

'Dat is wat ik het liefst doe.' Hij ging weer zitten. 'Ik zal niet ontkennen dat het wel eens anders is. Ik ben niet perfect en soms volg ik een ander spoor, maar ik ben het gelukkigst als ik dingen kan repareren.'

'Door je met andermans zaken te bemoeien.'

Hij haalde zijn schouders op. 'Dat valt niet te ontkennen. Maar op het moment dat ik besloot gebruik te gaan maken van mijn gave, stond ik voor een keuze. Ik kon afbrekend of opbouwend te werk gaan, maar in beide gevallen niet met fluwelen handschoentjes. Zo zit ik gewoon niet in elkaar. Ik ben gewoon wie ik ben.' Hij leunde achterover en keek haar aan. 'Op dit moment zit je behoorlijk met jezelf in de knoop, maar ik denk dat je er wel in je eentje uitkomt. Ik wilde je alleen maar even laten weten dat ik voor je klaarsta als je me nodig hebt.'

Ze knikte langzaam. 'Dank je. Dat is aardig van je.'

Grijnzend stond hij op. 'En je weet niet waar je het zoeken moet. Je dacht dat ik zo'n grote boeman was. Maar weet je, ik ben een egoïstische klootzak en ik gedraag me heus niet altijd zo maagdelijk als verse sneeuw.' Hij liep naar de deur. 'Maar ik heb zo mijn goede momenten.'

Klaarblijkelijk. Deze laatste momenten hadden haar hogelijk verbaasd. 'En je kwam naar me toe om me te troosten?'

'Ja.' Hij trok de deur open. 'Maar ik heb ook het gevoel dat je op een kruispunt staat. Ik wilde je even van de juiste informatie voorzien voordat je je weg bepaalde.'

De deur sloot achter zijn rug voor ze de kans had antwoord te geven.

Hij had het mis. Ze was ontsteld en geschokt, maar ze werd niet verscheurd door besluiteloosheid. Ze had gewoon even wat tijd nodig om haar evenwicht te hervinden na de dood van die arme vrouw. Waarom had hij gedacht dat ze twijfelde? Onmiddellijk verwierp ze het antwoord dat in haar opkwam. Hij had zijn belofte niet verbroken.

Hoe wist ze dat zo zeker? Nee, ze kon het natuurlijk niet zeker weten, maar ze begon Silver te kennen.

Ik ben het gelukkigst als ik dingen kan repareren.

Die woorden hadden oprecht geklonken. Een belangrijk ontbrekend stukje van de Brad Silver-puzzel.

En ze geloofde echt dat hij zich aan zijn belofte probeerde te houden.

Dus als hij inzicht leek te hebben in haar denkproces, dan was het waarschijnlijk omdat hij haar beter kende dan wie ook ter wereld.

En hij dacht dat ze zich op een kruispunt bevond.

Sam jankte en rolde zich op zijn rug om zijn buik te laten aaien.

Afwezig aaiend liet ze zich in de kussens zakken. Het was een hele troost om Sam hier bij zich te hebben. Alweer iets dat Silver goed had ingeschat. Maar dat betekende niet dat hij het bij het rechte eind had wat betreft haar verwarring. Misschien probeerde hij haar zachtjes in de richting van dat fictieve kruispunt te duwen.

Maar ze begon te geloven dat hij het wat dat betreft toch juist had. Verdomme.

'Je ziet er een stuk uitgeruster uit,' zei Silver toen hij haar de trap af zag komen met Sam op haar hielen. 'Ik heb een paar uur geleden even een blik in je slaapkamer geworpen, en je lag in diepe slaap.'

'Ik ben bijna meteen nadat je weg was in slaap gevallen.' Ze trok een gezicht. 'Als je had verwacht dat ik wakker zou liggen en mezelf aan een vragenvuur zou onderwerpen, had je het mis.'

Hij schudde zijn hoofd. 'Ik ben blij dat je lekker hebt geslapen.' Hij pakte haar arm. 'Kom. Ik zal George vragen iets te eten voor je te maken.'

'Een boterham is goed. En daar heb ik geen kok voor nodig.' Ze keek even opzij. 'Heb jij niet geslapen?'

'Heel even. Ik heb niet veel slaap nodig.'

'Is er iets op het nieuws geweest over Joyce Fairchild?'

Hij schudde van nee. 'Het is Ledbruk kennelijk gelukt om het stil te houden. God mag weten hoe hij dat heeft gedaan.' Hij gebaarde naar een keukenstoel. 'Ga zitten. Dan maak ik even een boterham voor je. Ham en kaas?'

Ze knikte. 'Ik maak hem zelf wel.'

'Ik weet waar alles ligt.' Hij liep naar de koelkast. 'Het is praktischer als ik het doe.'

'Nou, ga je gang dan.'

Hij keek even om. 'Wat ben je ineens meegaand.'

'Je biedt me je diensten aan,' glimlachte ze zwakjes. 'En je hebt gelijk: jij bent veel praktischer.'

Hij staakte zijn bewegingen en leunde met zijn rug tegen de koelkast. 'Hebben we het hier nog steeds over de boterham?'

'Onder meer.' Haar glimlach verdween. 'Rotzak.'

'Pardon?'

'Michael Travis had gelijk. Dat jij gelijk had.' Ze likte met haar tong over haar lippen. 'En dat ik als ik meer beheersing had gehad in plaats van alles als een spons in me op te zuigen, Joyce Fairchild misschien had kunnen redden.'

Hij gaf geen antwoord.

'Ben je niet van plan dat aan te vechten?'

'Wil je iemand die je een aai over je bol geeft en je leugens vertelt? Dan ben je bij mij aan het verkeerde adres, Kerry. De kans is groot dat je gelijk hebt. Aan de andere kant had het ook precies hetzelfde kunnen gaan. Wie zal het zeggen?'

'Ik weet het gewoon. Intuïtie.'

'Dan is het waarschijnlijk waar. Ik hecht grote waarde aan intuïtie. Maar wat betekent dit voor ons?'

'Ik denk dat je dat wel weet. Je zei dat je dingen repareert. Kun je ook dingen bouwen?'

'Misschien. Wat wil je dat ik voor je bouw?'

'Een muur om al het geschut en vergif dat Trask op me afvuurt tegen te houden. Het is net alsof ik midden in een tornado zit. Ik kan geen onderscheid meer maken tussen wat wel of niet belangrijk is. Ik kan alleen maar proberen mijn hoofd boven het slijm uit te houden.'

'Dat is niet zo moeilijk. Dat is wat Travis je jaren geleden had willen leren.'

'En als je toch bezig bent...' ze ving zijn blik, '... denk je dat je me dan kunt leren hoe ik Trask kan beïnvloeden, hoe ik hem kan laten doen wat ik wil?'

Hij schudde zijn hoofd. 'Ik ben nog nooit iemand tegengekomen met hetzelfde talent als ik.'

'Ik weet dat ik zijn waarheid niet kan veranderen. Ik wil hem alleen maar een zetje kunnen geven, een manier vinden om hem te vertragen of af te leiden zodat we de klootzak kunnen grijpen. Kan dat?'

Hij dacht erover na. 'Ik weet het niet. Het is mogelijk, denk ik. Het hangt ervan af hoe goed je jezelf kunt verdedigen.'

'Verdedigen?'

'Zelfs als hij niet doorheeft wat je aan het doen bent, zal zijn psyche jou automatisch afweren. Je bent veiliger als je geen gekke dingen probeert.'

'Wil je me proberen te leren hoe dat moet?'

'Als dat is wat je wilt.'

'Dat is wat ik wil.'

'Weet je zeker dat je weet waar je aan begint?'

'Jezus. Nee, ik heb geen flauw idee. Vertel het me maar.'

'Je wilt dat ik het je leer. Ik kan niet subtiel te werk gaan. Ik kan niet ongemerkt binnenglippen en zomaar van alles veranderen. Je zult merken dat ik in je hoofd zit en je zult het niet fijn vinden. Ik zal het je moeten laten zien. Er is niets ter wereld dat brutaler is of een grotere inbreuk maakt. Begrijp je wat ik zeg?'

'Denk je niet dat ik alle mogelijke nadelen al heb overwogen? Je hebt gelijk dat ik het niet leuk zal vinden. Ik zal zin hebben om te gillen en te schoppen. Ik zal het háten.' Ze zweeg even om haar kalmte te herwinnen. 'Maar ik zie in dit geval geen enkele andere optie. Ik kan niet toestaan dat er meer mensen sterven als ik degene ben die een manier kan vinden om dat tegen te houden. Het leven van nog drie andere mensen is in gevaar.'

'Vijf. Je vergeet jezelf en mij. Om maar niet te spreken van al die duizenden mensen die het slachtoffer zullen worden als Trask Firestorm aan een vreemde mogendheid verkoopt.'

'Hou dan op met die waarschuwingen en maak je druk over hoe je me gaat leren hoe ik kan aansturen.'

Hij schudde zijn hoofd. 'Nee, eerst de verdediging.' Hij zweeg even. 'En je zult moeten leren me te vertrouwen.'

'Ik doe mijn best. Je kunt niet verwachten dat ik...'

'Dat verwacht ik nu juist wel van je. Net als je dingen van mij mag verwachten. Volledige onderlinge afhankelijkheid.'

'Moet ik daarvan onder de indruk raken? Dat kan ik wel aan.'

Hij grijnsde. 'Maar je bent doodsbenauwd.'

'Dat verandert niets aan de zaak. We gaan ervoor.'

'Nu?'

'Nu. Nu meteen. Ik heb geen zin om het uit te stellen.'

'Als een scheutje wonderolie? Zo gaat dat niet. Ik bepaal het tempo, Kerry.'

'Ik zie niet in waarom ik niet zou kunnen...' Ze haalde haar schouders op. 'Vertel, waar beginnen we mee?'

Hij trok de deur van de koelkast open. 'We beginnen met een boterham met ham en kaas. Wil je er mayonaise op?'

'Wat is er in godsvredesnaam gebeurd daar in het Tyler Park?' vroeg Dickens toen Trask hem belde. 'Het stikte er van de FBI-lui.'

'Hoe weet jij dat?'

'Denk je nu echt dat ik niet in de gaten zou houden wat er daar aan de hand was? Ik ben degene die het veldwerk daar in het park voor je heeft gedaan. Ik ben degene die misschien gezien is en die ze zich dan zullen herinneren.' Hij aarzelde. 'Wat heb je gedaan?'

'Dat wil je niet weten.'

Dickens vloekte zachtjes. 'Ik ben hier niet ingestapt met het idee om mijn kop op het blok te leggen. Voor dit soort risico's word ik niet betaald. Ki Yong zei dat ik alleen maar wat doorsnee achtervolgingen en afluisterwerk hoefde te doen.'

'Maar ik weet ook zeker dat Ki Yong heeft gezegd dat je naar mij moet luisteren. Je wilt vast niet dat ik hem bel om te zeggen dat ik niet tevreden over je ben. Straks besluit hij nog je in Guantánamo te stoppen met andere verdachten van terrorisme.'

'Christus, ik ben geen terrorist.'

'Daar zullen de meningen over verschillen. Ik beschouw mezelf ook niet als een terrorist, maar Homeland Security zou daar wel eens anders over kunnen denken. En jij bent toch mijn medeplichtige, is het niet?'

'Medeplichtig aan wat?' Hij aarzelde. 'Heb je haar vermoord?'

'Natuurlijk. Je wist dat dat zou gebeuren. Dat maakt je tot een medeplichtige.' Zijn toon verhardde. 'Zo is het genoeg, Dickens. Het is achter de rug. Ik bel je niet om de gebeurtenissen in het Tyler Park met je te bespreken. Ik wil informatie over Kerry Murphy. Wat heb je voor me?'

Dickens was even stil. 'Je weet van haar broer en zijn vrouw. Haar vader, Ron Murphy, leeft nog, maar ze ziet hem zelden. Hij is journalist en trekt meer naar zijn zoon. Ze heeft wel vrienden, maar niemand echt heel dichtbij. Waar zit je naar te vissen?'

'Voor ik kan vissen moet ik eerst aas hebben. Iemand om haar bij Silver weg te lokken.'

'Ik dacht dat Silver je volgende...' Hij stopte. 'Je hebt me alles over zijn doen en laten laten uitzoeken.'

Trask grinnikte. 'Zie je wel dat je medeplichtig bent? Dus houd nou maar op met dat geweifel, Dickens. Silver is een doelwit, maar Kerry Murphy trekt me bijzonder aan.' En windt me op. Hij had gedacht dat die Fairchild-moord de opwinding wel tot bedaren zou brengen, maar dat was niet gebeurd. Wat was er met Kerry Murphy waardoor hij zich zo tot haar aangetrokken voelde? Het feit dat Silver haar hierheen had gebracht om hem op te sporen? Het feit dat het hem die nacht niet was gelukt haar en haar familie te doden?

Nee, het was iets anders, iets waar hij zijn vinger niet op kon leggen. Ach, hij kwam er nog wel achter. 'Ik meld me wel weer,

Dickens. Hou die vrouw in de gaten. En niet alleen in de vorm van schaduwen. Ik wil alles van haar weten. Volg haar, regel een busje met computerspullen en luister haar telefoongesprekken af. Laat me weten wanneer je de zwakke plek in haar wapenrusting hebt gevonden.'

'Áls ik er een vind.'

'Nee, Dickens, wannéér je hem vindt. Iedereen heeft een zwakke plek, zelfs jij.' Hij hing op voor Dickens antwoord kon geven. Hij wilde Dickens geen kans geven om tegen te stribbelen of vragen te stellen. Het was van het grootste belang om dit soort mensen op de juiste toon te woord te staan. Je moest ze bang maken en ze onder de duim houden. Ki Yong had hem uitgerust met een wapen dat ternauwernood voldeed en constant aangescherpt diende te worden.

Tot de tijd dat hij het moest vernietigen en zich ervan moest ontdoen.

8

'Ik kan nu niets met je afspreken, Gillen. Misschien over een dag of twee. Je moet even geduld hebben en...' Silver keek op toen Kerry de bibliotheek binnenmarcheerde en op de stoel tegenover het bureau plofte. 'Ik bel je later terug.' Hij hing op en staarde haar behoedzaam aan. 'Kan ik iets voor je doen?'

'Dat kun je wel zeggen, ja. We zijn al twee dagen verder,' antwoordde Kerry. 'En ik ben het zat om te moeten wachten tot je me eens iets nuttigs gaat leren. Ik dacht namelijk dat we dat afgesproken hadden.'

'En ik heb je gezegd dat ik zou bepalen wanneer we daarmee begonnen. Je moet even geduld hebben.'

'Dat zei je net ook tegen die Gillen. Ik trap daar niet in. In de tijd dat ik geduldig zit te zijn, is Trask waarschijnlijk bezig de val voor zijn volgende moord uit te zetten.'

'Ongetwijfeld. Maar de dood van Fairchild heeft een ontnuchterende uitwerking gehad op de andere mensen van zijn zwarte lijst, en ze zijn een stuk voorzichtiger geworden. We hebben nog even.'

'Maar het is volslagen onlogisch dat we niet verdergaan en...' ze brak haar zin halverwege af toen ze zag dat hij haar uitdrukkingsloos aanstaarde. Net alsof ze tegen een muur zat te praten. 'Eikel.' Ze stond op en liep naar de deur. 'Ik ben niet van plan eeuwig te gaan wachten. Ik heb je hulp gevraagd, maar als je me nog langer aan het lijntje houdt, ga ik in mijn eentje achter Trask aan. Hier kan ik níet meer tegen.'

Silver kromp ineen toen de deur achter haar dichtsloeg.

Hij had deze uitbarsting verwacht, maar gehoopt dat hij het nog een dag of twee had kunnen uitstellen. Jammer, pech gehad. Het was gebeurd en nu moest hij ermee aan de slag.

Na een discreet klopje stapte George binnen. 'Sorry dat ik u stoor, meneer, maar ik kwam mevrouw Murphy net tegen op de trap. Het spijt me u te moeten mededelen dat u haar met een enorme stupiditeit behandelt.'

'O ja, is dat zo? En zou je me dan misschien willen vertellen hoe ik haar wél zou moeten behandelen?'

'Ik zou niet durven.' George haalde zijn schouders op. 'Hoewel, dat is niet waar. Het is een dame die gewend is aan actie, en ze wordt gek van dit nietsdoen. Ik leef met haar mee.' Hij hield Silvers blik vast. 'Omdat ik hetzelfde doormaak. Dus wanneer bent u van plan van uw zetel neer te dalen en iets te gaan doen?'

'Ik doe al iets.'

'Vergeef me, maar daar zie ik tot op heden niets van.' En bedachtzaam voegde hij daaraan toe: 'Hoewel ik u inschat als een man die het juiste moment afwacht. Het zou kunnen dat u me de waarheid vertelt.'

'Dank je.'

'Sarcasme is nergens voor nodig. Mensen die proberen hun leven een mysterie te laten lijken, kunnen verwachten dat ze sceptisch en met vragen tegemoet getreden worden.'

'Mysterie?'

George glimlachte. 'Daar hoort u mij niet over mopperen. Ik ben gek op een goed detectiveverhaal op zijn tijd. Het stimuleert geest en verbeeldingskracht.' Hij maakte aanstalten te vertrekken. 'En sinds onze eerste ontmoeting ben ik gestimuleerd met nogal bizarre ideeën.'

'Iets dat je met me zou willen delen?'

'Absoluut.' Hij deed de deur open. 'Maar op dit moment ben ik niet uw belangrijkste zorg. Ik neem aan dat mevrouw Murphy belangrijk voor u is, en de kans bestaat dat u haar kwijtraakt.'

'Ik raak haar niet kwijt.'

'Wat een zelfvertrouwen. Het maakt dat een mens zich afvraagt...'

De deur sloot achter hem.

Verdomme nog aan toe. Silver trok een gezicht toen hij overeind kwam. George was veel te opmerkzaam en scherpzinnig. Hij begon akelig dicht bij de waarheid over Silver te komen, en Silver wist niet of dat nu goed of slecht was. Hij had te lang zijn eigen leven geleid.

Maar George had gelijk wat betreft Kerry. Hij kon zich niet veroorloven haar kwijt te raken, zelfs als ze er nog niet klaar voor was.

En het was te gevaarlijk om haar maar te laten sudderen terwijl hij de juiste tijd en het juiste moment afwachtte om met haar aan de slag te gaan.

Hij zou er voor moeten gaan.

Hij kon doodvallen.

Ze beende naar het raam en staarde niets ziend naar de oprit. Ze had beter moeten weten dan op hem af te stappen terwijl ze wist wat een arrogante klootzak het was.

Nee, het was juist goed geweest dat ze de confrontatie met hem aangegaan was. Ze haatte dit gebrek aan controle binnen hun relatie, en ze was erg ontevreden over deze vertraging. Trask zou zich ondertussen kunnen voorbereiden op zijn volgende slachtoffer. Hoe kon Silver er zo zeker van zijn dat ze tijd hadden?

Ze begon weer overstuur te raken. Een wandeling zou haar goed doen en haar gedachten even afleiden van deze impasse.

Over haar lijk. Ze was niet van plan om zomaar weg te wandelen in een poging te vergeten dat zij gelijk had en Silver ongelijk. Ze was boos en gekwetst en machteloos, en ze was niet van plan het daarbij te laten.

Ze liep naar de kast, haalde haar koffer tevoorschijn en slingerde hem op bed.

Er werd op de deur geklopt. 'Kerry.'

Silver.

Ze gaf geen antwoord.

'Kerry?' Hij deed de deur open en keek vanaf de drempel toe hoe ze twee t-shirts en wat ondergoed in haar koffer gooide.

'Mag ik vragen waar je van plan bent naartoe te gaan?' Hij beantwoordde zijn eigen vraag. 'Heb in godsnaam een beetje geduld. Je kunt niet in je eentje achter Trask aangaan.'

'Ik heb geen zin om geduldig te zijn.' Ze gooide een spijkerbroek in de koffer. 'Ik ga actie ondernemen.'

'Wat?'

'O, maak je geen zorgen. Beneden was ik boos op je. Ik ga heus niet in mijn eentje achter Trask aan met het risico dat we hem kwijtraken.' Ze klapte het deksel van de koffer dicht en klikte de sloten dicht. 'Maar ik kan hier niet langer zitten wachten op het moment dat jij me eens een keer gaat leren hoe ik hem te pakken moet krijgen. Neem rustig de tijd. Als je zover bent kom je maar achter me aan.'

'Waar ga je heen?'

'Marionville.'

'Trasks geboortestad? Waarom? Je denkt toch niet dat hij zich daar schuilhoudt?'

'Nee, maar zijn wortels liggen in dat stadje, en misschien kom ik iets over hem te weten dat niet in zijn dossier stond. Kennis is macht, en ik kan wel wat macht gebruiken. Ik hou er niet van me zo nutteloos te voelen.' Ze wierp Silver een vinnige blik toe. 'En ga me nu niet weer vertellen dat ik geduld moet hebben, want dat ben ik zat.'

'Die indruk had ik al, ja. Wat verwacht je daar te ontdekken?'

'Ik zou het je niet kunnen vertellen. Misschien iets over zijn denkwijze. Of een reden voor zijn gedrag zodat ik weet waar ik hem op kan pakken.'

'Je bent je er toch wel van bewust dat de kans bestaat dat je gevolgd wordt?'

'En dat zou niet eens zo erg zijn. Het zou in ieder geval betekenen dat er iets gebeurde.' Ze trok de koffer van het bed en maakte aanstalten naar de deur te lopen. 'Ik zie je daar wel als je er eindelijk aan toe bent te doen wat je hebt beloofd.'

'Je ziet me eerder dan dat.' Hij pakte haar koffer af. 'Ik ga met je mee.'

'Je bent niet uitgenodigd.'

'Ik ben gewend onuitgenodigd te verschijnen. Zo ben ik nu eenmaal.' Hij hield de deur voor haar open. 'Dus hou op met vuur spuwen, dan kunnen we gaan.'

'Ik heb je niet nodig. De mannen van Ledbruk laten me heus nergens zonder toezicht heen gaan. Je hoeft echt niet mee om mij te beschermen, want ik kan...'

'Ja ja, je denkt dat je heel goed voor jezelf kan zorgen. En misschien kun je dat inderdaad. Hoewel, dat is waarschijnlijk wat alle overleden doelwitten van Trask hebben gedacht,' zei hij. 'In ieder geval maak ik me dan minder zorgen over jou, en word ik niet gek van angst bij de gedachte van wat er met je gebeurt. Ik hou liever een oogje in het zeil.' Halverwege de trap vroeg hij: 'En, nemen we Sam mee?'

Ze staarde hem even na voordat ze langzaam achter hem aan de trap afliep. 'Nee, hij zou maar in de weg lopen. We laten hem hier, bij George.' Hij was duidelijk vastbesloten, en eigenlijk deed het er ook niet toe of hij nu wel of niet met haar meeging. Misschien zou het hem een zetje geven om eindelijk met haar aan de slag te gaan. 'Ik was niet van plan langer dan een dag of twee te gaan.'

'Ja, het viel me al op dat je niet meer dan het hoogstnoodzakelijke ingepakt had.' Hij zette haar koffer bij de voordeur. 'Kan ik erop vertrouwen dat je niet in je SUV springt en wegrijdt terwijl ik even naar boven ren om een weekendtas in te pakken?'

'Wat zou je doen als ik dat wel deed?'

'Achter je aan rijden.'

Ze haalde haar schouders op. 'Dan zou ik mijn tijd en moeite dus verspillen.' Ze leunde tegen de deur. 'Ik wacht wel even op je.'

'Ze heeft het huis verlaten,' zei Dickens toen Trask opnam. 'Een uur of drie geleden is ze met Silver in de SUV gestapt en via de Highway 66 naar de 81 gereden. Ze zijn nu net de grens met West Virginia gepasseerd. Ik ben ze gevolgd, maar ik moest verdomd voorzichtig zijn. De geheime dienst zat vlak achter ze.'

'Highway 81 zei je, hè?' vroeg Trask bedachtzaam. 'Wat zouden ze...' Hij begon te grinniken. 'Maar natuurlijk.'

'Weet je waar ze heen gaat?'

'Ja, dat weet ik. Het is altijd slim om je vijand te kennen.'

'Wil je dat ik ze blijf volgen?'

'Voorlopig, ja.' Mijn god, Marionville. Hij was niet meer in dat gat geweest sinds hij met een volledige studiebeurs naar Europa was vertrokken. Hij had gedacht dat hij al die herinneringen ver achter zich gelaten had, maar ineens kwamen ze met volle kracht terug. Al die bittere vernederingen en zalige overwinningen... 'Ja, ik wil van minuut tot minuut weten wat ze uitspookt.'

'Je kunt niet bij haar in de buurt komen. Ik zei toch dat ze wordt gevolgd door...'

'Ik heb je wel gehoord. Ik bel je later.' Hij hing op.

Marionville.

Hij zag voor zich hoe Kerry Murphy groef en zocht en pookte in smeulende vuurtjes van lang geleden. Een wonderbaarlijk aanlokkelijk beeld. Misschien was het haar bedoeling om hem achter haar aan te lokken.

Marionville...

'Zet me maar af bij de bibliotheek,' zei Kerry. Als dit gat er tenminste een had, dacht ze ontmoedigd. Het was nu niet bepaald een bruisende metropool. Op het bord langs de weg waar ze de stad binnengereden waren, had gestaan dat er elfduizend inwoners waren, maar dat zou wel eens een oud bord kunnen zijn. De helft van de winkels in de hoofdstraat die door het centrum slingerde leek gesloten te zijn. 'Ik wil wat oude kranten doorspitten en kijken of ik iets over Trask kan vinden.'

'Hoe ver wil je teruggaan?'

'Zo ver mogelijk. Ik ga beginnen met zijn geboortejaar.'

'Ik betwijfel of hij in de wieg al streken uithaalde.'

'Dat kan me niet schelen. Ik wil alles van hem weten.'

Silver knikte. 'Tja, ik heb net wel een basisschool gezien toen we de stad binnenreden. Bibliotheken zitten vaak bij een school.' Hij sloeg een zijstraat in en draaide linksaf in de richting waar ze vandaan gekomen waren. 'Als we geen bibliotheek tegenkomen gaan we het bij die school vragen.'

'Oké.' Door het raam zag ze verschillende kleine lukraak geplaatste huizen met afgebladderde verf en gammele veranda's. 'Wat een sombere boel hier. Het lijkt wel alsof de stad stervende is.'

'Dat is waarschijnlijk ook zo. Kennelijk is het leven uit de stad verdwenen op het moment dat ze de mijnen gesloten hebben.' Hij draaide de parkeerplaats van de school op en stapte uit de suv. 'Ik ben zo terug.' Hij keek even om, om te controleren of de surveillancewagen van Ledbruk in zicht was. 'Dit zou niet lang moeten duren.'

Ze keek hem na toen hij de trap naar de hoofdingang opliep. De basisschool was opgetrokken uit rode steen, maar zag er desondanks net zo oud en haveloos uit als de huizen waar ze eerder langsgereden waren. Was het stadje in Trasks tijd al zo vervallen geweest?

Tien minuten later kwam Silver het schoolgebouw uit. Hij liep naar haar kant van de SUV. 'Het enige lokale dagblad is de *Marionville Gazette*. De krant bestaat al zeventig jaar. De bibliotheek is hier vlakbij. De tweede straat links en dan ligt hij aan je rechterhand.'

'Ga je niet mee?'

'Ik heb besloten wat schoolgegevens door te spitten. Trask heeft hier op school gezeten. Dat vermoedde ik al toen ik naar binnen ging, aangezien het zo'n kleine plaats is. Ik wil wat kopieën maken van zijn gegevens en dan naar zijn oude middelbare school gaan. Die staat in Cartersville, een kilometer of zeven hiervandaan.'

'Denk je dat je zijn dossiers in mag zien?'

'Daar zorg ik wel voor. Ik kan erg overtuigend zijn als ik wil.' Hij deed een pas naar achteren. 'Ik bel je als ik klaar ben, dan kun je me even ophalen.' Hij draaide zich om en liep terug naar de school.

Ze schoof door naar de bestuurdersstoel. Wat een stomme vraag. Natuurlijk kreeg Silver de informatie die hij hebben wilde. Het woord 'overtuigend' was absoluut een understatement.

De computer in de bibliotheek kwam uit het prehistorisch tijdperk. Ze begon haar zoektocht naar Trask. Na het eerste uur werd het gemakkelijker. Het ging nog steeds langzaam, maar niet meer ondraaglijk. Het kostte Kerry bijna een halfuur om alleen maar door het eerste jaar van Trasks leven te ploeteren in de krant die ze uitgezocht had. Niet dat ze daar iets anders in aantrof dan de aankondiging dat Charles en Elizabeth Trask de trotse ouders waren geworden van een gezonde jongen.

De eerstvolgende vermelding van Trask ging over een plaatselijke spellingswedstrijd die hij had gewonnen toen hij zeven was. Twee jaar later eindigde hij als tweede bij een nationale scheikundewedstrijd. Er stond zelfs een foto van hem bij, waarbij hij een blauw lint omhooghield en zijn ouders glimmend van trots naast hem stonden. Vanaf dat moment werd zijn naam geregeld genoemd, als winnaar van allerlei prijzen die op studiegebied te behalen waren. Tot hij uiteindelijk de Fulbright-studiebeurs won. Ze leunde naar achteren en wreef in haar ogen. Een geniale leerling, een zoon om trots op te zijn. Geen tekenen van wat voor misstap dan ook. Toch kon dit niet het volledige plaatje zijn. Trask kon onmogelijk zijn hele jeugd een voorbeeldige jongen geweest zijn voor hij als een blad aan de boom omdraaide en een monster werd. Het zaadje moest hier ergens geplant zijn. Het zaad.

Ze schoot overeind.

In dit geval was dat zaad de obsessie die Trasks leven beheerste. Silver had gezegd dat het iets van vijftien jaar geleden was, maar daarop had ze geantwoord dat ze wist dat het veel, veel verder terugging.

Ze boog voorover en typte één woord.

Brand.

Ze ging Silver niet ophalen toen hij haar belde vanaf de middelbare school in Cartersville. 'Ik heb iets gevonden... denk ik. Vraag maar of Ledbruk je even kan komen halen. Ga naar een motel en laat me dan even weten waar je zit. Dan kom ik naar je toe zodra ik hier klaar ben.'

'Ik ga wel in mijn eentje naar een motel. Ik wil niet dat je daar alleen bent.' Hij aarzelde. 'Ik ben blij dat tenminste een van ons iets gevonden heeft. Met een paar uitzonderingen daargelaten, ben ik alleen maar te weten gekomen dat Trask een voorbeeldige leerling was.'

'Die uitzonderingen wil ik graag van je horen.' Ze wierp een blik op het computerscherm. 'Ik moet ophangen. Ik heb nog twee jaargangen te gaan en de bieb sluit over een uur.' Ze hing op, boog zich voorover en ging klikkend met de muis pagina voor pagina door de krant. Ze verstijfde toen haar blik op een artikel op de laatste pagina's van 3 juni viel.

Ze had er weer een...

Ze klikte op het icoontje om het artikel te printen.

'Vertel, wat ben je te weten gekomen?' vroeg Silver toen hij de deur op haar geklop openmaakte. 'Je hebt er wel de tijd voor genomen.'

'Ik heb de bibliothecaresse overgehaald de bibliotheek een uurtje langer open te houden.' Ze plofte op de bank en stak hem de A4-tjes toe. 'En daar had ik niet eens jouw soort overtuigingskracht voor nodig. Ik heb alleen maar "Alstublieft" gezegd.'

'Ja, dat wil ook nog wel eens werken.' Hij bekeek de papieren die ze hem had gegeven. 'Wat is hier de bedoeling van?'

'Dit zijn artikelen over branden in Marionville en omringende stadjes in de twintig jaar dat Trask hier heeft gewoond. Ik heb de meest interessante onderstreept.' Ze wreef over haar slapen. 'Nee, interessante is niet het juiste woord. Ik zou moeten zeggen: afschuwwekkende.'

'Denk je dat Trask deze branden heeft gesticht?'

'Ik zei toch tegen je dat ik voelde dat hij al ver voor Firestorm geobsedeerd was door vuur. Maar uit zijn achtergrond blijkt uit niets dat hij iets anders is dan brandschoon.'

Silver knikte. 'Onze voorbeeldige leerling.'

'En ik heb nog steeds geen bewijzen. Zelfs geen aanleiding om een link te kunnen leggen.' Ze trok een gezicht. 'Maar, vertel jij eens over de onregelmatigheden die je denkt gevonden te hebben in de schooldossiers.'

'Het is niet veel.' Hij ging tegenover haar zitten. 'Je ziet er doodmoe uit. Wil je ergens een hapje gaan eten?'

'Nee, ik wil de link leggen, verdomme. Ik wil die klootzak doorgronden.'

Hij knikte. 'Je weet dat hij geniaal was. Hij was een superleerling en deed erg zijn best om aardig gevonden te worden door de docenten. Maar onder zijn medeleerlingen was hij niet bepaald populair. We hebben het hier over een ploeterend, stoffig mijnstadje, waar men hem over het algemeen beschouwde als een enorme eikel. Er zijn een paar gevallen geweest waarbij hij naar het hoofd van de school is gestapt omdat hij gepest werd door andere kinderen.'

Ze rechtte haar rug. 'Heb je namen?'

'Wacht even.' Hij liep naar het bed en pakte een envelop die hij daar had neergelegd. 'Tim Krazky. Groep zes. Het schoolhoofd heeft een gesprek met de jongen gehad en daarmee was het opgelost.'

'Dat denk jij. Nog meer voorvallen?'

Hij sloeg een paar bladzijden om. 'Hij is een keer in elkaar geslagen door een van de footballspelers op de middelbare school. Dwayne Melton. Naar aanleiding daarvan zou Melton van school gestuurd worden, maar toen is Trask naar voren gekomen om een goed woordje voor hem te doen. Hetgeen Trask uiteraard nog populairder maakte bij het onderwijsgevend personeel.'

'Dwayne Melton...' Ze sprong overeind en griste haar papieren die ze aan hem had gegeven terug. 'Wanneer is dit gebeurd?'

Hij wierp een blik op zijn informatie. 'Vier juni 1979.'

Ze spreidde haar papieren uit op de tafel en bladerde er woest doorheen tot ze het vel vond dat ze zocht. 'Drie oktober 1981.' Ze gaf hem het artikel. 'Dwayne Melton is omgekomen bij een brand toen het olievat bij het tankstation waar hij werkte ontplofte.'

'Twee jaar later,' zei Silver. 'Dan moet Trask wel een heel geduldig jongetje zijn geweest.'

'Als een spin die aan zijn web werkt. Hij was niet van plan gepakt te worden. Ik durf me zelfs af te vragen of Trask wel in de stad was toen het gebeurde.' Ze bladerde door de andere papieren. 'Hoe zei je dat die andere jongen heette?'

'Tim Krazky.'

Ze vond hem. 'O, shit.'

'Brand?'

'Zijn huis is afgebrand en zijn hele familie is met hem omgekomen in de brand.' Ze las de laatste alinea hardop voor: *'Geen aanwijzingen voor brandstichting. De gordijnen in de woonkamer hebben vlam gevat door een nabij staande kerosinekachel.'*

Ze schudde haar hoofd. 'Zijn hele familie, Silver.'

'Minder verdacht.'

Ze huiverde. 'Vreselijk.' Ze ging weer zitten. 'Geef me die schooldossiers eens. Ik wil zien wie die klootzak nog meer tegen de haren in hebben gestreken.'

Hij kwam naast haar zitten. 'Ik zoek de namen wel in de dossiers. Zoek jij maar in de krantenartikelen.'

Ze vonden slechts twee andere gevallen die uitermate verdacht waren. Een gymleraar die Trask voor gek had gezet kwam om bij een ongeluk met een privé-vliegtuigje in het jaar dat Trask met zijn studiebeurs naar Fulbright vertrok. De schooldirecteur die Tim Krazky niet gestraft had voor het pesten van Trask, was verbrand toen zijn auto van de weg af raakte en tegen een boom botste.

'Opnieuw erg geduldig,' mompelde Silver. 'Geen wonder dat hij nergens van werd verdacht. Hij leunde achterover, beraamde zijn plannen en wachtte tot iedereen zijn motief vergeten was voor hij toesloeg.'

'En we kunnen met geen mogelijkheid vaststellen hoeveel andere mensen hij door de jaren heen omgebracht heeft.' Ze staarde nietsziend naar de artikelen. 'Het was een perfectionist. Hij moet toch heel wat geoefend hebben voor hij achter zijn slachtoffers aanging. Over slecht zaad gesproken.'

'Vind je het niet genoeg zo?' Hij pakte de vellen papier van haar af. 'Je leert de klootzak echt niet beter kennen door zijn volledige slachtofferlijst te ontrafelen.'

'Ja, het is genoeg,' zei ze dof. 'Gewetenloos. Zelfs als kind al. Maar razend slim. Mijn god, slim om op die manier alle verdenking af te wentelen.'

'Goed, als je nu tevreden bent, zullen we dan vanavond weer naar huis gaan? Dit motel is niet bepaald het Ritz.'

Ze dacht er even over na, starend naar de artikelen. 'Nee, ik ben nog niet tevreden. Dit is allemaal nog veel te afstandelijk. Ik moet hem aanraken. Ik moet voelen wat hij voelde.'

'En hoe ben je van plan dat te doen?'

Hulpeloos haalde ze haar schouders op. 'Ik heb geen idee. Ik kan hier gewoon niet weg zonder...' Ze pakte het artikel over de dood van Tim Krazky en zijn familie. 'Kun jij voor me uitzoeken waar het huis van deze jongen stond? Daar wil ik morgenochtend naartoe.'

'Het is lang geleden. Ze hebben waarschijnlijk allang weer iets herbouwd op die plek.'

'Het is een poging waard.' Ze stond op. 'Hij moet dat jongetje heel erg gehaat hebben om hem en zijn hele familie te vernietigen. Dat wil ik zien, voelen.'

'Nee, dat wil je niet,' antwoordde hij scherp. 'Het zal je verscheuren. Je kunt nu al niet eens aan die brand denken zonder misselijk te worden.'

'Dan wordt het tijd dat ik daaraan wen. Ik kan er beter voor zorgen dat ik alles te weten kom over de manier waarop hij denkt zodat ik niet elke keer in elkaar krimp als hij in mijn buurt komt.' Ze liep naar de deur. 'En dat kan ik niet doen door afstand te nemen. Wat is mijn kamernummer?'

'Negentien. Hiernaast.' Hij stak zijn hand in zijn zak en haalde een sleutel te voorschijn. 'Aangrenzend. Je weet het: als je door geesten overmand wordt, ik zit om de hoek.'

'Dat gebeurt niet. Ik ben veel te moe.'

'En je denkt niet dat Trask in de buurt is.'

'Nee, maar dat zegt niets. Ik weet niet eens zeker of ik hem wel echt aanvoel.' Ze glimlachte vreugdeloos. 'Daar gaat het hier nu juist allemaal om. Proberen in zijn huid te kruipen. Zul je me helpen?'

'Dat weet je heel goed.' Hij draaide zich om en pakte zijn telefoon. 'Hoewel het knap lastig zal zijn om op dit tijdstip iets uit te vinden. In stadjes van dit formaat zit alles om acht uur meestal potdicht.'

'Bel George dan. Hij zal het beschouwen als een uitdaging.'

'Dat wilde ik net doen.' Hij grijnsde. 'Ik denk dat je mijn gedachten hebt gelezen.'

'Lieve God, ik hoop van niet. De enige wiens gedachten ik wil lezen is Trask.' Ze aarzelde even, en zei toen: 'Eerlijk gezegd heb je me al geweldig geholpen.'

'Uiteraard. We zitten toch in hetzelfde schuitje?'

'Dat is waar.' Ze wierp hem een koele blik toe. 'En ik zou dit waarschijnlijk nooit hebben gedaan als je me meteen was gaan helpen.'

'Dat is mogelijk. Maar Trask begint een obsessie voor je te worden. Er was hoe dan ook een dag gekomen dat je hierheen had gewild.'

'Hij is geen obsessie. Ik wil gewoon goed voorbereid zijn voor...'

Hij stak een hand op. 'Ik heb geen enkel bezwaar tegen het feit dat je geobsedeerd bent. Je helpt me er alleen maar mee. Het was gewoon een constatering van een feit.'

'Trask is degene die geobsedeerd is. Ik probeer alleen maar te...'
Ze ademde diep in. 'Misschien heb je gelijk. In ieder geval voel ik me zwaar nutteloos.' Ze deed de deur open. 'Daar zal verandering in moeten komen. Welterusten, Silver.'
Obsessie.
Ze stond zichzelf niet toe over zijn woorden na te denken tot ze in haar eigen kamer was met de deur op slot. Ze had gezegd dat Trask juist geobsedeerd was, maar vanaf dat allereerste contact was ze een gedreven mens geweest. Kon het zijn dat ze nadat ze in Trasks hoofd had gezeten zich niet had ontdaan van al zijn vergif?
Ze rilde bij die gedachte. Het idee dat ze een deel van Trask uitmaakte vervulde haar met afgrijzen.
Maar het idee hem niet het hoofd te kunnen bieden bij een volgende ontmoeting was erger. En nu had ze zich genoeg zorgen gemaakt over Trasks invloed op haar. Ze moest het nemen zoals het kwam, dag voor dag, stap voor stap, en morgen zou ze in zijn verleden duiken en in de verrotting die ze vandaag had blootgelegd.
Brand.
Gegil.
Tim Krazky en zijn familie in de val in dat brandende huis.
Jezus, ze hoopte maar dat ze het aankon.

De familie Krazky woonde niet in de stad. Hun boerderij had acht kilometer van Marionville aan de rivier Oscano gestaan. Een lieflijk plekje, omgeven door Bartlett perenbomen.
Maar de overblijfselen van de boerderij waren verre van lieflijk. Zelfs decennia later lagen de resten nog geblakerd en verschroeid op een hoop. Het enige dat nog overeind stond van het huis, was een stenen schoorsteen.
'Het verbaast me dat het er nog zo bij ligt,' zei Silver toen hij de auto stilzette. 'Kennelijk hebben de erven geen koper kunnen vinden in deze door armoede getroffen regio. Of misschien hebben ze de locatie van een familietragedie niet willen verstoren. Wil je even rondkijken?'
'Ja.' Haar portier was al open. 'Maar je hoeft niet met me mee.'
'Ik loop met je mee. Waarom zou ik niet...' Hij zweeg. 'Je wilt

niet dat ik met je meega. Waarom?'

'Ik denk niet...' Ze schudde haar hoofd. 'Ik weet het niet. Ik wil gewoon even alleen zijn om...' Ze stapte uit. 'Ik ben zo terug.'

'Wacht even.' Hij liet zijn ogen over de omgeving glijden. 'Het is hier tamelijk open. Niemand die zich hier kan verbergen.' Hij knikte. 'Goed dan, maar blijf wel in beeld.'

'Wat anders? Alles wat ik wil zien is hier.' Ze wandelde naar de ruïne. Van dichtbij was het nog troostelozer. Plukken gras vochten voor hun leven tussen het rottende hout. Die jammerlijke inspanning om boven de vernietiging uit te stijgen onderstreepte de wreedheid van het vuur dat het huis vernietigd had des te meer. Vijf mensen waren hier gestorven. Hier had een gezin gewoond en samengeleefd zoals families over de hele wereld dat deden. Waren ze die avond dat ze ingesloten waren geraakt door Trasks inferno bij elkaar gekropen? Of waren ze afzonderlijk van elkaar gestorven in hun bedden, gestikt door de dodelijke rook? Ze hapte naar adem bij die gedachte, verstikt door afgrijzen en verdriet en woede.

'Alles oké?' riep Silver vanuit de auto.

Ze rechtte haar schouders. 'Ja hoor.' Ze stapte over een balk en liep naar de schoorsteen. Ze was niet oké. Ze wilde weg van hier en de herinnering aan Tim Krazky en de hel die hij over zijn familie uitgeroepen had door Trask tegen zich in het harnas te jagen.

Hou op met zeuren. Doe waar je voor gekomen bent. Denk aan Trask. Denk aan wat hij heeft gedaan. Stel je voor wat hij moet hebben gevoeld. Denk aan de nacht dat je verbinding met hem had en voeg het samen. Leer hem kennen.

Voorzichtig stak ze een hand uit naar de stenen schoorsteen. Hij was warm van de zon. Die avond zou hij niet warm geweest zijn. Wel heet. Heet van de vlammen.

Heet. Heet. Heet.

Gegil.

Gore klootzak. Branden in de hel zal je.

Nee, vanavond zal je hier branden.

Ze probeerden door de voordeur te vluchten, maar dat had hij voorzien en hij had een henneptouw aan de deurknop vastgemaakt en daarna aan een paal van de veranda geknoopt. Hij had alles voorzien, bedacht hij trots. Toen ze gisteren naar de kerk waren, had hij elk raam dichtgeverfd, en vanavond was hij naar binnen geslopen en had hij het vuur aangestoken in de slaapkamer van Krazky's ouders zodat zij als eerste door rook overmand zouden worden. Daarna hoefde hij niets anders te doen dan afwachten en zorgen dat die klootzak, Tim, geen raam stuk kon slaan om te vluchten. Maar hij had geen teken van Tim gezien en het huis stond intussen vol rook. Het duurde niet lang meer voor ze te zwak waren om...

Hij zag een gezicht achter het raam. Het was Tims zus, Marcy. Ze huilde. Ze bonkte met haar vuisten tegen het glas. Ze was altijd al dapperder geweest dan Tim. Waar was Tim? Waarschijnlijk had hij zich onder zijn bed verstopt.

Marcy zakte op de grond, haar handen maaiden naar het kozijn.

Geen gebonk meer op het raam.

Hij rende over de veranda en knoopte het touw van de deurknop los. Toen rende hij naar de achterkant en deed hetzelfde met de keukendeur.

Het huis stond in lichterlaaie. Hij voelde de hitte op zijn gezicht terwijl hij naar de vuurzee staarde.

Sterf, klootzak die je er bent.

Hij wenste dat hij het brandende vlees van die gluiperige etterbak kon ruiken. Eén keer eerder had hij de geur van brandend vlees geroken. Van die twee zwervers die in het bos lagen te slapen toen hij ze vorig jaar in brand had gestoken om te oefenen hoe hij Tim te grazen kon nemen. De geur had hem doen denken aan dat van geroosterde karbonade, maar dan bevredigender. Als hij nu eens een raam insloeg, dan kon hij misschien...

Nee, hij moest de rivier oversteken en naar huis. Misschien had iemand de vlammen intussen gezien. Hoewel hij ervoor had gezorgd dat ze in geen geval bijtijds gered konden worden. Eerder die avond had hij de telefoonlijn doorgebrand. Tims vader had hem bijna betrapt toen hij het afval buiten zette.

Afval. Dat was wat ze nu waren. Minder dan afval.

Het water van de rivier was koud toen hij er vanaf de oever doorheen begon te waden. Maar hij had het niet koud. Hij was verhit en boordevol kracht en vreugde.

Hij had het gedaan.

Simpel. De brand had overal voor gezorgd. De dood. Vernieti-
ging. Als een fantastische geest die uit de fles was gekropen om
zijn wensen te vervullen.

Hij keek om en zijn hart begon weer opgewonden te kloppen.
Vlammen. Schitterende, schitterende vlammen...

'Kerry.' Silver schudde haar door elkaar. 'Kerry, wat is er in
godsnaam aan de hand?'

Vuur. Laat de klootzak branden in...

'Kerry?'

Verzet je.

'Ik... het gaat wel.' Ze rukte zich van Silver los. Maar toen moest
ze steun zoeken bij de schoorsteen omdat haar knieën het begaven. De steen was weer gewoon warm, niet heet zoals die
nacht dat...

Verzet je ertegen.

'Zeg het... Ledbruk. Trask.' Ze moest stoppen om haar stem
onder controle te krijgen. 'Het bos aan de andere kant van de
rivier. Daar zit hij.'

'Wat?'

'Stel... geen... vragen. Stuur iemand naar de overkant.'

Hij tuurde naar de rivier. 'En jij gaat nu de auto in.' Zijn hand
lag onder haar elleboog, duwde haar door de overblijfselen van
de boerderij. 'Weet je zeker dat...?'

Heet. Heet. Heet.

'Je denkt toch niet dat ik contact had met een kinderlijke geest
uit het verleden?' vroeg ze vinnig. 'Het lijkt me niet dat ik dat
ineens zou kunnen. Ik zeg het je: híj was het. Hij moet daar zijn.
Die avond voelde hij zich veilig daar in het bos. Hij moet zich
daar nu met ons ook veilig hebben gevoeld. Hij is ons waarschijnlijk gevolgd vanaf het motel. Bel Ledbruk.'

'Ik heb hem al aan de lijn.'

Ze had niet gezien dat hij zijn telefoon te voorschijn had gehaald en al belde. 'Snel. Hij is hier. Ik weet dat hij hier is.'

'Kalm aan.' Hij hield het portier voor haar open. 'Stap in en laat
je zakken.'

Ze plofte op de stoel en luisterde verdwaasd naar zijn gesprek
met Ledbruk.

'Ze zijn onderweg,' zei hij toen hij ophing. 'Maar de brug over de rivier ligt acht kilometer verderop.'

'Hij is die avond niet over de brug gegaan. Hij is overgezwommen.' Ze ademde diep in. 'Ik voel hem niet meer.'

'Probeer het.'

'Dat doe ik, verdomme. Ik zeg je, ik voel hem niet meer. Hij is weg.'

'Het is een flinke afstand.' Hij keek naar het bos aan de andere kant van de rivier. 'Je bent hem bij die andere twee contacten ook vrij snel kwijtgeraakt toen hij zich in de andere richting verplaatste. Het verrast me dat je hem überhaupt waarneemt op deze afstand.'

'Mij ook. Het zal wel zijn omdat de herinnering aan deze brand zo belangrijk voor hem is.' Bitter voegde ze daaraan toe: 'Het was zijn eerste moord en hij was bijna buiten zinnen van vreugde. De twee zwervers telden niet mee. Dat was gewoon een oefening.' Ze kwam overeind in haar stoel. 'Laten we Ledbruk achterna gaan. Misschien kan ik helpen.'

'Ik vind het geen prettig idee om je in de buurt van die klootzak te hebben.'

'Ik ben niet bang. Hij houdt er niet van onvoorbereid te werk te gaan en hij neemt geen risico's. Hij had deze brand gepland tot in het detail van het verbranden van de telefoonkabel zodat er maar niemand zou denken dat hij doorgeknipt was.'

'Dat betekent niet dat hij niet kan veranderen. Hij is je ook hierheen gevolgd. Dat was een groot risico. Waarom zou hij dat dan doen?'

'Ik heb geen idee.' Ze balde haar vuisten. 'Ik heb de wijsheid niet in pacht. Misschien was hij op zoek naar een mogelijkheid om me te pakken. Misschien dacht hij dat het de gok waard was. Laten we het hem gaan vragen. Dat is toch wat je wilt, of niet? Vergeet mij. Je weet dat Trask het allerbelangrijkst voor je is op dit moment.'

Hij keek haar een paar tellen zwijgend aan en ze zag een verscheidenheid aan emoties over zijn gezicht trekken. 'Ach ja, waarom ook niet.' Hij haalde zijn schouders op en startte de auto. 'Fijn dat je me daar even aan hebt helpen herinneren. Ik weet niet waar ik met mijn gedachten zat. Kom, we gaan.'

Trask zat niet langer in het bos tegen de tijd dat ze de brug over waren. Ledbruks mannen waren bezig de omgeving uit te kammen toen Silver de auto tot stilstand bracht achter hun wagen. 'Weten jullie zeker dat je hem hebt gezien?' vroeg Ledbruk fronsend terwijl hij hun kant op kwam. 'Hoe hebben jullie van die afstand in godsnaam kunnen zien dat hij het was?'

'Geloof me,' zei Kerry toen ze uitstapte. 'Hij was hier echt.'

'Verleden tijd,' zei Ledbruk zuur. 'Ik heb het vervelende gevoel dat we hem weer eens misgelopen zijn. God, wat word ik daar ziek van.'

Kerry dacht er hetzelfde over. 'Je hebt waarschijnlijk gelijk. Hij kent de omgeving hier. Hij is hier opgegroeid.' Ze tuurde naar het dichte bos. 'Maar jullie zullen het toch moeten proberen.'

'Denk je dat ik dat niet weet?' antwoordde Ledbruk. 'Ik doe mijn werk. We zullen de onderste steen boven halen om die rat te vinden.' Hij draaide zich om en liep weg.

'Ik heb hem wel eens in een beter humeur gezien,' zei Silver. 'Niet dat je hem dat kunt aanrekenen. Hij doet zijn uiterste best en het lijkt me behoorlijk frustrerend om niet het hele plaatje te mogen zien.' Hij keek haar even van opzij aan. 'En, nog signalen?'

Ze antwoordde met een hoofdschudden. 'Ik denk niet dat hij nog hier is.' Ze zakte onderuit. 'Maar we gaan pas weg als Ledbruk dat bevestigd heeft.'

'Prima.' Hij keek Ledbruk na. 'We wachten hier tot hij het opgeeft.'

Het duurde vier uur voor Ledbruk het opgaf. 'Geen enkel teken van Trask. Ik laat hier twee mannen achter om verder te zoeken, maar ik denk niet dat ze hem zullen vinden. Jullie kunnen net zo goed naar huis gaan.'

Silver keek vragend opzij. 'Kerry?'

Ze knikte vermoeid. 'Laten we maar naar huis gaan.'

9

'Je ziet er uitgeput uit,' zei Silver met een blik op Kerry's gezicht
toen ze vier uur later door de poort van het landgoed reden. 'En
je hebt geen woord gezegd sinds we uit Marionville vertrokken.'
'Wat valt er te zeggen? We zijn hem kwijt.'
'Maar je had toch niet verwacht dat we werkelijk een kans zouden maken? Je moet het positief zien: je hebt gedaan waarvoor
je daarheen wilde. Je hebt je de psyche van de gore klootzak een
stukje meer eigen gemaakt. Het kan goed zijn dat je aandacht
daarvoor een belangrijke bijdrage heeft geleverd aan het ver-
groten van je contactvermogen op afstand. Dat bos lag een behoorlijk stuk verderop.'
'Contactvermogen op afstand? Goh, je lijkt wel een weten-
schapper.' Ze schudde haar hoofd. 'Ik weet dat je probeert me
een hart onder de riem te steken, maar ik ben gewoon even niet
in staat tot blije en zonnige gedachten. Ik ben veel te dicht in de
buurt geweest van dat vergif dat Trask over me uitstortte.' Ze
duwde haar portier open toen hij voor de hoofdingang stopte.
'Morgen misschien. Op dit moment zie ik gewoon niet in hoeveel vooruitgang ik misschien geboekt heb. Ik weet alleen hoe
ik me voelde toen ik daar stond en Trask door me heen schoot
met al zijn venijn en ik besefte dat ik volledig stuurloos was. Ik
kon niet terugvechten. Ik was niet meer dan een kanaal.' Ze liep
de treden op. 'En ik meen me te herinneren dat jij me hierbij
had kunnen helpen en dat je dat niet hebt gedaan. Als jij je belofte nagekomen was, dan had ik misschien kans gemaakt iets
anders voor hem te zijn dan een geselknaapje.' Ze duwde de
deur open. 'Dus, als je het niet erg vindt, zou ik het bijzonder
op prijs stellen als je me een poosje met rust liet.'
'Een poosje,' antwoordde hij zachtjes. 'Maar niet al te lang, Kerry.'
Ze smeet de deur achter zich dicht en stampte naar de trap. Nee,

hij was niet van plan haar met rust te laten. Daar was ze veel te waardevol voor. Hij had haar nodig. Maar aan die behoefte moest op zijn voorwaarden voldaan worden. Hij wilde de leiding hebben. Nou, ze had er genoeg van om...

Ze besefte ineens dat het huis vreemd stil was. Waar was George? Ze was er ondertussen aan gewend geraakt dat hij uit de bibliotheek te voorschijn piepte met zijn droge commentaar. Hij was een welkome buffer geworden tussen haar en Silver.

Misschien was het maar goed dat hij zich teruggetrokken had. Ze was niet in de stemming voor humor, ook niet als het droge was. Ze wilde niets anders dan naar bed zonder na te hoeven denken over Trask of die arme familie Krazky of haar eigen gevoel van nutteloosheid.

Ze had net haar schoenen uitgeschopt en haar bloes losgeknoopt toen haar mobiele telefoon overging.

Dat zou Jason zijn. Hij had haar twee dagen geleden gebeld om door te geven dat Laura het ziekenhuis binnenkort mocht verlaten, en ze had hem gevraagd haar te bellen wanneer ze hun intrek hadden genomen in het hotel.

'Kerry?'

Haar greep om de telefoon verstevigde. Haar vader was de laatste persoon op aarde die ze op dit moment wilde spreken. 'Hallo. Wat een verrassing.'

'Dat lijkt me sterk,' zei Ron Murphy enigszins boosaardig. 'Ik heb Jason gevraagd je te zeggen dat ik je wilde zien. Hij zei tegen me dat je op het moment een moeilijke periode doormaakt.'

'Jason is degene die het moeilijk heeft. Met mij gaat het prima.'

'Ik heb je nog nooit iets anders horen zeggen. Elke keer dat ik je probeer te helpen klap je dicht als een oester.'

'Als ik me goed herinner ben ik de laatste keer dat je probeerde te helpen in Milledgeville beland.'

'In jezusnaam, je was... Ik dacht dat dat het beste voor je was.' Hij ademde diep in. 'Laat het rusten, Kerry. Het leven is te kort om wrok te koesteren. Dat heb ik de laatste tijd aan den lijve ondervonden.'

'Ik koester geen wrok. Ik ben gewoon voorzichtig.' Dit gesprek begon uitermate pijnlijk te worden. Er moest een einde aan komen. 'Waarom bel je?'

'Omdat je mijn dochter bent. Het is toch vrij normaal dat ik even wil weten of alles goed is met je?' Toen ze niet antwoordde, zei hij aarzelend: 'En die brand in Jasons huis was toch ook wel... apart.'

Ze verstijfde. 'Denk je dat ik hem aangestoken heb? Mijn god, ik hou zielsveel van Jason.'

'Doe niet zo gek. Je trekt overhaaste conclusies. Ik heb helemaal niet gezegd dat...'

'Nee, maar is dat niet wat je zou verwachten van een halvegare? Is dat niet de reden dat je me op wilde bergen?'

'Ik liet je opnemen omdat ik wilde dat je beter werd. En ik weet dat je Jason en Laura nooit opzettelijk kwaad zou doen.'

'Opzettelijk?'

'Ik heb mijn oor te luisteren gelegd, en er bestaat geen enkele twijfel over het feit dat de brand aangestoken is. Maar verder ben ik niets te weten gekomen. Het deksel zit potdicht en niemand doet een mond open. Vervolgens hoor ik dat jij voor onbepaalde tijd onbetaald verlof opgenomen hebt en dat je de stad uit bent. Terwijl ik donders goed weet dat je nu het liefst in de buurt van Jason en Laura zou willen zijn. Dus, wat is er aan de hand, Kerry?'

'Wat denk je zelf?'

'Ik denk dat je ergens in zit dat wel eens gevaarlijk zou kunnen blijken te zijn. Ik vraag me af waarom een pyromaan het huis in brand zou willen steken op die ene nacht dat jij daar toevallig bent.'

'En wat is daarop je antwoord?'

'Jij verkeert continu tussen gekken. Misschien is er eentje te voorschijn gekropen om wraak te nemen. Maar dat geeft geen antwoord op de vraag waarom het onderzoek naar de brand buiten de publiciteit gehouden wordt. Of wie het heeft gedaan.'

'En op die vragen krijg je geen enkel antwoord via je journalistieke kanalen? Dat moet behoorlijk frustrerend voor je zijn.'

'Meer dan frustrerend. Verdomme, Kerry, ik wens niet buitengesloten te worden.' Er klonk woede door in zijn stem. 'Jason is mijn zoon en ik had me erop verheugd opa te worden. Ik ben ziedend en ik wil weten wie dit heeft gedaan. Ik heb zo'n vermoeden dat jij het weet. Verdomme, ik wil dat je het me vertelt.'

'Toch fijn dat je even hebt gebeld om te vragen hoe het met me gaat.' Ze onderbrak hem op vermoeide toon toen hij daar een weerwoord op wilde geven. 'Ik kan het je niet aanrekenen. Waarom zou je je zorgen over me maken? We zitten niet eens op dezelfde golflengte. Nooit gezeten ook. En ik vermoed dat je de waarheid spreekt over je bezorgdheid voor Jasons welzijn.'

'Goh, dank je,' zei hij sarcastisch. 'Fijn dat je denkt dat ik in staat ben tot enig menselijk gevoel.'

Daar had ze nooit aan getwijfeld. Het was haar alleen nooit gelukt hem te bereiken. En na Milledgeville was dat het laatste wat ze wilde. 'Jason en Laura zijn veilig. Daar heb ik voor gezorgd. Ik ben ook veilig. Hou je erbuiten.'

'Vergeet het maar. Waar zit je?'

'Hou je erbuiten,' herhaalde ze en hing op.

Jezus, dat was moeilijk geweest. Ze voelde zich murw en gekwetst en boos, zoals altijd na een gesprek met haar vader, en vanavond had ze zeker niet zitten wachten op extra ergernis. Stop het weg. Niet aan hem denken.

Ze verwachtte half en half dat de telefoon opnieuw zou gaan. Als vader stelde Ron Murphy zich misschien aarzelend op, maar als onderzoeksjournalist had hij die wroeging niet. En hij wilde zijn zoon beschermen en de zaak van de brand tot op de bodem uitzoeken.

De telefoon ging niet.

Mooi. En nu naar bed en niet denken aan hem en al die herinneringen die hij opriep. Hij was niet langer belangrijk in haar leven. Het enige probleem was dat hij misschien in de weg zou lopen bij haar speurtocht naar Trask.

Naar bed, en niet meer aan hem denken...

'Je zult altijd aan hem denken. Hij is er altijd.' Silver stond tegen de treurwilg aan het meer geleund. *'Omdat je weigert met hem af te rekenen.'*

'Onzin. En wat weet jij nou van...' Geschokt verstijfde ze toen ze haar blik over het al te bekende landschap liet zwerven. *'Waar ben je in godsnaam mee bezig?'*

'Dat weet je best. Ik doe wat je me hebt gevraagd.' Hij staarde uit over het meer. *'Ik was eigenlijk niet van plan deze locatie te*

gebruiken omdat ik bang was dat het onplezierige herinneringen bij je zou oproepen, maar je gaf me geen keus. Ik kon kiezen: óf dit, óf naar binnen stormen en schade aanrichten.'
'Schade?'
'Omdat je er nog niet klaar voor was. Twee dagen van infiltratie waren niet genoeg. Ik had eigenlijk meer tijd nodig. Maar nu
zit je zo vol wrok dat ik het niet langer uit kan stellen.'
'Infiltratie.' Ze herhaalde het woord alsof er een bittere smaak
aan zat. 'Wat bedoel je daarmee?'
'Dat je geest te veel weerstand biedt. Ik heb me stiekem naar
binnen moeten wurmen om je blokkades te ondermijnen.' Hij
glimlachte. 'En zelfs nu zal het nog een zware klus worden.'
'Stiekem.' Met samengeknepen lippen liet ze zijn woorden tot
haar doordringen. Je hebt je belofte gebroken.'
'Nee, dat heb ik niet. Je hebt me uitgenodigd, weet je nog?'
'Ik had niet verwacht dat je... Dus de afgelopen vier dagen heb
je... je hebt me helemaal niet gewaarschuwd, verdomme. Ik had
je graag willen helpen, maar het is niet eerlijk om...' ze haalde
diep adem. 'Wat heb je met me gedaan?'
'Gewoon, wat ik zei. Je dacht dat je er klaar voor was, maar
dat had je mis. Het zou me weken gekost hebben om ergens met
je te komen. En die hebben we niet.' Hij pakte een platte steen
en liet hem over het meer ketsen. 'Dat laatste contact met Trask
heeft je beschadigd. Je moet helen. En dit is de plek waar je je
al eerder op je gemak voelde met me, dus daarom blijven we
hier.'
'Het is niet echt.'
'Maar wel troostrijk. Je geniet van de zon op je gezicht en de
bloemen en het meer. Heel kalmerend allemaal, en dat kun je
op dit moment goed gebruiken.'
Dat viel niet te ontkennen. Ze voelde zich... ontbloot, naakt.
'Ik heb je gezegd dat je het niet prettig zou vinden.' Hij draaide zich om en keek haar aan. 'Er bestaat niets intiemers dan dit
wat we nu delen. Je bent bang voor intimiteit.'
'We delen helemaal niets. Jij hebt je binnengedrongen. Ik zie mezelf niet wroeten in jouw brein.'
'Die is raak. Ik zal een deal met je sluiten. Als je er klaar voor
bent zal ik je een keer een blik gunnen.' Hij grinnikte. 'Als je

dat aankunt. Mijn geest is op geen stukken na zo zuiver als die van jou.'

'Dat red ik wel. Slaap ik nu?'

'Ja, op die manier dring ik beter tot je door. Het duurt misschien nog even voor ik in wakkere staat tot je door kan dringen.'

'Ik smeek God op mijn blote knietjes dat dat nooit zal gebeuren.' Ze kruiste haar armen voor haar borst. 'Goed, we zijn er nu. Begin maar met de les.'

Hij schudde zijn hoofd. 'Rustig, rustig. Ontspan je.'

'En hoe word ik dat in godsnaam geacht te doen?'

'Daar kan ik je bij helpen.'

'Nee, laat maar.' Ze probeerde de stijfheid uit haar spieren te verdrijven. 'Er is maar één soort hulp dat ik van je wil.'

'Dan doe je het zelf.' Hij gaapte en liet zijn hoofd tegen de stam van de wilg rusten. 'En als je daar dan toch mee bezig bent, denk dan meteen eens na over je vader.'

'Hoe bedoel je?'

'Hij is een van de blokkades die weg moet.'

'Hij heeft er niets mee te maken.'

'Jawel. Ik moet het pad vrijmaken.' Hij deed zijn ogen dicht. 'Of je moet het zelf doen.'

Ze staarde hem ongelovig aan. 'Ga je slapen?'

'Waarschijnlijk. Ik ben moe. Ik heb al twee nachten niet geslapen, en we kunnen niet verder voor jij gewend bent aan het idee dat we samen zijn.'

'En dan laat je me gewoon hier achter?'

'Ik ben bij je. Ik kan dit decor instandhouden.' Hij glimlachte zwakjes. 'Ik ken je zo goed dat ik dat slapend kan.'

'Ik weet niet of ik wel wil dat je...'

'Ik ben te moe.' Hij gaapte weer. 'Maak me maar wakker als je iets wilt weten...'

Hij sliep, besefte ze verbolgen.

Natuurlijk sliep hij. Zelf sliep ze ook. Dit was gewoon een van zijn manipulatieve acties.

En het concept was te ingewikkeld om zich nu in te verdiepen. Ze staarde uit over het meer. Het zag er blauw en diep en helder uit. Ze vroeg zich af of ze het water zou kunnen voelen als ze haar hand uitstak. Vast. Silver was allesbehalve onnauwkeurig.

Maar ze wilde hem niet op de proef stellen. Ze was moe en prik-kelbaar en wilde niets liever dan hem laten slapen zodat ze zich even niet bezig hoefde te houden met hem of zijn verdomde droomlocatie.

En, oké, het was gelukkig een prettige vlucht uit de werkelijk-heid. Ze voelde hoe een koel briesje haar haren zachtjes van haar slapen blies en de geur van voorjaarsviooltjes met zich mee-voerde. Hij had deze droomwereld tot in perfectie uitgevoerd. Hoe deed hij het?

Stop met piekeren over Silvers talent. Het was er, en ze moest er gebruik van maken op de manier zoals hij gebruikmaakte van haar.

Hoor je me, Silver?

Geen antwoord. Misschien sliep hij echt.

Er vloeide een beetje van haar spanning weg toen ze naar hem keek. Zijn lippen waren zacht en licht geopend, en zijn lichaam deed haar denken aan de krachteloze ontspanning van een sla-pende kat. Hij zag er op geen stukken na zo intimiderend uit als in wakende staat.

Had hij een soort van posthypnotische opdracht bij haar ach-tergelaten om haar dat te laten denken? vroeg ze zich plotseling af.

'Nee, hoor,' antwoordde hij terwijl hij zijn ogen opendeed. 'Ik heb gewoon de blokkades opgeheven. Je zou me niet meer ver-trouwen als ik andere dingen deed.' Hij sloot zijn ogen weer. 'Wil je me nu alsjeblieft laten slapen?'

'Hoe heb ik je dan wakker gemaakt?'

'Scherpte... We zijn nu verbonden en ik voel de scherpte...'

Verbonden.

Ze voelde een instinctieve afkeer. Ze wilde op geen enkele ma-nier met hem verbonden zijn. 'Ik had niet verwacht dat het... Ik vind het niet prettig.'

'Te laat. Daar hebben we het later nog wel over.'

Te laat.

Omdat ze het ook voelde. Niet meer dan een fractie van saam-horigheid, maar toch.

Goed, ze had erom gevraagd. Accepteer het.

Ze dwong zichzelf haar ogen van hem af te wenden en naar het *meer te kijken. Ontspan je. Wen eraan. Hoe sneller ze leerde wat nodig was, hoe sneller hun band verbroken zou worden. Open je geest. Sluit je ogen. Ontspan je. Negeer dat vreemde gevoel dat je verenigd bent met Silver...*

'Ik ga je nu verlaten,' zei Silver.

Ze deed haar ogen open en zag de zon langzaam boven het meer zakken en het licht veranderen van helder naar zacht en schemerig. Hoe lang was ze hier geweest? vroeg ze zich af. Ze had gedommeld en was wakker geworden en weer weggedoezeld.

'Lang genoeg,' antwoordde Silver glimlachend. 'En nu ga je in diepe slaap vallen voor je rustig en uitgerust wakker wordt.'

'Dat klinkt verdacht veel naar een posthypnotische suggestie.'

'Nee, het is maar een voorstel. Vat het op zoals je wilt.'

'Maak je nooit gebruik van hypnose?' vroeg ze sceptisch.

'Dat heb ik je al gezegd: bij jou niet. Dat beloof ik je. Soms word ik er in zekere mate toe gedwongen bij een verwarde geest.'

'Wanneer bijvoorbeeld?'

'Bij Gillen.'

'De man met wie je telefonisch contact hebt. Wie is hij?'

'Eén van de gewonde zieltjes van Travis. Hij zit in een inrichting in de staat New York. Ik ben al een tijdje met hem aan het werk. Hij is een zwaar geval. Hij was al onstabiel voor hij gewond en in coma raakte. Ik moet alle zeilen bijzetten bij Gillen.'

'Om hem weer te repareren.'

'Als me dat lukt. Soms werkt het niet. Slaap lekker, Kerry...'

Hij was weg.

Nee!

Lieve God, wat voelde ze zich eenzaam. Ze wilde hem terug, besefte ze geschokt. Het was alsof er een deel van haar weggerukt was.

Verbonden.

Die gedachte beangstigde haar, maar dat was niet het enige gevoel dat ze op dit moment ondervond. Ze had niet verwacht zich zo verlaten te voelen.

Leeg. Zo leeg.

*Het water begon donker te worden, net als de lucht. Alles be-
gon wazig te worden...*

'Haar vader heeft vanavond gebeld,' zei Dickens tegen Trask
toen deze opnam. 'Ik geloof niet dat je iets met dat gesprek kunt
doen. Ze was niet bepaald vriendelijk tegen hem. Het zit niet
lekker tussen die twee. Blijkbaar heeft hij haar een aantal jaren
geleden op laten nemen in een inrichting.'
'Is ze labiel?'
'Vroeger. Ik heb daar in haar huidige leven geen bewijs van gevonden. Tenzij het geobsedeerd jagen op pyromanen daaronder
valt.'
'Een obsessie is niet altijd een teken van zwakheid,' antwoordde Trask. 'Ze hebben mij ook vaak genoeg geobsedeerd genoemd.'
'Heb je mijn dossier over haar ontvangen?'
'Jazeker. Bijzonder interessant.' Hij liet zijn ogen op de foto van
Kerry Murphy rusten die voor hem op zijn bureau lag. Ze keek
strak voor zich uit met een uitdrukking van schaamteloze trots.
'Ik wil meer weten. Blijf haar in de gaten houden.'
'En wat moet ik met Raztov?'
Daar dacht hij over na. Hij moest doorgaan met het afwikkelen van onafgewerkte zaken, maar Murphy had op dit moment
een te grote aantrekkingskracht. 'Zet hem voorlopig maar even
in de wacht. Vind een manier voor me om Kerry Murphy te
pakken.' Hij hing op, zijn blik nog steeds op de foto gericht.
Waarschijnlijk was Kerry Murphy een genoegen dat hij zich niet
kon veroorloven, maar hoe meer hij over haar te weten kwam,
hoe meer hij in haar ban raakte. Toen hij had gezien hoe ze naar
de overblijfselen van de boerderij van de familie Krazky had
staan staren, had hij een vreemde gewaarwording van empathie
en vertrouwdheid gehad. Dat gevoel was bijzonder sterk geweest
en had hem erg verrast. Het zou wel zijn omdat ze, op haar manier, net zo in de ban van brand was als hij. Het had net zo'n
stempel op haar leven gedrukt als op dat van hem. Het maakte
dat hij zich met haar verbonden voelde. Bijna net zo'n sterke
band als hij met Helen had gehad...
Zijn vinger volgde de omtrek van Kerry Murphy's wang. Het

voelde vreemd dat zij zo'n mengeling aan gevoelens bij hem opriep. Zijn woede en vernietigingsdrang die zich op de vreselijkste manier deden gelden, raakten gekleurd door een bijna seksueel te noemen tintje.

Want, ook al wist ze dat zelf niet, hij wist dat ze de branden die
ze bestreed niet haatte. Ze was erdoor gefascineerd; ze was erdoor bezeten.

En die bezetenheid schiep een sterke band tussen hen beiden.
Verbondenheid.

'Neemt u mij niet kwalijk, mevrouw Murphy. Maar het is na
twaalven en Brad zei dat u iets moest eten.'

Toen Kerry haar ogen opendeed zag ze George naast haar bed
staan met ontbijt op een dienblad. 'Meent u dat nou?' Ze gaapte en ging rechtop zitten. 'Het verbaast me dat u naar hem luistert.'

'Ach, zo af en toe kan het geen kwaad.' Hij plaatste het blad op
haar schoot. 'U hebt nog niet één keer fatsoenlijk gegeten sinds
u hier bent. En hij leek bijzonder overtuigd van zijn gelijk. Het
leek me niet verkeerd om hem een keertje zijn zin te geven.' Hij
keek haar met een schuin oog aan. 'Ik moet zeggen dat u er bijzonder uitgerust uitziet. Een keertje uitslapen heeft u goed gedaan.'

Ze voelde zich uitgerust. En rustig. Die verdomde Silver. Ze was
er nog steeds niet helemaal van overtuigd dat hij niet de een of
andere suggestie achtergelaten had toen hij...

'Waarom fronst u? Houdt u niet van pannenkoeken?'

Ze glimlachte. 'Ik ben dol op pannenkoeken.' Ze pakte haar
vork. 'Dank u, George.'

'Bedankt u Brad maar.' Hij liep naar de deur. 'Het was zijn suggestie.'

'Ik heb op het moment een beetje genoeg van zijn suggesties.'

'Is dat zo?' Hij keek naar haar om. 'Voelt u de behoefte daar
tekst en uitleg over te geven?'

'Nee.'

'Dat is jammer. Ik vermoed namelijk dat die opmerking op meer
dan één onderwerp sloeg.'

Ineens schoot haar iets te binnen. 'U was gisteravond niet hier toen we thuiskwamen. Of misschien ook wel. Was u vroeg naar bed gegaan?'

'Nee, ik was zelf op pad.'

'Waarheen?'

Hij glimlachte. 'Men zou het een verkenningsreisje kunnen noemen. Brad heeft me gezegd u te vragen hem te treffen als u aangekleed was.'

Hij was niet van plan haar te vertellen waar hij heen was geweest. Misschien had ze er niet naar moeten vragen. Iedereen had recht op privacy. 'Hoe voorkomend van hem.' Ze nam een hap van haar pannenkoek. 'Zeg maar tegen hem dat hij nu naar boven kan komen. Ik wil hem zien.'

'Hij zit aan de telefoon. Uit wat ik hoorde, maak ik op dat hij in gesprek is met iemand die getroost moet worden.' Hij trok een gezicht. 'Vreemd hoor: Brad in verzorgende functie. Als een tijger die een geit beschermt. Je verwacht niet anders dan dat hij hem elk moment zal bespringen.'

'Was het Gillen?'

Hij haalde zijn schouders op. 'Ik heb geen idee. U kent deze specifieke geit?'

'Ik weet van zijn bestaan, meer niet.' Ze nam een slokje koffie. 'En ik denk niet dat u zich zorgen hoeft te maken over Silver die hem zal verslinden. Misschien is hij niet zo meedogenloos als we dachten.'

'Rekent u daar maar niet op.' Hij bestudeerde haar. 'Bespeur ik hier intredende mildheid?'

'Nee, maar hij is ook maar een mens. Ik ben ervan overtuigd dat hij zijn goede en slechte kanten heeft.'

'Gisteren zou u me bestreden hebben als ik u dat had gezegd. Vanwaar die verandering van gedachten?'

'Gisteren was ik kwaad. Nu heb ik een goede nachtrust gehad en zie ik de dingen meer in proportie.'

'En daarom begint Silver meer op een huiskat dan op een tijger te lijken?'

Ze grinnikte. 'Zeker niet.'

Hij zuchtte opgelucht. 'Ik begon me al zorgen te maken dat uw gezond verstand u in de steek begon te laten.'

'Probeert u me te waarschuwen voor Silver? Dat is niet nodig,

George.' Ze liet zich in de kussens zakken. 'En het verbaast me dat u dat doet. Ik dacht dat u hem mocht.'

'O, zeker, dat is ook zo. Ik heb hem altijd graag gemogen. Ik bewonderde zijn broer, maar met Brad heb ik altijd een bepaalde verbondenheid gevoeld.'

'Omdat u ook een tijger bent?'

Hij schudde zijn hoofd. 'We hebben hetzelfde dierlijke instinct, maar ik beschouw mezelf meer als een luipaard. Minder recht door zee en bijzonder veranderlijk.'

'Veranderlijk...' Inderdaad, ze was zich bewust van de wispelturigheid onder Georges kalme uiterlijk. 'En desondanks hebt u gekozen voor een beroep dat het uiterste verlangt van vertrouwen en betrouwbaarheid.'

'Tja, dat is waar mijn Dr. Jekyll-persoonlijkheid om de hoek verschijnt,' glimlachte hij. 'En, zoals u net al zei: niemand is eendimensionaal.'

'Maar u bent ook geen Mr. Hyde.'

'Weet u dat zeker?'

'Ja.'

'Dan weet u meer dan ik.'

'Geloof me. De laatste tijd ben ik te veel in de nabijheid van een monster geweest om ze niet te herkennen wanneer ik er een tegenkom.'

'Trask.'

Ze knikte. 'En uw keuze lijkt telkens op de goede jongens te vallen. Silver heeft me verteld dat u vroeger bij de commando's zat en later voor de geheime dienst bent gaan werken. Waarom bent u butler geworden?'

'Waarom niet? Ik doe het goed en het salaris is buitengewoon.'

'Omdat...' Fronsend probeerde ze haar gedachten onder woorden te brengen. 'Ik zie gewoon niet... Het is veel te... beperkend.'

'Precies.' Hij lachte toen hij haar nadenkende gezicht zag. 'Hou op met te proberen me in een hokje te stoppen. Ik ben degene die alles graag ordentelijk doet.' Toen haar gezichtsuitdrukking niet veranderde, verdween zijn glimlach. 'Sommige mensen hebben het nu eenmaal nodig om beperkt te worden, Kerry. Toen ik als jongetje opgroeide in een familie van bedienden, besloot ik dat ik later nooit zo wilde worden. Het idee dat iedereen zijn eigen plek heeft in deze maatschappij vervulde me van afschuw. Ik ben weggelopen om mijn wilde haren kwijt te raken, en in de tussentijd ben ik een heleboel over mezelf aan de weet gekomen.'

'Zoals wat bijvoorbeeld?'

'Ik ben niet zo'n geciviliseerd persoon. Ik hóu van geweld. Ja, ik heb gekozen voor de goede kant, maar ik had naar de andere kant kunnen doorslaan. In sommige beroepen is het gebruik van geweld toegestaan, wordt het zelfs toegejuicht. Ik moest voor mezelf een kooi vinden waaruit ik niet gemakkelijk zou kunnen ontsnappen.'

'Een kooi...'

'Een kooi hoeft niet altijd zo slecht te zijn als je er zelf voor gekozen hebt.' Hij draaide zich om. 'En af en toe gun ik mezelf een extraatje om de boel een beetje op te vrolijken.'

'Wat voor extraatjes?'

Met glinsterende ogen keek hij haar aan. 'Nieuwsgierigheid, bijvoorbeeld. Ik heb een onverzadigbare honger naar andermans geheimen die gestild moet worden. Vergeet dat niet, Kerry.' Hij deed de deur open. 'Ik zal tegen Brad zeggen dat hij boven moet komen als hij klaar is aan de telefoon.'

'Oké.' Nadenkend staarde ze naar de gesloten deur. De opstelling van George naar haar was overduidelijk veranderd, met als bewijs het feit dat hij haar nu bij haar voornaam had genoemd, en zijn laatste opmerking was absoluut een waarschuwing geweest. George hield er niet van buitengesloten te worden, en hij was zeker angstaanjagender dan ze had gedacht. Niet dat ze hem bedreigend vond, maar zijn droge humor en vriendelijke manier van doen hadden haar toch op het verkeerde been gezet, ondanks het feit dat Silver haar over zijn achtergrond had ingelicht. Die fout zou ze vanaf nu niet meer maken. Op zijn eigen manier zou hij wel eens gevaarlijker kunnen blijken te zijn dan Silver.

Nee, de gedachte alleen al dat ze Silvers kracht niet serieus nam, was verontrustend. Ze begon hem te veel te vertrouwen.

Hoewel? Hoe vaak had ze al niet aan hem getwijfeld vanaf het moment dat ze wakker was geworden vandaag? Maar de meeste van die twijfels had ze direct weer van zich afgezet.

Omdat ze wilde dat hij aan de goede kant stond. Ze wilde hem vertrouwen. O, verdomme.

Ze schoof het dienblad opzij en stapte uit bed. Hou op met dat gepieker. De vorige avond was bizar en verwarrend geweest en ze snakte naar zowel uitleg als geruststelling. Waarschijnlijk had ze nog wel even tijd om haar gezicht te wassen en tanden te poetsen voor hij verscheen. Ze wilde hem wakker en vol zelfvertrouwen onder ogen komen.

Dat kon ze vergeten. Haar zelfvertrouwen was volledig verdwenen op het moment dat ze Silver ontmoet had.

Silver stond de resten van haar ontbijt te bekijken toen ze tien minuten later uit de badkamer kwam. 'Je hebt bijna alles opgegeten. Goed zo.'

'Fijn dat je dat goedkeurt.' Ze plofte op bed en schoof haar voeten in een paar slippers. 'Hoe is het met Gillen?'

'Niet best. Het kan zijn dat ik naar hem toe moet. Ik kan hem niet veel langer aan zijn lot overlaten.' Hij ging in een gemakkelijke stoel zitten. 'Hoe gaat het met jou vandaag?'

'Je klinkt als een therapeut. Met mij gaat het goed, dank je.'

'Strijk die stekels maar weer plat. Het was maar een vraag.'

'Ik ben Gillen niet. Ik zit niet te wachten op je diensten om alles weer op een rijtje te krijgen. Ik wil maar één ding van je, en dat heb je me gisteravond niet gegeven.'

'Ik heb je gezegd dat het niet van de ene op de andere dag zou gaan. Misschien maken we de volgende keer meer vorderingen.'

'En misschien ook niet. Als je elke keer moet wachten tot ik in slaap val, dan kan het nog weken duren voor...'

'Ik hoef de komende keren dat we samen zijn niet meer te wachten op je REM-slaap. Het maakte de eerste keer alleen gemakkelijker. Je hoeft niets anders te doen dan ontspannen en ik ben bij je.'

De komende keren dat we samen zijn. Ik ben bij je...

Die woorden klonken ongelooflijk intiem. Maar misschien waren het niet de woorden zelf, maar de herinnering aan hoe ze had toegekeken hoe hij met zijn hoofd tegen de stam van de wilg stond te slapen. Ze likte haar lippen. 'Is het zo gemakkelijk voor je?'

'Alleen als je me helpt.'

'Gisteravond had je geen hulp nodig. Je had alles onder controle.'

'En dat kun je niet uitstaan.' Hij zuchtte. 'Het is óf het één, óf het ander, Kerry.'

Ze wendde haar blik af. 'Ik vond het bedreigend. Ik had niet verwacht dat het zo zou zijn.'

'Ga door.'

'Ik hoef niet door te gaan. Je weet waarschijnlijk heel goed hoe…' Ze keek hem aan. 'Ik voelde me… verbonden met je. Een deel van je. Je had niet gezegd dat dat erbij hoorde.'

'Het is elke keer anders. Ik wist dat er intimiteit aan te pas zou komen. Maar ik wist niet of jij dat ook zou voelen. Of dat ik het zelf zou voelen.'

'Nou, ik heb het wel gevoeld, verdomme,' zei ze vinnig. 'Gaat dat voorbij?'

'Waarschijnlijk wel.'

'Wanneer?'

Hij haalde zijn schouders op. 'Ik heb geen idee.'

'Dat is niet wat ik wil horen. Is dit je nooit eerder overkomen?'

'Twee keer. Toen ik net begon met experimenteren. Maar niet zo sterk als dit. Veel zwakker.'

'Met wie was dat?'

'Met een tienjarig jongetje en een oudere Italiaanse dame.'

'En wat is er toen gebeurd?'

'De oudere dame stierf een paar jaar later. Geen van beiden heeft ooit geweten dat die band er was.'

'En het jongetje?'

'Dat is vervaagd.'

'Maar niet helemaal verdwenen?'

'Nee, maar het heeft nooit in de weg gezeten.' Hij vloekte. 'Jij bent niet de enige die in dit schuitje zit. Wat wil je dat ik zeg? Ik ben Superman niet. Ik heb niet overal een oplossing voor. Jezus, ik weet nog geen tiende van wat er zich in jouw hoofd afspeelt. Zoals ik al zei: iedereen is anders.'

'Maar ik wil niet dat het sterker wordt,' zei ze met opeengeklemde kaken. 'Zorg dat het ophoudt.'

'Ik zal mijn best doen.' Hij keek haar recht aan. 'Maar ik kan je niets beloven. Als je daar een probleem mee hebt, dan kunnen we er nu beter mee stoppen.'

Ja, daar had ze problemen mee. Maar ze was niet van plan nu te stoppen. Ze was te ver gekomen om er nu mee op te houden. 'Nee.' Met grote moeite wendde ze haar blik af. 'Maar probeer het alsjeblieft niet verder te laten gaan. Ik word er bang van.'

'Dat zei je al, ja.' Hij boog zich naar voren en legde een hand op die van haar. 'Het komt wel goed, Kerry. We vinden wel een manier waar jij iets mee kunt.'

Zijn hand lag hard en warm op haar huid, en plotseling voelde ze zich geborgen en toch niet… veilig.

Verstoord.

Hitte.

Jezus.

Ze trok haar hand weg en kwam met een schok overeind. 'Ik ga me aankleden en Sam zoeken. Hij moet eruit.'

'Hij is in de keuken.'

'Des te meer reden om hem mee naar buiten te nemen voor een wandeling.' Ze liep naar de badkamer. 'Hij is waarschijnlijk helemaal volgestopt. Ik zie je straks.'

'Ja.' Hij klonk verstrooid en zo zag hij er ook uit toen hij langzaam ging staan. 'Tot straks.'

Hij wist wat er door haar heen ging. Hoe kon hem dat in godsnaam ontgaan? Hun band was zo hecht dat ze niet eens adem kon halen zonder dat hij het wist. Bij de deur bleef ze staan. 'Het betekent niets. Het is alleen dat deze… intimiteit… Het betekent niets.'

'Dat weet ik,' antwoordde hij zachtjes. 'Je hoeft me niets uit te leggen.'

Nee, dat hoefde ze inderdaad niet, dacht ze gefrustreerd. Omdat hij haar door en door kende. 'Het verdwijnt wel weer. Daar zal ik voor zorgen.' Ze smeet de deur achter haar rug dicht.

10

'Ik heb klachten over je gekregen, Dickens,' zei Ki Yong op mier-zoete toon. 'Trask is niet blij met je.'

Dickens' greep om de telefoon verstevigde. 'Zoek dan maar ie-mand anders om zijn vuile werk op te knappen. Ik heb geen zin om mijn nek uit te steken voor die achterlijke gek.'

'Jij denkt dat hij gek is?'

'Wat denkt u?'

Het bleef even stil aan de andere kant van de lijn. 'Misschien heb je gelijk. Ik heb inderdaad tekenen van instabiliteit opge-vangen. Maar dat is allemaal niet van belang zolang we hem onder controle hebben. Dat is de reden dat ik loyale mannen als jij inzet om een oogje op hem te houden.'

'Ze zullen hem pakken. Hij neemt te veel risico's. De gevolgen interesseren hem nagenoeg niets als hij de kick van het doden maar krijgt.'

'Hij is razend slim. Hij kan doen wat hij wil en overeind blij-ven.'

'Maar hoe lang kan hij dat nog blijven doen? Hij begint de draad kwijt te raken. Hij heeft me van Raztov gehaald en op Kerry Murphy gezet. En gisteravond kwam hij ineens met het verhaal dat ik bij de werven op zoek moet gaan naar een verlaten pak-huis.'

'Werkelijk? Merkwaardig. Wat zou hij daarmee van plan zijn?'

'Ongeacht wat het is, het interesseert hem totaal niet of ik daar-bij ingerekend word.'

'Dat geloof ik niet. Daar weet je te veel voor. Hij wil vast niet dat je gepakt wordt.' Na een korte pauze vroeg hij: 'Hoeveel weet je precies, Dickens? Weet je al waar we Trask kunnen vin-den?'

'Hoe zou ik dat moeten weten?' Dickens probeerde niet eens zijn frustratie te verbergen. 'Als hij me wil zien, dan hoor ik dat pas dertig of veertig minuten van tevoren, en het is nooit op dezelfde plek. Meestal neemt hij contact met me op via de telefoon. Hij is ontzettend voorzichtig.'

'Er moet een manier te vinden zijn. Als het je lukt een ontmoeting met hem te regelen onder een of ander voorwendsel, dan zou ik je erg dankbaar zijn. En je zou er een rijk man van worden.'

'Ja, dat hebt u eerder gezegd. Daar trapt hij nooit in.'

'Blijf het proberen. Het zou ideaal zijn als we hem met zijn volledige medewerking in handen kregen, maar ik wil niet dat de autoriteiten hem in handen krijgen. De beste manier om dat te voorkomen, is door hem weg te halen.'

'Voordat hij klaar is met zijn zwarte lijst?'

'Die wraakacties van hem interesseren me niet. Ik wil de worst die hij me voor heeft gehouden. En die zal ik hebben zodra ik hem hier heb.'

Dickens twijfelde er niet aan dat Ki Yong dat zou lukken. Bij zijn contacten met de Noord-Koreaan was het een koelbloedige klootzak gebleken. Hij kreeg bijna medelijden met Trask als Ki Yong zijn zin kreeg.

Bijna.

'Ik zal mijn best doen.' Hij zweeg even. 'Hij is volledig geobsedeerd door die Kerry Murphy. Misschien kan ik haar gebruiken om hem te pakken te krijgen.'

'Kerry Murphy...' Dickens kon de radertjes in Ki Yongs hersenen bijna horen malen terwijl hij dacht aan de dingen die Dickens hem over de vrouw had verteld. 'Ik neem aan dat dat een mogelijkheid is. Maar er zit geen wraakfactor in. Denk je dat er genoeg emotie meespeelt om hem aan te zetten tot een onoverwogen handeling?'

'Hoe moet ik dat nou weten? Ik weet alleen maar dat hij me van Raztov af heeft gehaald.'

'En dat alleen is al genoeg om deze mogelijkheid verder uit te diepen,' antwoordde Ki Yong. 'Misschien heb je een manier gevonden om er allebei beter van te worden, Dickens. Hou me op de hoogte.' Hij hing op.

Dickens duwde de telefoon in zijn zak. Arrogante klootzak. Hij had net zo'n hekel aan Ki Yong als aan Trask, maar de Koreaan betaalde goed en hij had liever te maken met diens ijzige meedogenloosheid dan met Trasks wispelturigheid. Hij kon altijd precies voorspellen welke kant Ki Yong op zou springen omdat hij gedreven werd door kille logica. Trask daarentegen was geniaal, maar wraakzuchtige mannen gedroegen zich vaak grillig, en Dickens had het niet op onvoorspelbaarheid. Dickens zag het pad waarheen Trask hem leidde niet voor zich, en als hij niet voorzichtig was kon de klootzak zijn dood betekenen.

Vanavond bijvoorbeeld.

Hij zette de auto stil en staarde naar de rij verlaten pakhuizen langs de straat. Twee ervan waren onbewoonbaar verklaard, en hij mocht van geluk spreken als de vloer niet onder zijn voeten in zou zakken en hem in de kelder zou doen storten.

Wat deed hij hier überhaupt?

Dat wat die gek hem had gezegd. Hij stapte uit de auto en liep naar het eerste pakhuis. Vooruit, afhandelen dit zaakje.

Hier moest een einde aan komen. Hij kon niet bij elke kik die Trask gaf in de houding blijven springen. Hij moest een manier zien te vinden om Trask op een zilveren blaadje aan Ki Yong te presenteren, zijn eigen zakken te vullen en te maken dat hij wegkwam.

Maar daarvoor moest hij misschien eerst een manier zien te vinden om Kerry Murphy aan Trask aan te bieden...

'Waarom haat je je vader?' Silver trok een grassprietje uit de grond en kauwde er bedachtzaam op.

'Ik haat hem niet. Ik mag hem gewoon niet.' Kerry staarde over het meer. 'En je zou moeten weten waarom ik hem niet aardig vind. Hij heeft me in die inrichting gedumpt.'

'Je mocht hem voor die tijd al niet. Je relatie met hem is altijd verstoord geweest.'

'Niet alle kinderen kunnen goed opschieten met hun ouders.'

'Maar je bent een liefhebbend persoon. Je gelooft in het onderhouden van familiebanden. Je hebt je broer vergeven. Waarom je vader dan niet?'

'Daar praat ik liever niet over.'

'Ook goed, maar denk er dan eens over na.'

Geïrriteerd keek ze hem aan. 'Dat is hetzelfde als...' Hij zat haar

*plagerig aan te kijken en ondanks zichzelf glimlachte ze. 'Be-
moei je met je eigen zaken, Silver. Ik zit niet te wachten op een
goede relatie met mijn vader.'*

*'Waarom niet? Denk je niet dat je daar eens over na zou moe-
ten denken?'*

*'Nee.' Ze draaide zich op haar rug en ging zitten. 'Ik zou wel
eens willen weten waarom jij het fijn schijnt te vinden hier lui
te zitten en mij domme vragen te stellen in plaats van me les te
geven. Wanneer gaan we nu eens echt iets doen?'*

*'Het is pas de derde keer dat we hier zijn. En ik ben gelukkig.'
Hij strekte zijn arm om een nieuw grassprietje te pakken. 'Net
als jij. Jij vindt het hier fijn.'*

*Hoe kon het ook anders? Ridderspoor en groen gras, een glin-
sterend meer en de man die deel van haar uit was gaan maken.
'Ik denk dat je me gehersenspoeld hebt.'*

*Hij schudde zijn hoofd. 'Je bent gewoon aan me gewend ge-
raakt. Alles bij elkaar is het niet eens zo erg om me hier te hebben, is het wel?'*

*Ze was inderdaad aan hem gewend geraakt. Vreemd hoezeer ze
zich op haar gemak voelde met hem. Ze verheugde zich zelfs op
het openen van haar ogen en hem te zien zitten aan het meer
terwijl hij naar haar glimlachte. 'Toch wel.'*

'Leugenaar,' grinnikte hij. 'Je vindt me aardig.'

*Jezus, wat hield ze van die lach. Hij had een diepe stem, maar
er klonk iets jongensachtigs in door. 'Soms.'*

'Meestal.'

*'Als je je niet met mijn zaken bemoeit.' Ze keek hem streng aan.
'En nu aan de slag.'*

'Ik ben al bezig.'

Behoedzaam keek ze hem aan. 'Heb je aan me zitten prutsen?'

*'Alleen om een paar blokkades op te werpen. Ik wilde je be-
schermen.'*

*Laat je niet murw maken. 'Waarom heb je dan niet verteld wat
je aan het doen was?'*

*'Ik wilde geen hulp krijgen. Je afweermechanisme zal nu auto-
matisch inschakelen. Het is er als je het nodig hebt.'*

'Dat is alles?'

Hij knikte. 'Dat is alles.'

'Laat eens zien dan?'
'Geloof me maar.'
'Laat eens zien. Ik wil zien wat er...'
Ze gilde het uit van de pijn.

Papa!
Brand. Rook.
Mama. Ga mama helpen.
Kon niet helpen. Kon niet helpen. Kon niet helpen.
De man keek omlaag en hij had iets in zijn hand.
Nee! Ga weg! Ga weg!

Weg.
'Het spijt me.' Ze deed haar ogen open en zag Silvers gezicht
boven dat van haar. 'Gaat het?'
'Nee.' Ze kon de tranen die over haar wangen stroomden niet
bedwingen. 'Wat heb je godverdomme met me gedaan?'
'Ik heb het je laten zien,' antwoordde hij simpelweg. 'Ik heb je
aangevallen en je vocht terug.'
'Verdomme.'
'Je was me niet dankbaar geweest als ik voorzichtig was geweest.
Ik moest je ergens raken waar het pijn zou doen.'
'Dat is je gelukt,' antwoordde ze met trillende lippen terwijl ze
probeerde haar stem in bedwang te houden. 'Dat deed ontzet-
tend pijn.'
'Ik weet het.' Hij stak zijn hand uit en streek over haar wang.
'Maar volgende keer kun je er eerder een eind aan maken nu je
weet hoe dat moet.'
Ze ademde diep in. 'Goed. Je hebt een manier gevonden om me
te beschermen; nu wil ik leren hoe ik me op kan dringen.'
Hij liet zijn hand zakken. 'Ik vind je anders al opdringerig genoeg. Je hebt net iets heel belangrijks geleerd. Neem even de tijd
om dat tot je door te laten dringen voor je de volgende stap zet.'
'Ik heb geen zin om te wachten. Ik wil bouwen op wat ik net
heb geleerd. Leer het me.'
'Ik heb je gezegd dat ik niet zeker weet of ik je daarmee kan
helpen.'
'Dan weten we het maar niet zeker. Ik moet het in ieder geval

proberen. Vertel me hoe het bij jou werkt. Hoe laat je mensen doen wat jij wilt?'

'Ten eerste moet je er zeker van zijn dat je onderwerp zich niet voor je afsluit.'

'Trask sluit zich niet voor me af. Elke keer als ik bij hem in de buurt ben spuit hij zijn gif als een vulkaan over me uit.'

'Daarna ga je naar binnen en moet je je weg banen zonder je af te laten leiden door bijzaken.'

'Welke weg?'

'Dat merk je vanzelf. Als je de geest binnen bent, is het als een kronkelige tunnel met heel veel zijwegen. De meeste weggetjes zijn doodlopend en sommige ervan zijn gebarricadeerd. Maar een enkele leidt helemaal naar het invloedscentrum. Als je zo'n weg vindt, dan moet je naar binnen en duwen. Zonder opdrachten. Probeer het met suggesties.'

'Hoe bedoel je?'

'Als je wilt dat hij in het meer springt, laat hem dan denken dat hij het warm heeft en dat hij wil gaan zwemmen.'

'En dan doet hij dat?'

'Zo werkt het bij mij.' Hij stak een hand op toen ze iets wilde zeggen. *'Ja, ik weet het. Zo zal het voor jou ook moeten werken.'*

'En ik heb verdomme niemand om mee te oefenen. Ik kan bij niemand naar binnen, behalve bij Trask.'

'Je kunt het bij mij proberen.'

'Alsof jij je voor iemand openstelt.'

'Meer kan ik je niet bieden. Het is een grote concessie voor me.' Ze zuchtte. *'Oké, ik zal het proberen.'*

'Op die manier leer je in ieder geval de basistechniek. Maar wees niet teleurgesteld als het niet meteen lukt. Concentreer je en beeld je in dat er een muur voor je staat die je weg moet hakken om aan de andere kant te komen...'

'Ik zei toch dat het niet gemakkelijk zou zijn?' zei Silver. *'Ik denk dat we maar beter even kunnen stoppen.'*

Het meer en het grasveld losten op in duisternis.

Ze deed haar ogen open en zag Silver naast haar bed zitten. *'Waarom lukte het niet?'* Ze balde haar vuisten. *'Ik heb zo mijn best gedaan.'*

'Misschien wel te veel.' Hij stond op. 'Morgen proberen we het opnieuw.'

'Wil je dat ik blijf hakken in die denkbeeldige muur?' Ze grijnsde. 'Ik heb zin om dat ding op te blazen. Voelde je iets van vooruitgang?'

'Een beetje,' glimlachte hij. 'Ik voelde je duwen.' Hij liep naar de deur. 'Ik herhaal: we proberen het nog een keer als je geslapen hebt. Je moet nu rusten.'

'Hoe laat is het?'

'Kwart voor vier 's morgens.' Hij keek even om. 'Je zult zien dat je doodmoe bent. Slaap maar lekker uit.'

Ze schudde haar hoofd. 'Ik ben klaarwakker.'

'Dat gaat zo wel over. Het zal zijn alsof de plug uit de dijk schiet.'

Ze trok een gezicht. 'Goh, wat een vergelijkingen vannacht. Eerst muren en nu dijken.'

'Ik zal proberen minder voorspelbaar te zijn voortaan. Welterusten.'

'Nee, ik wil het nog een keer proberen. Ik kan het. Ik weet dat ik het kan.' Toen ze zag dat hij wilde weigeren, voegde ze daar gehaast aan toe: 'Nog één keertje. Alsjeblieft?'

'Je weet niet van ophouden, jij,' zei hij halfgrijnzend. 'Goed dan, nog één keer.'

Ze was binnen!

'Gefeliciteerd. En nu moet je op zoek naar de weg.'

'Zeur niet. Ik probeer te wennen aan...'

Aan wat?

De schaduwen.

'Je bent anders dan Trask. Ik kan niet voelen wat je voelt. Jij zit... verborgen.'

'Inderdaad. Precies zoals ik het wil. Doe je best, probeer wat je kunt. Zoek de weg.'

'Ik zie niets.'

'Voel. Concentreer je. Je wilde het zelf. Nu moet je doorzetten.'

'Zit me niet zo af te blaffen. Het is niet mijn schuld dat ik ongewenst op bezoek ben. Nou ja, misschien ook wel, maar dat heb je verdiend. Nu merk je eens hoe het voelt.'

Hij zweeg. 'Je hebt gelijk. Ik heb het verdiend. Maar dat bete-
kent niet dat ik er niet over zeur.'
'Dat blijkt.'
'Nou, aan de slag dan, zoek de weg.'

'Het is me niet gelukt, hè? Of wel?' Ze klom uit bed en liep naar het raam. 'Ik heb die kloteweg en dat invloedscentrum van je gevonden en toen? Niks.'

'Ik heb je gewaarschuwd dat het misschien niet zou lukken bij mij.'

'Het had best gekund als jij je verdomde beveiligingsblokkades een beetje verlaagd had. Dat was toch niet te veel gevraagd?'

'Jawel. Ik heb gedaan wat ik kon.' Zwijgend bestudeerde hij haar gespannen rug. 'Je hebt een heleboel opgestoken, en met een beetje oefening wordt dat alleen maar beter.'

'Maar we hebben geen idee of het zal werken bij Trask. Misschien merkt hij dat ik er ben. Misschien weet ik me geen weg te banen door die beerput van hem. Misschien gebeurde er eigenlijk niets toen ik dacht dat ik je duwde.'

'Er gebeurde wel wat.'

'Hoeveel? Genoeg?'

'Ik weet het niet.'

'Ik ook niet. Het is alsof ik in het donker rondstommelde, en ik zal pas echt weten hoe het is als ik bij Trask ben.'

'Dat is precies wat ik je al die tijd al probeer te vertellen.' Hij liep naar de deur. 'En nu ga ik naar bed. Je beseft het misschien niet, maar je hebt me uitgeput.'

'Ja, omdat je het zo druk had met me blind en uit de buurt te houden, geheimzinnige klootzak die je er bent.'

'Fijn dat je me zo goed begint te kennen. Ik zie je als je weer wakker bent.'

Ze keek toe hoe de deur achter hem dicht ging.

Eenzaamheid.

Jezus, alsof het nog niet erg genoeg was dat ze zich zo verlaten voelde wanneer ze mentaal gescheiden waren. En nu begon ze een lichamelijk gemis te voelen als ze niet samen in een ruimte waren.

Zet het van je af. Het kwam allemaal door dat verdomde saamhorigheidsgevoel. Of als ze het niet van zich af kon zetten, moest ze er maar gewoon mee leren leven tot ze uit zijn leven kon verdwijnen.

Maar er was geen schijn van kans dat ze nu zou kunnen slapen. Ze had te veel en tegelijkertijd te weinig gedaan. Dat ontspannen kon ze wel vergeten. Ze was zo gespannen als een afkickende drugsverslaafde. God, misschien werkte dat samenzijn van hen wel verslavend. Het was al eerder tot haar doorgedrongen dat de tijd die ze met Silver bij het meer doorbracht loom verleidelijk werkte, met een bijna sensuele schoonheid.

Omdat dat was wat hij wilde.

Zet hem uit je hoofd. Hij domineerde al een veel te groot deel van haar leven. Ga douchen en ontspan je.

Ze draaide zich om en liep naar de badkamer. Ja, dat zou ze doen. Een warme douche nemen om weer tot zichzelf te komen. Dan kon ze gaan slapen en oefenen met de macht die Silver haar gegeven had om alle gedachten aan hem van zich af te houden.

Ze stond zich net af te drogen toen haar telefoon ging. Ze bevroor. Het was vier uur in de ochtend. Jason?

Haastig sloeg ze haar handdoek om en stoof ze de badkamer uit om haar mobiele telefoon van het nachtkastje te pakken.

'Je klinkt behoorlijk wakker op dit uur van de ochtend. Heb ik je wakker gemaakt, Kerry?'

Dit was Jason niet. Ze herkende de stem van deze man niet. Hij was diep, glad en elke lettergreep werd duidelijk articulerend uitgesproken. 'Met wie spreek ik?'

'Ik denk dat je dat wel kunt raden. Ach nee, dat is een kinderachtig spelletje en we zijn geen kinderen. Je spreekt met James Trask.'

Er ging een schok door haar heen.

'Je zegt niets,' zei Trask. 'Geloof je me niet?'

'Jawel.' Ze hield haar stem met moeite in bedwang. 'Wat wil je van me, Trask?'

'Het leek me tijd worden om elkaar eens te spreken. Ik heb de laatste tijd veel aan je gedacht.'

'Dat kan ik me voorstellen. Waarschijnlijk kwijl je bij het idee mij te laten ontbranden zoals je bij Joyce Fairchild hebt gedaan.'

'Welnee, dat stadium ben ik allang voorbij. Hoewel ik moet toe-geven dat dat mijn eerste plan was. Het heeft me bijzonder geër-gerd dat je in Macon aan Firestorm hebt weten te ontsnappen.'

'Mijn schoonzusje is niet ontsnapt. Haar baby is gestorven.'

'En verwacht je nu dat me dat zal spijten? Ze liepen me in de weg.' Hij zweeg even. 'Eigenlijk is het jouw schuld dat haar ba-by dood is. Had je maar niet onder een hoedje moeten gaan spe-len met Silver.'

'En dat is een verontschuldiging voor je gedrag?'

'Ik verontschuldig me helemaal nergens voor. Ik constateer ge-woon een feit.'

Hij zei het op nonchalante, emotieloze toon, en het kostte Ker-ry grote moeite om haar opkomende woede te onderdrukken. 'Waarom bel je?'

'Ik wilde je stem horen. Ik zat naar je foto te kijken en te be-denken hoeveel we op elkaar lijken.'

'Nonsens.'

Hij grinnikte. 'Ach, wat klink je gepikeerd. Maar het is zo, Ker-ry. Denk er maar eens over na.'

'Je bent een moordenaar. Ik hoef er niet over na te denken.'

'Is het de bedoeling dat ik daar kwaad om word? Moord is ge-woon maar een woord. In de juiste omstandigheden zou jij ook kunnen doden. Kun je geen situatie bedenken?'

'Nee.'

'En als je mij nu eens kon doden?'

Ze ademde diep in. 'Ik ga ophangen.'

'Dat denk ik niet. Daarvoor ben je veel te nieuwsgierig naar me. Net als ik naar jou.'

'Ik ben alleen maar nieuwsgierig naar hoe een klootzak als jij moord rechtvaardigt.'

'De truc is dat je het niet moet rechtvaardigen maar gewoon moet accepteren. En je belangstelling gaat veel verder dan alleen die vraag. Waarom zou je anders naar Marionville zijn gegaan?'

Ze gaf geen antwoord op die vraag. 'Waarom ben je me ge-volgd?'

'Om dezelfde reden als jij daarheen bent gegaan. Ik begin te ge-loven dat we gelijkgestemde zielen zijn.'

'Vergeet het maar.'

'En, hoe vond je het huis van de familie Krazky? Ik moet zeggen dat ik er erg trots op was.'

'Er zijn drie kinderen omgekomen bij die brand.'

'Tim Krazky was een tiran. Ik hou niet van tirannen.'

'Dus toen heb je hem en zijn familie maar vermoord.'

'Een brand zuivert en verwoest alle lelijkheid. Tim Krazky was heel lelijk.' Hij grinnikte. 'Hoewel ik vermoed dat hij er door de brand niet mooier op geworden is.'

'Jezus, je bent gek.'

'Je zou me kwetsen als ik dacht dat je dat meende. Maar ik weet dat het een onderdeel is van de strijd die je al je hele leven levert. Je hebt een verkeerde afslag genomen en bent blind voor de waarheid, maar dat geeft niet. Ik zal het je allemaal nog wel leren. Tenzij Firestorm je zal moeten doden. Ik merk dat ik die mogelijkheid betreur. Vreemd, niet?'

'Mijn strijd is nu juist tegen mensen zoals jij.'

'Er is niemand zoals ik. Behalve jij misschien.' Hij zweeg even. 'Maar je hebt me nog geen antwoord gegeven. Als je de kans kreeg mij te doden, zou je het dan doen?'

'Ja.'

'Dat was moeilijk, hè? Het kost de meeste mensen erg veel moeite om toe te geven dat ze het in zich hebben om te kunnen doden. Wanneer je het eenmaal aan jezelf hebt bekend, is het veel eenvoudiger.'

'Leidt dit gesprek nog ergens toe?'

'Krijg je haast?' grinnikte hij. 'Zou ik ook hebben. Vanaf het moment dat ik je bij de ruïne in Marionville heb gezien, wist ik dat we op elkaar leken. Ik heb me nog nooit zo verbonden met iemand gevoeld. We zijn twee kanten van dezelfde munt.'

'Ik weet niet waar je het over hebt.'

'Je weet precies waar ik het over heb. We houden allebei van het kind.'

'Het kind? Vuur. Heb je het over vuur?'

'Natuurlijk. Je denkt waarschijnlijk dat je niet van vuur houdt, maar dat is niet waar. Het heeft je leven beheerst, en ondanks jezelf fascineert het je.'

'Je bent gestoord.'

'Nee, je ziet het gewoon niet helder. Ik vind het mijn taak om je de ogen te openen voordat het kind je tot zich neemt. Mijn taak die ik met genoegen uit zal voeren.'

Onderdruk je woede. 'Laten we elkaar dan ontmoeten.'

'Daar ben je nog niet klaar voor. Je moet er eerst rijp voor zijn. Je moet de kracht van leven en dood kunnen voelen en ervan overtuigd zijn dat je de macht in handen hebt. Een beter gevoel dan dat bestaat er niet.'

'Ik heb geen idee waar je het over hebt.'

'Dat komt nog wel. Hoe is het met je hond?'

De verandering van onderwerp bracht haar van haar stuk. 'Hoe bedoel je?'

'Ik heb besloten die wonderhond van je wat oefening te geven. Ik moet een paar proeven uitvoeren om wat problemen met mijn werkmateriaal op te lossen. Er ging iets niet helemaal naar wens bij het huis van je broer in Macon. Ik geloof dat ik nu de juiste aanpassingen heb verricht, maar ik zal moeten proefdraaien.'

Het was alsof ze een stomp in haar maag kreeg. 'Proefdraaien? Op een van de mensen van je zwarte lijst?'

'O, nee hoor. Ik heb iets anders in gedachten. Iets dat ons samen zal brengen. Ik heb een uitdaging voor je. Heb je enig idee hoeveel pakhuizen er zijn in de regio Washington?'

'Nee.'

'Dan zou ik dat maar eens gaan uitzoeken. Of je hond aan het speuren zetten. Ach, hoe heet hij ook weer? O ja, Sam.'

'Je zegt dus dat je een pakhuis gaat vernietigen.'

'Inderdaad. Maar het zou geen echte test zijn als er niets anders dan onroerend goed te verbranden viel.' Hij liet een stilte vallen. 'Ik zal een zorgvuldige keuze maken. Ik wil een jong iemand die haar hele leven nog voor zich heeft. Een tienermeisje bijvoorbeeld...'

'Gore klootzak.'

'Ja, ik zie haar al helemaal voor me. Een beetje dikkig, met lang donker haar. Een prachtige, zijdezachte olijfkleurige huid. Als ze niet zo'n afschuwelijke spijkerbroek met scheuren zou dragen, zou ze eruitzien als een jonge Mona Lisa. Zoveel mogelijkheden nog en zo weinig inzicht.'

'Wie is ze?'

'Als je het pakhuis zoekt, vind je haar misschien.'

'En door mezelf te vertonen kun jij me vermoorden.'

'Die kans bestaat natuurlijk,' antwoordde hij geamuseerd. 'Maar het moet een hele uitdaging voor je zijn om uit te zoeken of jij je eigen hachje belangrijker vindt dan dat van een arme onschuldige tiener. Zie het als een ontdekkingsreis naar je ware ik.'

'Waarom doe je dit?'

'Misschien verveel ik me en zoek ik een uitdaging voor jou en mezelf. Of misschien wil ik je naar Firestorm trekken om alle leugens die je jezelf hebt verteld in rook te doen opgaan.' Na een korte pauze vervolgde hij: 'Of misschien wel omdat ik eenzaam ben. Je bent de eerste vrouw waar ik iets voor voel sinds Helen. Het maakt niet uit welke van de drie mogelijkheden de ware is.'

'Helen?'

Hij negeerde haar vraag. 'Ik ga je nu ophangen. Leuk je gesproken te...'

'Wacht. Wanneer ga je... hoeveel tijd heb ik?'

'Twee dagen. Middernacht. De welbekende tikkende klok. Spannend, toch?' Hij hing op.

Christus.

Ze smeet haar telefoon neer en rende naar de deur. Ze moest naar Silver.

Twee dagen...

'In godsnaam, hou op met bibberen.' Silver griste een deken van zijn bed en wikkelde haar daarin. 'Het komt allemaal goed.'

'Jij hebt zijn stem niet gehoord.' Ze trok de deken vaster om zich heen. God, wat had ze het koud. 'Hij gaat haar vermoorden.'

'Misschien heeft hij nog niet eens een doelwit.'

'Hij weet al wie het is. Hij heeft zijn keuze allang gemaakt. Ik voelde het gewoon.'

'Een tienermeisje. Een pakhuis.' Silver keek haar fronsend aan. 'Een weggelopen meisje dat in een pakhuis woont?'

'Dat klinkt logisch. Tenzij dat precies is wat hij me wil laten denken.' Ze bracht een trillende hand naar haar slaap. 'Maar ik geloof niet dat hij loog. Daarvoor had hij te veel plezier. Hij wilde me gewoon laten weten hoe brutaal en slim hij is. Hij zat haar gewoon voor me te beschrijven.'

'Misschien kunnen we haar daarmee dan vinden,' zei Silver. 'Of het pakhuis.'

'Hij vroeg of ik wist hoeveel pakhuizen er in de regio waren. Het kunnen er honderden, duizenden zijn.'

Silver knikte. 'Maar als dit meisje in het pakhuis woont, dan is ze er waarschijnlijk van overtuigd dat ze daar niet ontdekt zal worden. Hetgeen betekent dat er geen bewakers of andere mensen aan het werk zijn.'

'Waardoor er nauwelijks gebouwen afvallen.'

'Nee, maar op dit moment is alles meegenomen.' Hij stak een hand uit naar de telefoon. 'En we hebben hulp nodig om dat uit te zoeken.'

'Wie bel je?'

Met snelle gebaren toetste hij een nummer in. 'George.'

'Meer hints heeft hij u niet gegeven, Kerry?' vroeg George. 'Hier kunnen we niet veel mee.'

'Tot die conclusie was ik zelf ook al gekomen,' zei Kerry. 'En ik heb u alles verteld wat Trask zei. Oordeel zelf maar.'

'Zijn we een beetje prikkelbaar?'

'Er staat een tienermeisje op het punt vermoord te worden enkel en alleen om mij naar dat pakhuis te lokken. Ja, inderdaad, daar word ik een beetje prikkelbaar van.'

'Rustig aan,' zei Silver.

Hij kreeg de volle laag. 'Hou daar mee op. Ik ga hier niet rustig over doen. Dit zaakje stinkt.' Ze wendde zich weer tot George: 'We zullen dat pakhuis vinden. Christus, dat is wat hij wil.'

'Dan had hij meer informatie moeten geven.'

'Maar dan zou het geen uitdaging meer zijn voor mij. Snap je dat dan niet?'

'Misschien belt hij nog een keer.'

Ze schudde haar hoofd. 'Pas als ze levend verbrand is.'

'U bent wel heel erg zeker van uw zaak.'

'Ik begin hem te kennen. Als ik haar niet vind, belt hij me om op te scheppen. Misschien geeft hij me dan een tweede kans bij

een volgende brand, maar voor dit meisje zal het te laat zijn.'
Ze haalde bibberig adem. 'Dus zorg dat we een lijst van die pakhuizen krijgen. Ga bellen met al die computer-nerds van de geheime dienst voor adressen waar we mee aan de slag kunnen.'
'Voor hetzelfde geld vallen Baltimore en een aantal stadjes in Virginia onder de regio Washington, en...'
'Hoog tijd dan om aan de slag te gaan, niet?' zei Silver.
George glimlachte. 'Ik wilde alleen maar even verduidelijken hoe moeilijk jullie opdracht is. Het succes van deze hele operatie kan alleen maar groter worden aangezien de kans van slagen zo klein is. Maar maken jullie je geen zorgen, ik ga mijn tanden erin zetten.' In de deuropening draaide hij zich om en zei: 'Ik vind dat u haar een kopje thee moet brengen, Brad. Dat kan ze wel gebruiken zo te zien.'
'Ik hoef geen thee. Ik zit niet te wachten op beschaafd gedoe. Op dit moment voel ik me eerder verwant aan Attila de Hun.'
'Let op, dat zijn de momenten waarop de beschaving het best tot zijn recht komt,' antwoordde hij voor hij de deur achter zich dichttrok.
'Hij heeft niet gezegd hoe lang het ging duren,' zei Kerry. Ze schudde haar hoofd. 'Maar ja, hoe zou hij dat moeten weten?'
'Ik zal straks wel even met hem praten als hij het hoofdkantoor van de geheime dienst aan de lijn heeft gehad. Tegen die tijd weet hij meer. Ik denk niet dat het lang zal duren.'
'Het is gewoon dat we geen tijd hebben. Die verdomde tikkende klok van Trask.' Ze deed haar ogen dicht. 'Ik hoor hem gewoon. Als een hartslag. Haar hartslag.'
'Wat er ook gebeurt, Kerry, het is niet jouw schuld.'
'Daar heb ik weinig aan als ik moet toezien hoe ze verbrandt.'
Ze deed haar ogen open. 'Wie is Helen?'
'De vrouw over wie hij het had?' Hij haalde zijn schouders op.
'Ik heb geen idee. Er staat niets over haar in Trasks dossier.'
'Dat weet ik.' Na de dood van Joyce Fairchild had Kerry zichzelf gedwongen het dossier tot in het kleinste detail te lezen.
'Maar ze heeft veel voor hem betekend. Misschien nog steeds. Ik wil weten wie ze is.'
'Ik zal Travis bellen om te zien of ze meer informatie uit een van hun bronnen kunnen krijgen.'

'Je zou verwachten dat ze dat allang gedaan hadden.'

'Inderdaad.'

'Ik vind het niet logisch.' Ze dacht erover na. 'Tenzij ze niet willen dat iemand van haar bestaan op de hoogte is. Misschien is ze een beschermde getuige.'

'Het heeft geen zin om daarnaar te raden. We komen er wel achter. Geen achternaam?'

Ze schudde van nee. 'Ik heb je alles verteld.' Ze grijnsde. 'En anders was je er toch wel achter gekomen. Maar dit is een van de weinige keren dat ik helemaal niets voor mezelf wil houden. Ik ben doodsbang.'

'Dat is je volste recht.'

'Niet omdat dit waarschijnlijk een gedetailleerde valstrik is, hoor, maar omdat hij zei dat we op elkaar lijken.' Ze aarzelde. 'Dat is niet waar. Ik lijk niet op hem.'

'Natuurlijk niet.'

'Als ik over brand droom, is het een nachtmerrie. Het feit dat ik daar telkens over droom wil nog niet zeggen dat ik er een ziekelijke fascinatie voor heb.'

'Je probeert de verkeerde te overtuigen.' Hij liet zijn blik onderzoekend over haar gezicht glijden. 'Je laat je toch niet van je stuk brengen door die waanideeën van die klootzak?'

'Nee, maar hij klonk zo... overtuigd van zijn gelijk.' Ze probeerde te glimlachen. 'En hij legde zijn vinger precies op mijn zwakke plek.'

'Als hij overtuigd is, dan is dat omdat hij dat zichzelf aangepraat heeft.' Hij pakte haar schouders beet. 'Neem dat maar aan van iemand die er verstand van heeft. Je voelt je over duizend en een dingen schuldig, maar je angst voor brand is oprecht. Het is geen theatergordijn waarachter je je verschuilt.'

Opgelucht haalde ze adem. Ja, en Silver kon het weten. Niet dat ze aan zichzelf getwijfeld had. Het was gewoon een zaadje dat was geplant tijdens dat afschuwelijke gesprek. 'Dank je.' Er schoot haar iets anders te binnen. 'Hij zegt dat hij dit nog nooit voor iemand anders heeft gevoeld. Denk je dat hij op de een of andere manier aanvoelt dat ik zijn gedachten kan lezen?'

'Het zou kunnen. Dat zou verklaren waarom hij zo in je ban is. Maar je hoeft niet bang te zijn dat jullie zielsverwanten zijn.'

'Gelukkig maar.' Ze werd zich ineens bewust van de warmte van zijn handen op haar schouders. Heel erg bewust. En ook van de reactie van haar lichaam op die aanraking. Lieve God, dat niet, niet nu. 'Kennelijk ben je niet de enige die met mijn hoofd kan knoeien.' Ze deed een stap naar achteren en zijn handen gleden langzaam van haar schouders. 'Ik ga me aankleden. Zie ik je in de bibliotheek als je Travis gesproken hebt?'

Hij knikte. 'Weet je zeker dat je geen zin hebt in Georges wereldberoemde tegengif voor alle wereldproblemen?'

'Ik hoef geen thee.'

'Dan kan ik nog wel een ander tegengif bedenken.'

'Nee.' Ze trok de deken stevig om zich heen en liep naar de deur. 'Ik wil niet dat je met mijn hoofd gaat zitten knoeien en alles weer goedmaakt.'

'Ik dacht eerder aan knoeien met... iets anders.'

Ze viel bijna om. Nu niet omkijken. Ze wilde niet zien wat ze wist dat ze zou zien.

Jezus, ze hoefde zijn gezicht niet te zien om te weten wat hij bedoelde.

Ze trok de deur open. 'Ik ben heel goed in staat voor mijn eigen tegengif te zorgen.'

11

Jezus, wat had ze een honger.

Maar het zou vanzelf overgaan, bedacht Carmela toen ze voorzichtig de gammele trap naar de derde verdieping van het pakhuis opklom. Ze moest gewoon aan iets anders denken. Morgen zou ze naar het Leger des Heils aan Third Street gaan en zich door hen laten voederen.

God, ze haatte het om een liefdadigheidsgeval te zijn. Ze was zo hoopvol vertrokken uit haar moeders huis in Louisville. Dit was niet wat ze voor ogen had gehad. Ze wilde zelfstandig zijn en niet meer hoeven luisteren naar de leugens die haar moeder haar met haar nieuwe vriend voorspiegelde. Ze had genoeg geld gehad om het in ieder geval een paar weken uit te houden, en het zou een makkie zijn om een baantje te vinden.

Maar met dat geld had ze maar een paar dagen gedaan, en niemand wilde een vijftienjarige voor iets anders dan betaalde seks. Ja, pooiers die haar wilden helpen haar lichaam te verkopen was ze genoeg tegengekomen.

Ze konden de pot op. Ze was niet gek. Ze wist dat de weg van een hoertje maar één kant op leidde, en die kant wilde ze niet op. Ze zou de liefdadigheid aanvaarden en blijven zoeken naar werk. Ze was nog niet verslagen.

Niet verslagen, maar wel koud en eenzaam en bang. Dit donkere, tochtige pakhuis stonk naar de tabak die hier jaren geleden opgeslagen had gelegen en naar verrotting. Bij elke stap die ze zette kraakte de vloer, en dan had je nog al die andere geluiden, bedacht ze huiverend. Ratten die tussen de muren scharrelden, en gisteravond was ze wakker geworden omdat ze dacht dat ze voetstappen hoorde.

Verbeelding. Niemand anders zou zo wanhopig zijn om zijn toevlucht te zoeken in een onbewoonbaar verklaard pand. Maar ze was er bang genoeg van geworden om vanochtend in het park

174

op zoek te gaan naar een stok die ze als wapen kon gebruiken. Haar hand klemde zich er nu om vast toen ze de deur naar het kleine kantoortje waar ze haar intrek in had genomen, openduwde.

Ze zwaaide rond met de zaklamp, en de straal danste de kamer rond.

Er was niets anders te zien dan een bureau, een stoel en de matras die ze had gemaakt van kleren die ze uit haar koffer getrokken had. Geen enkele reden om bang te zijn. Ze greep de stoel en zette hem vast onder de deurklink voor ze zich op haar provisorische bed wierp. Ze dwong zichzelf de zaklamp uit te doen om batterijen te sparen en werd overmand door de duisternis. Niet in paniek raken. Ze was hier veilig. Niemand kon haar hier kwaad doen, behalve misschien die rondscharrelende ratten.

Als ze vanavond nu eens sliep, dan zou ze morgen meer kracht hebben en na haar maaltijd zelfs nog meer kracht. Dan zou ze een baantje vinden en zou alles gaan zoals het moest. Het leven was niet altijd waardeloos. Alleen op dit moment was het behoorlijk beroerd.

God, wat had ze een honger.

'We hebben veertienhonderd handelspakhuizen in de D.C.-regio,' zei George toen hij de bibliotheek binnenkwam. 'Waarvan er op dit moment ten minste tweehonderdvierendertig leegstaan. Maar het kunnen er meer zijn. Niet alle eigenaars melden leegstand aan hun verzekeringsmaatschappij.'

'Shit,' zei Silver met een lelijk gezicht. 'Geen wonder dat hij met een veilig gevoel tegen Kerry durfde te zeggen dat hij het op een pakhuis gemunt heeft.'

'Hij is niet veilig,' zei Kerry. 'Ik neem aan dat u tegen de geheime dienst hebt gezegd dat ze al die pakhuizen meteen moeten controleren, George?'

'Dat hoefde ik ze niet te vertellen. Ze willen Trask net zo graag te pakken krijgen als wij. Maar het zijn er nogal wat.' Hij wierp een blik in de stapel telefoonboeken die op het bureau voor Kerry lag. 'En u vindt hem heus niet in de gouden gids.'

'Dat weet ik zo net nog niet. Ik denk dat hij wil dat ik dat pakhuis vind. Maar hij zal het me niet gemakkelijk maken. Ik hoopte dat ik misschien iets zou vinden dat een belletje doet rinkelen.' Ze wreef in haar ogen. 'Maar tot nu toe heb ik geen geluk.'

'Wat wordt onze volgende stap?' vroeg Silver.

'We gaan rondrijden om te kijken of ik de klootzak ergens kan waarnemen.'

'Waarnemen?' vroeg George.

Ze negeerde zijn vraag. Ze had een foutje gemaakt, maar ze was te moe om het te herstellen met een leugen. 'Hebt u de lijst met leegstaande pakhuizen voor ons, George?'

'Ik ben de lijst van Ledbruk op dit moment aan het uitprinten.' Hij draaide zich om en verliet de kamer.

Ze keek Silver aan. 'Denk je dat ik Trask kan voelen?'

'Waarschijnlijk wel. Als hij in de buurt is. Misschien verschijnt hij pas op het allerlaatste moment.'

'We moeten het proberen. Ik kan moeilijk wachten tot hij...' Ze onderbrak haar zin toen haar mobiele telefoon ging.

'Ze heet Carmela,' zei Trask toen ze opnam. 'Maar ze is helaas niet van Italiaanse afkomst. Latijns-Amerikaans.'

Ze verstijfde. 'Ik had niet verwacht dat je nog zou bellen, Trask.' Silver rechtte zijn rug.

'Ik kon het niet laten, want Dick..., mijn werknemer belde om te zeggen dat hij meer informatie voor me had over ons lieve kleine meisje.'

'En hoe heeft hij dat voor elkaar gekregen?'

'Hij is haar vandaag gevolgd door de stad. Ze is op zoek naar een baantje, maar ze is pas vijftien en klaarblijkelijk niet in het bezit van genoeg geld om de benodigde valse papieren te kopen. Het arme kind. Ze heeft het moeilijk.'

'Waarom laat je haar dan niet met rust?'

'Omdat ze volmaakt is. Ze ontwikkelt zich tot alles wat ik me wensen kan voor Firestorm.'

'Je bent een zieke geest.'

'En het feit dat Carmela zo verschrikkelijk hard haar best doet om haar plaatsje in deze wereld te veroveren, maakt alleen maar dat jij haar bewondert en haar in leven wilt houden. Het geeft je een zekere toegevoegde waarde, nietwaar?'

'Ik had geen toegevoegde waarde nodig.' Ze zweeg. 'Vertel me

in ieder geval in welke buurt ik het ongeveer moet zoeken.'
'Begin je de moed te verliezen? Ik heb toch gezegd dat het niet gemakkelijk zou zijn? Er zijn zoveel pakhuizen...'
'Je wíl dat ik het weet, verdomme. Je wilt me daar hebben.'
'Misschien ben ik wel net zo tevreden als je Carmela na de gebeurtenis vindt. Nee, Kerry, je zult er je best voor moeten doen. Kom, niet mokken. Je kunt tenslotte altijd nog aan die wonderhond van je vragen om haar op te sporen.'
Ze gooide het over een andere boeg. 'Wie is Helen?'
'Helen...' Stilte. 'Juist. Ik heb haar naam inderdaad genoemd, is het niet? Dat verrast me eigenlijk niet. Ik heb veel aan haar gedacht vanaf het moment dat jij verscheen.'
'Hoezo? Lijk ik op haar?'
'Helemaal niet. Ze was een brunette, een bijzonder knappe verschijning. Ik bedoel het niet onaardig, maar ik zou jou eerder als interessant willen omschrijven.'
'Wie is ze?'
'Een uitzonderlijke vrouw. Ze hield zo mogelijk nog meer van Firestorm dan van mij.'
'Verleden tijd? Heeft ze je verlaten?'
'Niet zo nieuwsgierig.'
'Jij bent degene die mijn leven ongevraagd tot een hel maakt. Heb ik niet het recht om te weten wie je bent?'
'Je hoeft alleen maar te weten wat ik wil dat je weet. Maar het doet me plezier te horen dat ik in je gedachten ben. We worden steeds intiemer, vind je niet?' Hij hing op.
Ze keek naar Silver. 'Ze heet Carmela. Ze is vijftien, van Latijns-Amerikaanse afkomst en op zoek naar een baantje.' Ze slikte moeizaam. 'En hij kan nauwelijks wachten om haar aan Firestorm op te offeren.'
'Hij heeft je geen indicatie van de locatie gegeven?'
Ze schudde haar hoofd. 'De klootzak zei dat ik Sam maar een zoekopdracht moest geven. Verdomme, de tijd begint te dringen. Nog maar één dag, als hij niet heeft gelogen. Het zou ook eerder kunnen zijn.' Ze onderdrukte de paniek die haar overspoelde bij die gedachte. Wat had hij nog meer gezegd? 'Een van zijn medewerkers heeft Carmela gevolgd. Hij onderbrak zichzelf meteen, maar het klonk als Dick.'

'Een voornaam?'

'Nee, ik denk het niet. Hij klonk alsof hij abrupt stopte. Misschien een achternaam die zo begint?' Gefrustreerd schudde ze haar hoofd. 'Ik weet het niet. Misschien was het wel een voornaam. En, dan nog, misschien hebben we er niets aan.'

'En misschien ook wel. Verder nog iets?'

'Hij sprak over Helen in de verleden tijd. Ze was een knappe brunette en had iets te maken met Firestorm. Trask zei dat ze bijna nog meer van Firestorm hield dan van hem. Maar als die twee zo intiem waren, waarom staat er dan niets over haar in zijn dossier?'

'Dat is Travis nu aan het uitzoeken,' antwoordde Silver. 'Hij belt ons zo snel mogelijk terug. Carmela. Geen achternaam?'

'Nee, maar ze is vijftien en van huis weggelopen. Ik neem aan dat iemand haar als vermist heeft opgegeven. Er bestaan tegenwoordig allerlei databases voor vermiste kinderen. We móeten haar vinden. Misschien heeft ze iemand gebeld om te zeggen waar ze is en hoe het met haar gaat. Waarschijnlijk niet haar ouders, maar een vriendje misschien?'

'Het is een gok, maar wie weet?' Silver stond op. 'Ik zal George er meteen mee aan het werk zetten. Laten wij in de tussentijd maar eens aan de slag gaan met die pakhuizen. Ik zie je over tien minuten bij de auto.'

'Tijd om naar huis te gaan, Kerry,' zei Silver zachtjes. 'Het is bijna drie uur en we hebben onze slaap allebei hard nodig. Over een paar uur gaan we verder.'

Kerry schudde haar hoofd. 'Ik vind dat we door moeten gaan. We hebben in al die uren maar zeventien pakhuizen gehad. We moeten er nog...' Ze onderbrak zichzelf en keek hem hulpeloos aan. 'Veel te veel. We gaan haar niet vinden, hè?'

'Misschien hebben we geluk,' zei Silver kalm. 'Misschien weten de mannen van Ledbruk haar te traceren.'

'En misschien ook niet.' Nietsziend staarde ze door het raam van de auto naar buiten. 'Ik dacht dat we een kansje maakten. Maar zelfs als hij in een van die pakhuizen is geweest waar we net binnen zijn geweest, kan ik hem misschien gewoon niet waarnemen.'

'Garantie heb je nu eenmaal nooit.'

'Wat heb ik dan aan deze verdomde gave?' zei ze fel. 'Je zou toch verwachten dat er ook goede kanten aan moeten zitten.'

'Stop in godsnaam met dat zelfmedelijden,' zei Silver. 'Je jarenlange zoektocht naar brandstichters is toch niet nutteloos geweest? Je bent juist zo succesvol geworden door gebruik te maken van je talent. Elk voordeel heeft zijn nadeel.'

De ongevoeligheid die uit zijn woorden sprak kwam hard bij haar aan, en heel even werd ze kwaad. 'Ik heb helemaal geen medelijden met mezelf. Ik baal gewoon dat...' Ze stopte en quasi-spottend schudde ze haar hoofd. 'Goed, misschien ook wel. Mag dat niet een keertje?'

Ontkennend schudde hij zijn hoofd. 'Nee, dat is zelfvernietigend, dat weet je best. Daarom verzet je jezelf er altijd zo hard tegen. Daarom ben je zo'n stoere tante geworden.' Hij startte de wagen. 'Zullen we nu maar terug naar huis gaan om wat te rusten? Ik denk dat we dat later nog goed kunnen gebruiken.'

Hij vond haar stoer, maar zo voelde ze zich op dit moment bepaald niet. Ze was bang en ontmoedigd, en hij maakte het er niet bepaald beter op.

Of misschien ook wel. Misschien wist hij dat zijn harde woorden haar juist een zet in de goede richting zouden geven. Hij kende haar goed genoeg om te weten dat ze veel minder goed reageerde op medelijden.

Medelijden? Het idee alleen al maakte dat ze haar stekels opzette. Ze ademde diep in en rechtte haar rug. 'Nee, nog niet. Nog twee pakhuizen voor we naar huis gaan. En laten we hopen dat George iets heeft weten te vinden waardoor onze zoektocht minder uitgebreid wordt.'

'Oké. Goed plan.' Met een vage glimlach reed hij achteruit de parkeerplaats af. 'Kijk eens op de lijst waar we nu naartoe moeten?'

'En, nog iets gevonden?' vroeg George vanuit de voordeur.

'Dat is precies wat we jou wilden vragen,' antwoordde Silver. 'Wij hebben, nul, nada.'

'Helaas.' Hij liet zijn blik naar Kerry glijden. 'U hebt de klootzak niet, eh, waargenomen?'

Ze was haar verspreking van de vorige avond al bijna vergeten. 'Ik ben niet in de stemming om op de hak genomen te worden, George.'

'Nee, stel je voor. Ik zou niet durven. Ik ben alleen maar bijzonder geïntrigeerd.' Hij glimlachte. 'En ik zie dat jullie enigszins moedeloos zijn. Misschien kan ik jullie een beetje opfleuren.'

'Nieuwe ontwikkelingen?' vroeg Silver.

'Het is geen doorbraak, want dan zou ik u wel gebeld hebben, maar absoluut een stapje in de goede richting.'

Hoop flakkerde op. 'Hebben ze het pakhuis gevonden?' vroeg Kerry.

Hij schudde zijn hoofd. 'Nee, maar de resultaten van de database van vermiste kinderen zijn binnen. Er staan maar drie Carmela's op. Eentje is al in 1997 als vermist opgegeven en zou nu twintig moeten zijn. De ander is zeventien en gerapporteerd in Dallas. De laatste is Carmela Ruiz uit Louisville, Kentucky. Dat is niet al te ver hiervandaan.'

'Hoe oud?'

'Vijftien. Haar moeder heeft haar iets meer dan een maand geleden als vermist opgegeven.' Hij stak een hand op toen Kerry hem in de rede wilde vallen. 'Ledbruk heeft al iemand op pad gestuurd om met de moeder te praten en te horen of ze misschien contact met thuis opgenomen heeft en om de namen van Carmela's vrienden te zoeken. Ik verwacht elk moment een verslag.'

'Goddank.'

Hij knikte. 'Daar sluit ik me bij aan.' Hij draaide zich om en liep naar de bibliotheek. 'En als jullie me nu willen excuseren, dan ga ik terug naar mijn commandopost om te zien of ik nog informatie van de agenten in het veld kan vergaren. Ik hoop dat jullie beseffen dat het verre van eenvoudig is om een huishouden op rolletjes te laten lopen en tegelijkertijd als luisterpost te moeten fungeren.'

'Daar zijn we dan ook diep van onder de indruk,' reageerde Silver. 'Nog iets van Ledbruks mannen gehoord?'

'Niets, afgezien van een hoop frustratie en obsceniteiten. De grotere pakhuizen lijken wel een doolhof.' Zijn stem stierf weg toen hij de bibliotheek binnenliep. 'Niet bepaald eenvoudig uit te kammen...'

'Nou, we hebben in ieder geval iets,' zei Silver tegen Kerry. 'Carmela heeft een achternaam en een moeder. Laten we hopen dat haar moeder de vrienden van haar dochter kent en dat Carmela geen eenling was.'

Kerry bedacht dat de kans klein was dat de moeder Carmela's vrienden kende. Als ze elkaar na hadden gestaan, was Carmela waarschijnlijk niet weggelopen.

Maar, ze wilde niet pessimistisch zijn. Ze hadden een schat aan informatie over Carmela gevonden, en ze hadden nog steeds de tijd om meer te ontdekken.

Hoopte ze.

'Ga een dutje doen,' zei Silver. 'Ik blijf hier en laat het je weten als we iets horen.'

Ze dacht niet dat ze zou kunnen slapen, maar een beetje rusten kon geen kwaad. Langzaam liep ze de trap op. 'En ik laat het jou weten als ik iets hoor van Trask.' Maar ze verwachtte niet dat hij nog een keer zou bellen. Hij had haar alles verteld wat hij kwijt wilde. Het was nu aan hen om de stukjes van de puzzel in elkaar te zetten.

En te duimen in de hoop dat alles goed zou aflopen voor Carmela.

Hij achtervolgde haar.

Carmela's hart klopte in haar keel toen ze de lange man met de suède jas voor Starbucks aan de overkant zag staan.

Het was al de derde keer dat ze hem zag vandaag. Het was nu laat in de middag en ze had hem vanmorgen al bij de bushalte en bij de hotdogkraam in het park gezien.

Een dief? Een perverse gek die viel op meisjes zoals zij?

Het maakte niet uit. Ze moest snel lopen en maken dat ze hem kwijtraakte.

Ze sloeg de eerste de beste zijstraat in en zette het op een lopen. Twee straten verder ging ze links en even later weer rechts.

Ze wachtte.

Ze zag hem niet. Opgelucht bedacht ze dat ze hem afgeschud moest hebben. Om zeker te zijn zou ze nog een stukje verder door deze straat lopen voor ze terug naar het pakhuis ging. Dat lag maar zes straten verderop.

Grappig hoe dingen konden veranderen. Gisteravond was ze nog doodsbang geweest in het donkere, krakende pakhuis. Ze had zelfs overwogen ander onderdak te zoeken. Maar nu kon ze nauwelijks wachten om zich in haar kleine kamertje op de derde verdieping terug te trekken. Daar waar ze veilig was.

'Baltimore,' zei Silver toen hij de deur naar Kerry's kamer opengooide. 'Twee weken geleden was Carmela Ruiz in Baltimore.'
Kerry sprong overeind. 'Hoe weet je dat? Van haar moeder?'
Hij schudde zijn hoofd. 'Carmela heeft een zus, Rosa, en die zat erbij toen Bushly, een van Ledbruks mannen, zijn vragen aan haar moeder stelde. Hij heeft de ernst van Carmela's situatie kennelijk duidelijk over weten te brengen. Hij vertelde dat Rosa geen woord zei tijdens het gesprek met de moeder, maar dat ze later achter hem aan rende naar zijn auto. Ze was behoorlijk bang. Ze zei dat Carmela haar twee keer had gebeld vanuit Baltimore en dat ze had verteld dat het haar niet lukte om werk te vinden.'
'Heeft ze verteld wáár in Baltimore ze zat?'
Hij schudde zijn hoofd. 'Alleen dat ze in Baltimore zat.'
'Hoeveel pakhuizen in Baltimore hebben we op onze lijst staan?'
'Zevenenveertig. Kom, we gaan. Ledbruks mannen zijn al onderweg en hij heeft de plaatselijke politie erbij betrokken, maar we beginnen in tijdnood te raken. Als Trask niet tegen je heeft gelogen, dan hebben we nog vier uur.'
Ze was al onderweg naar de deur, met Sam op haar hielen. 'Waar begint Ledbruk?'
'Aan de zuidkant van de stad. Wij pakken de noordkant.' Hij vloog de trap af. 'Tenzij jij een beter idee hebt.'
Ze schudde haar hoofd. 'Was het maar waar.' Met een scheef gezicht keek ze naar Sam, die in volle vaart de trap af roetsjte. 'Weet ik veel, misschien moeten we Trasks advies wel opvolgen en Sam het speurwerk laten doen.'
'Geen goed plan,' glimlachte Silver toen hij de voordeur voor haar openhield. 'Ik vertrouw liever op jou.'
'Ik ook.' Ze wendde zich tot George die op dat moment de biblio-

theek uit kwam: 'Wilt u vragen of er iemand voor Sam kan...'
Ze onderbrak zichzelf. 'Nee. Laat maar. We nemen Sam mee.'
'Waarom?' vroeg George.
'Dat weet ik niet precies.' Een voorgevoel? Ze wenkte Sam.
'Maar het schoot me zojuist te binnen dat Trask het in beide te-
lefoongesprekken over Sam heeft gehad. Misschien had dat niets
te betekenen, maar ik wil niet het risico lopen dat...' Ze liep
naar de deur. 'We nemen hem mee.'

Sam barstte in een opgetogen geblaf los toen Kerry en Silver
weer in de suv klommen.
'Ach, alsjeblieft zeg, Sam, doe mij een lol,' zei Kerry geërgerd.
'Je hebt ons een kwartier geleden nog gezien.' En dat was een
kwartier te lang geweest. Dit was het vierde pakhuis dat ze doorzocht hadden. Ze vorderden veel te langzaam. Ze pakte haar
lijst en streepte de twee pakhuizen die ze in deze straat hadden
bezocht af. 'Tien minuten rijden van hier staat er nog een. Giliad's opslag aan Baker Street.'
Silver knikte terwijl hij de motor van de suv startte. 'Bel George
eens om te vragen of Ledbruk al iets gevonden heeft.'
'Hij zei dat hij ons zou bellen.' Maar ze belde toch. Misschien
was haar mobiele telefoon tijdelijk buiten bereik geweest. Op
dit moment klampte ze zich aan elke strohalm vast.
'Ik heb geen nieuws,' zei George toen ze hem aan de lijn kreeg.
'Ik heb tien minuten geleden nog contact gehad met Ledbruk.
Ze hebben nog niets gevonden en hij begint behoorlijk gespannen te raken.' Op zachte toon vervolgde hij: 'De tijd begint te
dringen.'
'Dat hoef je ons niet te vertellen,' zei ze bits. 'Laat ons weten als
je iets hoort.' Ze hing op. 'Ledbruk heeft nog niets. Schiet op.'
'Ik ga zo hard ik kan.' Hij keek even opzij. 'We hebben nog een
uur. Er kan veel gebeuren in een uur.'
'Ja, in die tijd kan Carmela Ruiz verbranden in dat pakhuis.' Ze
scheen met haar zaklamp op de lijst. 'Tien minuten verderop
van Giliad's staat nog een pakhuis. Ik dénk dat we moeten proberen... Hou daar eens mee op, Sam.' De hond stond op de achterbank te springen en likte aan haar oor. 'Ik wil nu niet met je
spelen. Geen spelletjes.'

'We hadden hem thuis moeten laten,' zei Silver. 'We zitten niet te wachten op...'

'Spelletjes.' Kerry schoot overeind. 'Trask speelt een spelletje met me en hij heeft me een hint over dat pakhuis gegeven. Hij wilde Sam er helemaal niet bij hebben, maar toch heeft hij het twee keer gezegd. Waarom?'

Silver keek haar met samengeknepen ogen aan. 'Vertel jij het me maar.'

Haar ogen vlogen over de lijst. 'Ik weet het niet. Maar misschien wilde hij... Samson Tobacco Storage.' Opgewonden sperde ze haar ogen wijdopen. 'Sam. Samson.'

'Dat lijkt me wat vergezocht.'

'Heb jij een beter idee dan?'

Hij schudde zijn hoofd. 'Waar staat dat pakhuis?'

Ze zocht het adres op op de plattegrond. 'Aan de kade. Dertig minuten rijden.'

'Bel Ledbruk en zeg hem dat hij zijn mannen daarheen moet sturen.' Hij drukte het gaspedaal in en de wagen schoot vooruit. 'Misschien zijn zij er eerder dan wij.'

Trask keek op zijn horloge.

Nog tien minuten.

Ze had hier allang moeten zijn, dacht hij teleurgesteld. Misschien was ze toch niet zo slim als hij had gedacht. Hij was ervan overtuigd geweest dat ze de link had weten te leggen. Híj zou een en een opgeteld hebben, en ze leken nog wel zo op elkaar.

Kom op, Kerry. Geef me de kans mijn kracht aan je te tonen.

Er verstreken nog eens vijf minuten.

Hij maakte een laatste kleine aanpassing aan de schotel die hij op het raam van de derde verdieping van het pakhuis aan de overkant van de straat had gericht. Carmela zat in een klein holletje ergens in de gang, maar als de schotel zijn werk naar behoren deed, zou het vuur haar vluchtroute blokkeren.

Waar zit je, Kerry?

'Nog tien minuten.' Silver drukte het gaspedaal zo diep mogelijk in. 'Misschien is Ledbruk er al, Kerry.'

'En misschien ook niet.' Kerry kauwde op haar onderlip. 'Ik heb tegen hem gezegd dat ik een voorgevoel had. Misschien beschouwt hij een voorgevoel nu niet direct als een gegronde reden om daarheen te vliegen.'

'Hij is niet gek. Vertrouw hem maar.'

Ze schudde haar hoofd, pakte haar telefoon en toetste een nummer in.

'Wie bel je?' vroeg Silver.

'Iemand die ik wél vertrouw.'

Sirenes.

Trask verstarde, zijn ogen gericht op de rode flitslichten van de brandweerauto's die nog minstens zeven straten verderop reden. Het stond buiten kijf dat ze zijn kant op kwamen.

'Goed zo, meisje,' mompelde hij. Ze was nog niet gezakt voor het examen. Nog niet. Kerry had het pakhuis gevonden, maar ze zou niet op tijd zijn om zijn doelwit te redden. Hij hoefde alleen maar op de knop in zijn hand te drukken en te maken dat hij wegkwam. Jammer dat hij niet kon blijven om na te genieten van al zijn inspanningen, maar over een paar minuten zou het hier wemelen van de brandweermannen en politieagenten. Dat pleziertje had Kerry hem afgenomen. Vreemd dat hij haar dat niet aanrekende. In feite werd zijn teleurstelling zelfs doorspekt met trots. Eenzelfde soort trots als wanneer hij Firestorm aan het werk zag.

Maar hij zou haar ook een teleurstelling moeten bezorgen, om haar te laten weten dat ze niet geslaagd was. Dat was niet meer dan redelijk.

Hij drukte op de rode knop.

Rook!

Carmela werd met een schok wakker, happend naar adem.

Het kantoortje stond vol rook, zo dik dat ze er nauwelijks doorheen kon kijken. Maar dat wat ze zag vervulde haar met angst. Een rode gloed omzoomde de deur aan de andere kant van de ruimte.

Brand.

Moeder Maria, ze ging sterven.

Nee, ze ging niet dood. Ze moest weg hier.

Ze stond al, rende naar de deur.

Gooide hem open.

De gang was een grote zee van vuur. Vlammen likten als een hongerig beest aan de treden van de trap die naar de eerste verdieping liep. Het vuur verplaatste zich met ongelooflijke vaart en de tweede verdieping stond al in brand.

Maar de trap naar het dak was nog onaangetast. Nog wel.

Ze rende erheen.

Hitte.

Zinderende hitte.

Ze stormde de trap op. Boven aan de wenteltrap zag ze een deur.

Wat moest ze doen als die deur op slot zat?

Ze had geen keus.

God allemachtig, de trap vloog achter haar voeten in brand.

Lieve God, laat de deur alstublieft niet op slot zitten.

Kerry en Silver waren nog op vijf minuten afstand van het pakhuis toen Kerry de sirenes in de verte hoorde.

Opgelucht zei ze: 'Ze zijn onderweg. Ik denk dat ze bijna...'

Pijn.

Scheuten in haar slapen.

Doordringend in het duister.

Afstotelijkheid.

Vuiligheid.

Brand. Brand. Brand.

'Kerry?'

Ze kon niet antwoorden. De vlammen likten aan haar, dansten om haar heen, en om... hem. Trask. Ze waren één, en Firestorm was...

'Kerry!' Dit keer was het geen vraag. 'Verzet je. Vecht tegen hem.'

Tegen hem vechten. Ja, ze kon zich niet die duisternis in laten sleuren. Ze vocht. Hard. Keihard.

Vrij.

Maar toch ook weer niet.

'Wat gebeurt er?' vroeg Silver.

'Hij heeft het gedaan,' fluisterde ze. 'Hij wilde wachten tot ik er was, maar hij was bang dat hij ontdekt zou worden.'

'Heeft hij het pakhuis aangestoken?'

'Ja. Hij zat in het gebouw aan de overkant, maar hij is de straat op gegaan.'

'Waar?'

'Via de achterdeur. Niet de straat van het pakhuis.' Ze deed haar ogen dicht. 'Jezus, hij denkt aan Carmela. Hij hoopt... Ze kan er niet uit. Maar hij had het graag willen zien.'

'Waarom kan ze er niet uit?'

'Hij heeft de brand laten beginnen op de verdieping waar ze sliep. Firestorm verspreidt zich te snel om...' Ze trilde. 'Ze zal sterven. Hij weet dat ze zal sterven.'

'Ik bel Ledbruk om te kijken of hij Trask kan onderscheppen. Zeg me waar hij is.'

'Ze gaat dood,' fluisterde Kerry.

'Kerry.'

'Hij stapt twee straten verderop in een donkergrijs busje. Hij rijdt weg. Hij kijkt om en ziet het pakhuis. Het ziet eruit als een vuurpilaar. Niemand zou dat gebouw uit kunnen komen. Hij is tevreden. Hij stelt zich Carmela voor in die vuurzee. Haar vlees dat brandt, zwart blakert...'

'Goed, en nu weg bij hem.'

'Ze gaat dood.'

'Kerry, kun je de kentekenplaat van zijn busje zien?'

'Nee, ik zie alleen maar wat hij ziet.'

Vaag was ze zich ervan bewust dat Silver een nummer intoetste en een telefoongesprek voerde. Even later hoorde ze alleen Trask nog.

Firestorm. Bijtend, verscheurend, verslindend. Het kind deed het goed. Hij hoopte dat Kerry bij de brand was aanbeland en de kracht voelde. Ooit op een dag zouden ze eens samen moeten kijken naar...

Hij was weg.

En met hem de duisternis en de pijn.

'Buiten bereik?'

Nu pas zag ze dat Silver haar scherp in de gaten hield. 'Kennelijk. Hij is er niet meer.'

'Je bent lang bij hem gebleven.'

'O ja?' Ze was elk besef van tijd kwijt. 'Heb je Ledbruk gesproken?'

'Ja. Ze hebben een AOV uitgevaardigd voor een grijs busje. Weet je nog door welke straten hij reed?'

Ze schudde haar hoofd. 'Niet toen hij aan Carmela dacht. Daar was het te… Mijn god.' Ze waren de hoek omgegaan en ze zag het pakhuis. 'Hij had gelijk,' fluisterde ze. 'Een vuurpilaar.' Ze voelde haar maag samentrekken. Hoe kon iemand zo'n brand overleven?

Nu niet defaitistisch denken. Ze had genoeg branden bestreden om te weten dat mensen vaak op wonderbaarlijke wijze onmogelijk lijkende situaties overleefden.

Carmela had een wonder nodig.

'Ze is nog niet dood,' zei Silver toen hij de auto vlak bij de brandweerauto tot stilstand liet komen. 'Doodsbang, maar niet dood.'

Met een ruk keek ze hem aan. 'Weet je het zeker?'

'Honderd procent. Ze schreeuwt het naar me uit. Al zou ik het willen, dan kon ik haar nog niet buitensluiten.'

In haar wanhoop was Kerry vergeten dat Trask juist de enige was tot wie Silver geen toegang kreeg. Uiteraard viel Carmela binnen zijn bereik. 'Is ze in orde?'

'Haar rug is verbrand. Ze kon de deur naar het dak niet open krijgen. Ze dacht dat hij op slot zat, maar hij klemde alleen maar. Maar in de tussenliggende tijd wist het vuur haar te bereiken. Ze moest zich over het cement rollen toen ze eenmaal op het dak was.'

Haar blik gleed over het dak van het gebouw. Het hele pakhuis stond in vuur en vlam en ze kon de lage stenen balustrade rond het dak nauwelijks zien door de golvende deken van rook. 'Zit ze daar? Waarom loopt ze niet naar de rand om om hulp te roepen?'

'Ze is bang en verkeert op de rand van een shock. Ze ligt opgekruld in een hoekje achter de airconditioningunit.' Hij zweeg even. 'Maar ze heeft niet veel tijd meer. Ze denkt aan de warmte van het dak die ze in haar benen voelt. Ze beseft niet dat het gebouw op instorten staat.'

'Zeg het dan tegen haar.'

'Dat is niet zo eenvoudig. Ze is hysterisch en ik ken haar brein niet.'

'Je zei dat je graag dingen repareert. Zorg dan verdomme dat ze opknapt. Red haar. Laat haar doen wat jij wilt.'

'Zeg me dan hoe die brandweerlieden haar beneden kunnen krijgen.'

Ze probeerde haar gedachten te ordenen. 'Een helikopter gaat niet. Veel te gevaarlijk met die vlammen die bijna over de rand slaan. Een ladder kan ook niet. Ze zal moeten springen.'

'Waar?'

'We hebben weinig keus. Aan de zuidkant van het gebouw hebben ze de meeste ruimte om de mat te installeren. Als de muur tenminste overeind blijft staan.'

'En als ik haar zover kan krijgen dat ze springt. De balustrade moet gloeiend heet zijn en de vlammen slaan er al uit. Ze zal weten dat de kans bestaat dat ze levend verbrandt.'

'Vertel je me dat je het niet wilt proberen?'

'Nee.' Hij stapte uit. 'Ik vertel je dat je nu aan het werk moet om die brandweermannen zover te krijgen dat ze zich voorbereiden op haar sprong. Als ik haar zover krijg dat ze springt, is het wel zo prettig als ze opgevangen wordt.' Hij leunde met zijn rug tegen de suv, zijn blik op het dak gericht. 'Rennen.'

12

Pijn.

Carmela jammerde terwijl ze dichter naar de airco-unit schoof. Het metaal was gloeiend heet. De hele wereld was heet.

Beneden op straat is het veel koeler.

Daar kan ik niet komen. De trap is weg.

Spring dan. Ze wachten op je.

Nee, er komt wel iemand naar boven. Ik heb de sirenes gehoord.

Daar is geen tijd voor. Het dak kan elk moment instorten. Dat weet je toch? Voel maar hoe heet het is.

Ze keek naar de vlammen die aan de balustrade rond het dak likten.

Ze komen wel.

Er vlamde een plotselinge pijnscheut door haar verschroeide rug. Pijn!

Het zal alleen maar erger worden. Tenzij je van het dak springt.

Nee.

Ze gilde het uit bij een volgende scheut.

Jawel. Je hebt hulp nodig. Ga naar de muur aan de zuidkant.

Ik kan niet... Ze gilde. Dat doet pijn!

Kruip dan naar de balustrade. Ze zullen voor je zorgen op straat.

Pijn, te veel pijn.

Als je springt gaat de pijn weg.

Als ik spring ga ik dood.

Als je hier blijft ga je dood.

Hoog. Hoogtevrees.

Straks niet. Ik beloof je dat je daar geen last van hebt als je springt.

Kan het niet...

Dan blijft de pijn.

Pijn. Pijn. Pijn.

'Er zit niemand daarbinnen,' zei commandant Jureski ongeduldig. 'Ik heb de eigenaar gesproken. Het pand staat leeg.'

'Dat betekent niet dat er geen indringer kan zitten,' zei Kerry. 'Dat weet u net zo goed als ik. Er zít een indringer. Een jong meisje. Ze bevindt zich op het dak.'

'Hebt u haar gezien?'

Ze maakte een hoofdgebaar naar Silver die nog steeds tegen de suv geleund stond. 'Nee, maar mijn vriend wel.'

De commandant wierp een blik op Silver. 'Goh, en hij lijkt zich er inderdaad vreselijk druk over te maken,' zei hij sarcastisch. 'Hij kijkt alsof hij een wiskundeprobleem op staat te lossen.'

'Hij heeft haar gezien,' herhaalde ze. 'Ze stond aan de zuidkant, maar ze durfde niet te springen. Ik wil dat u zorgt dat ze veilig kan springen.'

'Veilig kunnen we het niet maken.' Fronsend staarde hij naar het dak. 'Jezus, ze zal eerst door die vlammen moeten springen. Ik heb nog nooit een brand als deze gezien.'

'Het is haar enige kans,' zei Kerry wanhopig. 'Bereid alstublieft haar sprong voor. Ik smeek het u, commandant.'

Hij aarzelde. 'U weet zeker dat ze daar zit?'

'Heel zeker.'

'Verdomme.' Met een bruusk gebaar draaide hij zich om, pakte zijn telefoon en beende met grote stappen naar de brandweerwagen. 'We zullen alles voorbereiden en alle slangen richten op die plek. Laten we hopen dat u gelijk hebt en dat ze inderdaad bereid is te springen. Dat dak kan het elk moment begeven.'

'Ze zal springen.' Kerry bad maar dat ze de waarheid sprak. Meer dan dit kon ze niet doen. Ze draaide zich om en liep terug naar de suv, maar ze was niet van plan iets tegen Silver te zeggen. Hij zag er geconcentreerd en afwezig uit, en ze wilde hem absoluut niet storen. Ze ging aan de andere kant van de suv staan, starend naar het dak.

O god, zorg dat ze springt, Silver.

Je moet naar de rand.

Daar is het veel te heet. Carmela huiverde toen ze zag hoe de vlammen opsprongen tegen de asfaltbekleding van de balustrade. Ik zal in brand vliegen. Ik kan beter wachten tot ze me komen halen.

Je kunt niet wachten. Je moet nu springen.

Ineens spoot er water over de muur.

Zie je wel: ze weten dat je hier bent. Ze willen dat je springt. Nu moet je onder de straal gaan staan en nat worden. Dan is de kans kleiner dat je vlam vat als je springt.

Carmela schoof langzaam door tot ze onder de straal stond. Ze gilde het uit en kromp in elkaar toen het water over haar verbrande rug liep. Dat doet pijn.

Het zal nog veel meer pijn gaan doen als je niet springt. Dat beloof ik je. Vooruit, nu. Adem diep in, rennen en duik over die muur. Niet nadenken. Gewoon doen.

Ze verroerde zich niet.

Nu!

Kerry hield haar adem in, haar ogen op het dak gericht.

Kom op, Carmela.

Jezus, wat een afschuwelijk idee moest het zijn voor dat meisje op het dak om te moeten springen. Er hing zoveel rook dat ze betwijfelde of Carmela de grond wel kon zien. Ze zou door dat vuur en die rook moeten duiken zonder te weten wat er onder haar lag. Zou Silver haar zover krijgen?

Het begon te rommelen toen de noordkant van het gebouw instortte.

Mijn god, spring, Carmela.

Spring! Nu!

Nee.

Je hebt geen tijd meer. Je moet.

Dat had je gedacht.

Inderdaad.

Even later besefte Carmela dat ze naar de zuidelijke muur rende. God, waar was ze mee bezig? Dit was te gek voor woorden. Ze moest stoppen. Maar ze kon niet stoppen.

Duik over de rand. Duik over de rand.

Ze dook over de rand en werd overspoeld door waterstralen en vlammen in haar val naar beneden.

Er ontsnapte een schreeuw aan haar keel toen het vuur haar achterna joeg, haar vastgreep.

'Ze is beneden.' Kerry pakte Silver bij zijn arm. 'Ik heb haar de mat zien raken. Kom.'

'Juist.' Hij schudde zijn hoofd om weer helder te worden. 'Kom, we gaan.' Hij liep met grote passen naar het groepje brandweerlieden en ambulancemedewerkers dat zich rond de mat verzameld had.

'Leeft ze nog?' vroeg Kerry hem toen ze hem ingehaald had. 'Weet je of ze...'

'Ja, ze leeft nog,' onderbrak Silver haar. 'Maar ik weet niet hoe ernstig gewond ze is. Ik heb het contact met haar verbroken toen ze sprong.' Hij baande zich een weg door de menigte tot hij Carmela zag. Ze lag daar roerloos en bleek, opgekruld op het plastic, terwijl de paramedici een zuurstofmasker over haar mond en neus bevestigden. Haar kleding was gescheurd en de haren rond haar gezicht waren verschroeid.

'Ze ziet er vreselijk uit,' fluisterde Kerry. 'Arme meid.'

'Eigenwijze meid,' zei Silver grimmig. 'Ik dacht dat het me nooit zou lukken haar van dat dak te laten springen. Ik heb het uiteindelijk over moeten nemen.'

'Waarom heb je dat niet meteen gedaan?'

'Omdat ik haar niet wilde beschadigen. Die kans bestaat namelijk als er kracht aan te pas komt.'

Ze keek naar hem op. 'En, is dat gebeurd?'

'Dat zullen we moeten zien wanneer ze bijkomt.'

'Áls ze bijkomt.' Kerry draaide zich om en keek naar het werk van de ambulancemedewerkers. Niet opgeven, Carmela. Trask wil dat je opgeeft. Laat hem niet winnen.

'Ze gaat het redden,' zei Silver toen hij terugkwam naar de wachtkamer nadat hij met de arts van de eerste hulp gesproken had. 'Ze heeft tweedegraads brandwonden op haar rug, een shock, en ze heeft ademhalingsmoeilijkheden door de rook.' Hij aarzelde. 'En ze is geestelijk gedesoriënteerd.'

Kerry verstijfde. 'Schade?'

'Dat weet ik pas als ze weer bij bewustzijn komt. Ik denk het niet.'

'Maar je weet het niet zeker?'

'Wat wil je dat ik zeg? Ik zou je graag gerust willen stellen, maar dat kan ik niet.' Hij perste zijn lippen op elkaar. 'Jezus, ik wil mezelf ook wel geruststellen. Je denkt toch niet dat ik me hier de rest van mijn leven schuldig over wil voelen? Het is nog maar een kind.'

Een golf van medelijden overspoelde haar toen ze zijn gezicht zag. 'Je moest dit doen. Je had geen keus. Anders was ze verbrand.'

'Dat is precies wat ik mezelf vertel.' Hij liep naar het raam. 'Je hoeft niet hier te blijven. Het kan nog uren duren voor ze wakker wordt. Ik bel je wel.'

Hij werd verteerd door schuldgevoel en ineens wist ze dat ze hem niet achter kon laten. 'Ik blijf wel bij je.'

'Om mijn hand vast te houden? Komt dat moederlijke gevoel weer bij je opzetten? Daar zit ik niet op te wachten, Kerry.'

'Hou je mond.' Ze ging weer zitten. 'Ik blijf.'

Hij keek om en haalde zijn schouders op. 'Doe vooral wat je niet laten kunt.'

Hij was stoer, nors en regelmatig arrogant, maar ze wist ondertussen wat er onder die bescherming lag. Ze liet haar hoofd tegen de muur rusten. 'Maak je geen zorgen, dat doe ik ook.'

Het duurde acht uur voor Carmela bij bewustzijn kwam.

Kerry lag half te slapen toen ze Silver plotseling zag verstrakken. 'Wat is er?'

Hij gaf geen antwoord, de uitdrukking op zijn gezicht was hetzelfde als toen Carmela op het dak was.

Ze hield haar adem in en wachtte af.

Het duurde nog eens tien minuten voor Silver haar glimlachend aankeek. 'Het gaat goed met haar.'

Sissend liet Kerry haar adem ontsnappen. 'Geen bijwerkingen?'

'Geen schade. Ze maakte zich een beetje zorgen omdat ze dacht dat ze op het dak stemmen had gehoord. Ik heb haar ervan kunnen overtuigen dat dat door de shock kwam. Als ze straks opnieuw wakker wordt, zal ze denken dat het helemaal haar eigen idee was om te springen.'

'Gelukkig. Ik heb haar moeder niet gezien. Waar is ze?'

Hij schudde zijn hoofd. 'Die is niet op komen dagen.'

'Misschien had Carmela dus wel een goede reden om weg te lopen. Wat voor soort moeder laat haar dochter nu alleen in een ziekenhuis liggen?' Ze kwam overeind. 'Laten we maar eens gaan vragen of we bij haar op bezoek mogen.'

'Ze kent ons toch niet?'

'Dat maakt niet uit. Ik zeg wel dat we sociaal werkers zijn of zoiets. Vanaf het moment dat Trask zei dat hij zijn slachtoffer uitgezocht had, heb ik aan dit meisje gedacht en me zorgen over haar gemaakt. Ik kan nu niet weglopen zonder haar in het echt gezien en gesproken te hebben.'

Hij stond op. 'Vooruit dan maar.'

'Ik wil niet met jullie praten.' Carmela keek Kerry wantrouwend aan. 'En ik beantwoord geen vragen.'

'We hebben geen vragen,' zei Kerry glimlachend. 'We komen alleen maar even langs om te zien of we iets voor je kunnen doen.'

'Me uit dit ziekenhuis halen. Ik kan het niet betalen.'

'Daar hoef je je geen zorgen over te maken. Je rekening wordt betaald door de eigenaar van het pakhuis. In de hoop dat je hem geen proces aan zult doen.'

Carmela keek bedenkelijk. 'Echt?'

'Ik beloof je dat je geen rekening krijgt,' zei Silver. 'Zorg nu maar gewoon dat je beter wordt.'

Ze aarzelde. 'Is hij echt bang dat ik een proces aan zal spannen? Denken jullie dat ik schadevergoeding van hem kan krijgen?'

Kerry voelde een steek van teleurstelling. 'Misschien wel. Wat had je in gedachten?'

'Niet veel. Net genoeg om een appartement te kunnen huren en ons te eten te geven tot ik een baantje gevonden heb.'

'Ons?'

'Ik wil mijn zusje, Rosa, hierheen halen.' Haar vingers grepen zich vast in het laken. 'Dat heb ik haar beloofd.'

'En hoe oud is Rosa?'

'Twaalf.'

'Dan is ze minderjarig, net als jij,' antwoordde Kerry. 'De rechter zal nooit toestemming geven dat ze haar moeder verlaat. Waarschijnlijk zal hij zelfs eisen dat jij teruggaat.'

'Nee!' Ze ademde diep in. 'Ik ga niet terug.'

'Waarom niet?'

'Ik hoef jullie niets te vertellen. Ik ga gewoon niet terug. Klaar.'

'Dat is geen goede reden.'

'Ze zit toch niet op me te wachten. Ik liep alleen maar in de weg.' Ze likte voorzichtig over haar lippen. 'En Rosa loopt ook in de weg. Ze is beter af bij mij.'

'Waarom loopt ze in de weg?'

'Daarom.' Ze keek Kerry uitdagend aan. 'Kijk nou maar of jullie dat geld los kunnen peuteren van die man van het pakhuis. Maar dat mogen jullie niet tegen mijn moeder zeggen.'

'Pakt ze het dan van je af?' vroeg Silver.

'Dat zei ik niet,' reageerde Carmela. 'Nou moeten jullie niet de schuld aan mijn moeder gaan geven. Zij kan er niets aan doen.'

'Wiens schuld is het dan?' vroeg Kerry.

'Van haar vriend,' zei Silver ineens. 'Hoe heet hij ook weer? Don... Harvey?'

Carmela sperde haar ogen open. 'Hoe weet je in godsnaam van Don?'

Kerry keek even naar Silver.

Silver haalde zijn schouders op. 'De politie is bij de flat van je moeder geweest om haar te vertellen wat er met je was gebeurd. Harvey woont samen met je moeder, is het niet?'

Ze aarzelde. 'Ja.'

'En daarom ben je weggelopen.'

'Daar kan mijn moeder niets aan doen. Ze kan niet alleen zijn en het is niet haar schuld dat... Ze is eenzaam. Wij zijn niet genoeg voor haar.'

'Mag je hem niet?'

Ze keek hem kwaad aan. 'Ik geef geen antwoord op vragen over mama en Don.'

'Je moeder is niet gekomen. Ze had gemakkelijk hierheen kunnen komen nadat ze had gehoord dat je gewond was.'

'Ze werkt. Misschien kon ze geen vrij krijgen.'

Kerry begon Carmela's moeder bijzonder onaardig te vinden. 'Ja, dat zal het zijn.'

'Ik heb geen zin meer om te praten.' Carmela deed haar ogen

dicht. 'Als jullie me echt willen helpen, kijk dan of jullie dat geld kunnen regelen.'

'We willen je graag helpen,' antwoordde Kerry vriendelijk. 'Ga jij maar lekker slapen en doe wat de verpleegsters zeggen, dan gaan wij kijken wat we voor je kunnen doen.' Ze wenkte Silver en liep naar de deur. 'Misschien kunnen we een oplossing voor Rosa vinden.'

'Jullie hoeven geen oplossing te vinden. Die heb ik al. Ik ga voor mijn zusje zorgen. Als jullie haar daar niet weghalen, doe ik het zelf.' Carmela deed haar ogen even open toen de deur bijna achter hen sloot. 'Zorg maar dat ik geld krijg om voor haar te zorgen.'

'Wat is er met haar moeder gebeurd?' vroeg Kerry aan Silver toen ze door de gang liepen. 'Ik neem aan dat je niet via George of Ledbruk op de hoogte was van het bestaan van de vriend van de moeder.'

Hij schudde zijn hoofd. 'Het is zo ongeveer het enige waar ze aan denkt op het moment. Ze maakt zich zorgen over haar zusje.'

'Laat me raden. Carmela is verkracht door de vriend van haar moeder?'

Hij knikte. 'En haar moeder wilde haar niet geloven toen ze het aan haar vertelde. Ze wilde haar relatie niet op het spel zetten voor een onbehaaglijke waarheid. Carmela is twee dagen later weggelopen, maar maakt zich nu zorgen over haar zusje.'

Kerry werd misselijk. 'Die is pas twaalf.'

'En Carmela is vijftien. Dat scheelt niet veel.'

Kerry schudde haar hoofd. 'Maar het niet onder ogen willen zien van de feiten en het afstoten van een gewonde dochter, zijn twee verschillende zaken. Ik begrijp gewoon niet dat ze niet hierheen is gekomen nadat ze haar hebben ingelicht over Carmela.'

'Het is niet anders. Ze heeft haar keuze gemaakt. In haar optiek heeft Carmela geprobeerd haar relatie met Harvey te verpesten. Waarschijnlijk heeft ze zichzelf ondertussen wijsgemaakt dat ze stukken beter af is zonder Carmela. Ik durf te wedden dat ze ondertussen gelooft dat Carmela een leugenaar en een bedreiging is en het verdient buitengesloten te worden.'

'Fijn, zo'n moeder.'

Hij glimlachte. 'Niet alle moeders zijn zo moederlijk als jij, Kerry.'

'Dan moeten ze die moeders maar lekker opknopen. Ik vind het niet meer dan normaal dat...' Ze onderbrak zichzelf. Het had geen zin om kwaad te worden. 'Weet je, kinderen zijn gewoon zo kwetsbaar. En ze weigeren te accepteren dat ze waardeloze ouders hebben. Ik durf te wedden dat Carmela haar moeder tot haar laatste snik zal verdedigen.'

'Daar hoeven we niet om te wedden. Ze is bijzonder loyaal.'

'We moeten Rosa daar weg zien te halen.'

'Ja.'

'En een plek voor Carmela zoeken waar ze veilig is.'

'Ja.'

Met een scheef gezicht keek ze hem aan. 'Dat was je toch al van plan, of niet soms?'

'O ja?'

'Ja, je hebt een band met haar opgebouwd. Ondanks al die praatjes van je over afstand houden en zo, is je dat bij haar niet gelukt. Ik vraag me eigenlijk af hoe vaak het je wél lukt.'

'Verdorie, betrapt.'

'Maak er maar een grapje van, maar ik meen het serieus.' Ze keek hem recht in zijn ogen. 'Ik heb vanavond ontdekt dat dit wat tussen ons bestaat, niet van één kant komt. Dat is gewoonweg onmogelijk wanneer jij zo op mij gericht bent dat ik nog niet eens adem kan halen zonder dat jij weet hoe diep. Ik betwijfel of je mij ooit die blik in jou zult gunnen die je me hebt beloofd, maar dat is misschien ook niet nodig.'

Zijn glimlach verdween. 'O nee?'

'Nee. Ik begin je te doorgronden.' Ze drukte op de liftknop. 'Maar dit is niet het moment om daar dieper op in te gaan. We maken ons al druk genoeg over Carmela en haar zusje, en bovendien vraag ik me af of Trask haar niet opnieuw zal proberen te doden als hij erachter komt dat ze nog leeft.'

'Ik ook. Ik heb Ledbruk gebeld om bewaking voor haar deur te regelen. Die is nu onderweg.' Hij deed een pas opzij om Kerry als eerste in de lift te laten stappen. 'Gerustgesteld?'

'Je vraagt je af of Trask in de buurt is?' Ze schudde haar hoofd. 'Nee. Ik weet niet tot hoever die helderziende radar van me werkt, maar hij is niet hier in het ziekenhuis.'

'Je klinkt wel heel erg zeker van je zaak,' zei hij met opgetrokken wenkbrauwen. 'Bespeur ik eindelijk een beetje zelfvertrouwen?'

'Dat werd tijd.' Vermoeid leunde ze tegen de muur van de lift toen ze naar beneden gleden. 'Trask heeft me vanavond praktisch verdronken in zijn verdorvenheid. Ik had de keus: óf me er doorheen bijten en overleven, óf gek worden. Dus, ja, inderdaad, ik heb zelfvertrouwen gekregen. Misschien kan ik niet zomaar bij iedereen naar binnen springen zoals jij, maar ik begin Trask behoorlijk te doorzien.'

'Heel goed. Daar gaat het om.' Hij gaf een kneepje in haar schouder. 'En zet hem nu maar een tijdje uit je hoofd. Als hij je daar de kans voor geeft tenminste.'

'Geen probleem. Tot hij ontdekt dat Carmela nog leeft. Hij zal niet blij zijn met dat wat hij als gezichtsverlies zal zien omdat hij zijn belofte niet na is gekomen en zijn werk niet af heeft gemaakt. Carmela was zijn uitdaging en die missie is mislukt.'

'Dus over het geheel genomen is deze avond niet helemaal voor niets geweest.'

Ze schudde haar hoofd. 'Nee, want ik heb nog iets anders ontdekt in de tijd dat ik rondwaarde in dat moeras dat hij zijn brein noemt.'

'Wat dan?'

'De loopjongen die zijn klusjes voorbereidt heet Dickens.'

'Dickens,' herhaalde George. 'Wat een schitterende literaire naam voor zo'n gluiperd. Soms is het leven niet eerlijk, is het wel?'

'Eerlijkheid kan me op dit moment niet veel schelen,' antwoordde Kerry terwijl ze Sams riem afdeed. 'En zeker niet op dat niveau. Ik wil alleen maar dat u zoveel mogelijk over hem te weten komt, want die zoektocht naar Helen heeft bijzonder weinig opgeleverd.'

'Beschuldigt u me van onzorgvuldigheid? Dat is een stoot onder de gordel. Maar ik vergeef het u, aangezien u overduidelijk onder grote spanning verkeert. En trouwens, hoe is het met onze Carmela?'

'Ze sliep toen we weggingen uit het ziekenhuis,' antwoordde Silver. 'Ik weet zeker dat alles in orde komt.'

'Dan zal ik u maar op uw woord geloven.' George draaide zich om en liep naar de bibliotheek. 'En deze informatie over Dickens gaat onmiddellijk naar Ledbruk. Voelt u wellicht nog de behoefte me te vertellen hoe u aan deze informatie gekomen bent?'

'Nee.'

'Dat vermoedde ik al. Ik zal tegen Ledbruk zeggen dat het van een betrouwbare doch anonieme getuige komt.' Hij verdween de bibliotheek in.

Kerry trok een gezicht. 'Nou, deze betrouwbare doch anonieme getuige duikt haar bed in.' Ze keek om zich heen in de hal. 'Waar is Sam gebleven?'

'Die liep net naar de keuken,' glimlachte Silver. 'Ik denk dat je aan mag nemen dat hij heel goed voor zichzelf kan zorgen.'

'Dat is niets nieuws.' Langzaam liep ze de trap op naar boven. God, wat was ze moe. 'Ik wilde alleen maar even zeker weten dat hij niemand in de weg liep.'

'Maak je geen zorgen. Sam is hier van harte welkom.'

'O ja?' vroeg ze gapend. 'Ach ja, Sam denkt dat hij overal welkom is. Laat je het me weten als George iets ontdekt over die Dickens?'

'Uiteraard. Welterusten, Kerry.'

Ze keek even om. Hij zag er uitgeput uit. Hij had net zo'n zware nacht gehad als zij. Misschien nog wel zwaarder. Ze had geen idee hoeveel kracht het hem had gekost om Carmela van dat dak te laten springen. 'Ga jij niet slapen?'

'Zo dadelijk. Ik moet Gillen nog even bellen.'

'Kan dat niet wachten tot morgen?'

'Hadden we met Carmela kunnen wachten tot morgen?'

'Je kunt niet de hele wereld beter maken, Silver.'

'Nee, maar ik kan links en rechts wel wat pleisters plakken.' Hij draaide zich om. 'Ik zie je morgenochtend.'

Pleisters.

Ja, vast. Er bestond geen enkele twijfel over het feit dat hij Carmela's leven had gered. En misschien kon hij door een telefoontje het verstand van deze Gillen redden. Nog niet eerder had ze nagedacht over de zware verantwoordelijkheid die op Silver kwam te rusten vanaf het moment dat hij iemand 'repareerde'. Het was een beetje als voor God spelen zonder goddelijk vangnet. Hij was gewoon een man die tot een vergelijk probeerde te komen met een gave waar hij nooit om had gevraagd en die hij niet wilde.

Met een verdrietig gevoel vervolgde ze haar weg naar boven. Jezus, hou eens op met aan hem te denken. Of ze nu wakker was of sliep, ze dacht veel te veel aan hem. Ze zat niet te wachten op de last van medelijden met hem terwijl ze zo moe was dat ze nauwelijks functioneerde.

Uitrusten. Slapen. En in godsnaam niet over Silver dromen.

Puntige tanden verscheurden, verminkten.
Rokende duisternis.
Ondraaglijke pijn.
Silver. Ze moest naar Silver.

Kerry wierp de dekens van zich af en rende naar de deur.

In minder dan een minuut was ze door de gang gerend en stond ze in de deuropening van zijn kamer. Nog steeds volledig aangekleed zat hij op de rand van zijn bed naar de telefoon te staren. 'Silver, wat...'

Ineens wist ze het. 'Gillen?' fluisterde ze.

Hij keek niet op. 'Ik kreeg hem niet te pakken. Ik heb het de hele nacht geprobeerd. Uiteindelijk kreeg ik zijn vader aan de lijn. Gillen heeft zich gisteravond opgehangen.'

'Mijn god.' Langzaam liep ze op hem af. 'Dat spijt me, Silver.'

'Mij ook.' Hij schraapte zijn keel. 'Ik dacht dat ik een kans met hem maakte. Niet dat het de eerste keer is dat ik iemand kwijtraak. Het hoort er nu eenmaal bij. Je kunt niet altijd winnen. Ik ben eraan gewend dat...'

'Zo is het genoeg.' Ze knielde voor hem neer op de grond en sloeg haar armen om zijn middel. 'Hou op met die filosofische onzin. Denk je dat ik niet weet wat je voelt?' Ze drukte haar wang tegen zijn borst. 'En zet die pijn van je af. Het wordt me te veel. Jij hebt geen schuld aan Gillens dood. Waarom denk je dat?'

'Ik wist dat hij in een neerwaartse spiraal zat,' antwoordde hij dof. 'Ik had bij hem langs moeten gaan. Ik had beter contact met hem moeten houden.'

'Jezus, ik kon mijn kont niet keren of je zat met hem aan de telefoon. Het is nu niet bepaald alsof je hem genegeerd hebt.'

'Nee.' Zijn hand streelde over haar haren. 'Maar ik heb een keuze gemaakt. Ik vond Carmela belangrijker. Of misschien vond ik mijn wraak belangrijker. Wie zal het zeggen?'

'Ik.' Ze ging op haar hurken zitten en keek naar hem op. 'Wie anders? Ik schijn je ondertussen beter te kennen dan mezelf.' Ze probeerde te glimlachen. 'Daar heb je wel voor gezorgd.'

'Ja, hè?' Zijn mond verstrakte. 'En daar had ik op een bepaald moment weinig meer over te zeggen.'

'In godsnaam... Ik bedoelde niet dat...'

'Nee, dat weet ik.' Hij zweeg even en haalde toen zijn schouders op. 'Sorry. Als ik me goed herinner, heb ik tegen je gezegd dat zelfmedelijden niet toegestaan was, en nu lijk ik er zelf in te verdrinken. Een mooi voorbeeld van niet doen wat je zegt. Maar goed, het is nu voorbij, dus je kunt weer terug naar bed en nog wat gaan...'

'Lulkoek.' Ze sprong overeind. 'Het is helemaal niet voorbij.' Ze liep om het bed heen, sloeg het laken terug en ging liggen. 'En ik ga niet bij je weg. Dus doe het licht uit en ga liggen.'

Hij verstarde. 'Pardon?'

'Ga liggen.'

'Waarom? Is dit de een of andere vreemde vorm van seksuele therapie?'

'Typisch mannelijk om meteen weer aan seks te denken. Ik heb niet de indruk dat je op dit moment in de stemming bent om met wie dan ook naar bed te gaan, zelfs niet met Gwyneth Paltrow. Je bent verdrietig en moe en je wilt je armen om iemand heen slaan.' Een tijdlang keek ze hem zwijgend aan voor ze haar hand uitstak. 'En dat kan ik ook wel gebruiken.'

Hij aarzelde en pakte toen haar hand. 'En je moederinstinct maakt weer overuren.'

Ze glimlachte. 'En misschien heb ik gewoon geen zin om straks opnieuw deze kant op te moeten rennen als je weer zo'n aanval krijgt. Je hebt me wakker gemaakt uit een diepe slaap.'

'Dan weet je eens hoe ik me voel.' Hij deed het licht uit en kroop

naast haar. 'En ik weiger me daar schuldig over te voelen.'
'Trek je je kleren niet uit?'
'Nee.' Hij trok haar dicht tegen zich aan, zodat haar hoofd op zijn schouder rustte. 'Zo is het prima. Dit is goed.'
Inderdaad. Ze voelde zich warm en veilig en geborgen, zo tegen hem aan. Ze wilde hem troosten, maar merkte dat ze getroost werd. Of deelden ze hun troost? Ze waren nu niet alleen geestelijk maar ook lichamelijk intiem, en het was moeilijk te bepalen waar het een begon en het ander ophield. 'Ik heb er geen problemen mee, hoor. Als je een tijdje in een brandweerkazerne woont, gaat je preutsheid vanzelf over.'
'Nee, dank je, ik hou mijn kleren gewoon aan. Hoewel dat eerder als herinnering dan als barricade bedoeld is.' Zijn lippen streken over haar voorhoofd. 'Want je hebt gelijk.'
'Waarover?'
'Dat een man altijd meteen aan seks denkt.' Zijn hand streek door haar haren en hij fluisterde: 'En je weet maar nooit wanneer zijn stemming ineens omslaat.'

Een helderblauw meer.
Een zachte bries door het hoge gras.
'Wat is er in godsnaam gebeurd?' Silver stond op en liep van haar weg. 'Ik heb geen idee. Jezus, ik zweer je dat dit niet mijn bedoeling was, Kerry.'
'Dat weet ik.' Ze glimlachte. 'Maar wel de mijne.'
Hij draaide zich om. 'Wat zeg je?'
'Tja, ik heb een nieuwe gave ontdekt. Dit tafereel had ik natuurlijk nooit kunnen bedenken. Maar ik ken je nu goed genoeg om je geheugen af te tappen. Ik wist niet of het me zou lukken, maar na een beetje onderzoek ben ik toch hier uitgekomen.' Ze keek uit over het meer. 'Daar waar ik wilde zijn. Waar jij wilde zijn.'
'Lieve God, ik heb een monster gecreëerd.'
'Nee hoor. Maar je had kunnen verwachten dat ik ermee aan de haal zou gaan.'
'Ja, achteraf wel.' Hij glimlachte. 'Maar waarom dan? Waarom wilde je hierheen?'
'Omdat dit de plek is waar je me mee naartoe hebt genomen

om de pijn weg te nemen. Ik dacht dat het zou helpen. Zelf doe je het niet. Dat zou genotzucht geweest zijn. En god verhoede dat je het jezelf eens makkelijk maakt.'

'O ja? En hoe kom je op het idee dat ik zo zelfopofferend was? Ik kan je verzekeren dat ik behoorlijk egoïstisch kan zijn als ik dat wil.'

'Wees het dan, verdomme. Kun je je iets leukers voorstellen?'

'Ja hoor.'

Ze haalde diep adem toen er een golf van warmte door haar lichaam schoot. Hij keek haar aan met diezelfde blik van laatst, en plotseling werd ze zich bewust van de spanning in zijn spieren, de beweging van zijn borstkas terwijl hij in- en uitademde, zijn ogen...

'Je had me hier niet mee naartoe moeten nemen,' zei hij met schorre stem. 'Je hebt niet ver genoeg vooruitgedacht. Je hebt de pijn verdoofd en de afleiding weggenomen. Geloof me, die afleiding was hard nodig.'

Ze ging niet doen alsof ze niet wist wat hij bedoelde. Seks. Ruw, heet, dringend. Dwingend vanwege de band die ze deelden. Ze wilde hem aanraken. Ze wilde haar handen over zijn rug laten glijden en hem voelen verstrakken. Hoe zou het voelen als hij...

'Zet dat maar uit je hoofd,' zei Silver ruw. 'Ik doe mijn uiterste best om de zaak tussen ons in evenwicht te houden. Denk je soms dat dat makkelijk voor me is?'

'Dat evenwicht kan me niet schelen.' Ze stond op en liep naar hem toe. 'Je weet wat ik wil.'

'Jezus, ja. En ik heb geen flauw idee of ik dit met opzet veroorzaakt heb.' Hij greep haar schouders vast. 'Ik heb mijn best gedaan het te voorkomen. Maar ik wilde je en misschien heb ik ervoor gezorgd dat je mij ook wilt.'

'Opschepper. Ik geloof dat ik het op het gebied van seks heel goed zou hebben geweten als jij me daarin gemanipuleerd had.'

'Maar je zult het nooit zeker weten.'

'In de tijd dat ik branden bestreed heb ik geleerd dat er een moment komt dat je op je eigen intuïtie moet vertrouwen.'

'Luister, je bent nu liefdevol en zwak omdat je medelijden met me hebt. Maar als ik nu geen afstand van je neem, dan kan me de oorzaak straks geen ene moer meer schelen.'

'Mooi zo. Want het kan me niet schelen hoe dit begonnen is, ik weet heel zeker dat ik niet met je naar bed wil omdat ik medelijden met je heb.' Ze trok een gezicht. 'Misschien gebruik ik het als excuus. Kijk maar even, en vertel het me maar.'

Hij vloekte zachtjes. 'Ik ben niet van plan dichter bij je te komen dan noodzakelijk. Niet lichamelijk en niet geestelijk. Het is niet eerlijk naar jou. Ondanks alles wat je zegt over je geweldige brandweerbestrijdingsintuïtie.'

'Dan maar niet eerlijk.' Ze streek met haar vingers over zijn lippen. Ze waren warm en stevig, en ze voelde de opwinding door haar lichaam stromen. 'Mijn intuïtie zegt dat ik dit wil omdat ik je onwaarschijnlijk sexy vind en dat ik dit ook zou willen als je geen enkel effect op me had met die gave van je.'

'En als je intuïtie nu eens...' Er trok een rilling door hem heen en hij trok haar tegen zich aan. 'Verdomme.' Hij sloeg zijn armen om haar heen. 'Je weet wel hoe je een einde aan een woordenwisseling moet maken, hè?' Hij boog zijn hoofd tot hun lippen nog maar een fractie van elkaar verwijderd waren. 'Goed, maar ik stel één voorwaarde: geen blokkade, geen toneel.'

Duisternis.

Kolkende hitte.

Huid tegen huid.

Ze deed haar ogen open en zag hem boven haar op het bed. Het duurde even voor ze helemaal wakker was. 'Je hebt je uitgekleed...'

'Wat dacht je dan?' Hij trok haar nachthemd over haar hoofd en slingerde het aan de kant. 'Ik wil niet dat er iets tussen ons komt. Geen stof, geen...' Hij zweeg toen zijn borst haar borsten beroerde. 'Christus.'

Ze wist hoe hij zich voelde. Haar lichaam gloeide, stond in brand, was gespannen, gewillig. 'Ik kan niet... Kom hier.' Haar benen krulden zich om zijn heupen en trokken hem naar zich toe. 'Ik wil dat je...' Met een kreun kromde ze haar rug toen ze hem tegen zich voelde bewegen.

'Ik weet het. Dat doe ik.' Hij boog over haar heen. 'Alles wat je wilt.'

Alles wat ik wil, dacht ze bedwelmd. Hij gaf haar al alles wat ze wilde. Maar er was iets dat ze moest weten, dat ze moest vragen. 'Het meer,' fluisterde ze. 'Waarom moest ik weg van het meer?'

'Omdat ik niet wilde dat het daar gebeurde.' Hij bewoog tussen haar benen. 'Omdat het echt moet zijn...'

13

'En, was het echt genoeg voor je?' Kerry steunde op een elleboog zodat ze op hem neer kon kijken en probeerde weer op adem te komen. 'Zo niet, dan heb je pech gehad. Ik denk niet dat het aardser dan dit zou kunnen worden.'

'We kunnen de proef op de som nemen.' Zijn hand omvatte haar borst. 'Ik ben een groot voorstander van regelmatige toetsing van realiteit.'

Ze grinnikte. 'Ja, dat snap ik in jouw geval.' Ze liet zich achterovervallen op het kussen en strekte zich lui uit. 'Laat me even op adem komen. Ik had niet verwacht... ik weet niet wat ik had verwacht, maar niet dit. Je bent erg... krachtig.'

'Heb ik je pijn gedaan?'

'Doe niet zo gek. Je weet hoe fijn ik het vond.' Ze stak een arm uit en wreef over zijn borst. Ze was dol op het prikkelende gevoel van de haartjes onder haar palm. Heerlijk om hem te voelen, die ruwe en toch zachte huid, de hardheid. Christus, wat hield ze van die hardheid. 'Het was gewoon anders.'

'Jij voelt ook heerlijk aan. Ánders?'

Ze lachte. 'Hoe kun je dat nog vragen? Ik heb nooit eerder de liefde bedreven met iemand die van seconde tot seconde wist wat ik dacht. Ik vond het ongelooflijk opwindend.'

'Het had alle kanten op kunnen gaan.' Hij legde zijn hand op haar hand op zijn borst, hem tot rust brengend. 'En ik heb echt geprobeerd om je buiten te houden. Dat leek me eerlijker. Maar het ging niet. Onze band was te sterk.'

'Het geeft niet.' Het was moeilijk om daar op dit moment kritisch over te zijn, aangezien dit seksuele samenzijn het meest emotionele was dat ze ooit had beleefd. Hij had elke gedachte en elke emotie van haar geweten, en die beide factoren weten te gebruiken om hun climax tot ongekende hoogte te doen stijgen. Vagelijk voelde ze hem nog steeds, maar dat was de schaduwachtige aanwezigheid waaraan ze ondertussen gewend was geraakt. 'Misschien denk ik er morgen anders over, maar ik vond het echt geweldig.'

'Te laat. Je kunt nu niet meer terug.' Hij trok haar dichter naar zich toe. 'Jij hebt mij verleid. Je hebt zelfs mijn eigen scenario tegen me gebruikt. Daar zul je vanaf nu mee moeten leven.'

Iets aan de toon van zijn stem deed haar verstrakken. 'Hoe bedoel je?'

'Ik heb toch gezegd dat ik een egoïstische klootzak was. Daarbij barst ik ook nog eens van de testosteron. Dit laat ik niet gaan.'

'Dat lijkt me een gezamenlijke beslissing.'

'Je hebt je beslissing al genomen.' Hij zweeg even. 'Ik... ik ben blij met wat we samen hebben. Normaliter ben ik nogal een individualistisch type. Ik ben niet goed in intieme relaties, ook niet op seksueel gebied. Het zal wel komen doordat ik door mijn werk al zo vaak verstikkend intiem ben met mensen. Maar bij jou voelt het anders. Ik had het gevoel dat... Jezus, je weet hoe ik me voelde. Dus het kan me geen barst schelen of je beslissing gebaseerd was op medelijden of nieuwsgierigheid. Ik zal er alles aan doen om dit niet voorbij te laten gaan.'

'En hoe was je dat van plan te doen?'

'Je hoeft niet zo te schrikken. Ik ben niet van plan je ergens toe te dwingen.' Hij pakte haar hand en bracht de binnenkant ervan naar zijn lippen. 'Maar ik ben een heleboel over je te weten gekomen vanavond. Je kunt het me niet aanrekenen dat ik daar gebruik van zal maken om het zo leuk voor je te maken dat je er niet mee zult willen stoppen.' Zijn adem voelde warm op haar handpalm en elk woord zond een hete rilling over haar arm. 'Dit vind je lekker, hè? De binnenkant van je handen is erg gevoelig.'

'Ja.' De hitte begon zich door haar lichaam te verspreiden en haar ademhaling versnelde. 'En ik vind het lekker om met je te vrijen. Maar dat betekent niet dat ik je de baas over mij laat zijn. Ik kan nog steeds doen wat ik wil en weglopen. Dus ik zou zeggen, Silver, zet je beste beentje voor.'

'Maak je daar maar geen zorgen over,' grinnikte hij terwijl hij haar onder zich trok. 'Hartelijk dank voor de uitnodiging...'

Het meisje leefde nog.

Trask staarde boos en walgend naar de foto van Carmela Ruiz in de krant. Hoe was het in vredesnaam mogelijk dat ze aan Firestorm ontsnapt was? Hij was ervan overtuigd geweest dat de vlammen haar verslonden zouden hebben voor ze de kans zou krijgen voor het vuur te vluchten. Hij had het mis gehad. Het was haar gelukt het dak te bereiken en ze had op de een of andere manier de moed verzameld om te springen.

En Kerry Murphy had er wel voor gezorgd dat ze opgevangen werd door de brandweermannen.

Maar dat betekende nog niet dat hij gefaald had en Kerry gewonnen. Het pakhuis was tot op de grond toe afgebrand en hij was net zo machtig en vrij als altijd ontkomen.

Naar de hel met dat pakhuis. Hij zou niet tegen zichzelf liegen. Carmela had het pièce de résistance van het heerlijke gebeuren moeten zijn, en zij was ontkomen. En het was Kerry geweest die de brandweerlieden had opgeroepen die Carmela gered hadden, zodat zij alle eer zou krijgen.

Met gebalde vuist verkreukelde hij de krant terwijl hij verteerd werd door woede. Rustig. Rustig. Dit was pas de openingszet geweest. Nee, dat was niet waar. Hij had ook gefaald bij de brand bij het huis van haar broer in Macon. Twee mislukkingen door toedoen van Kerry Murphy. Een ondraaglijke vernedering. Nee, niet ondraaglijk. Hij werd er sterker en vastbeslotener door.

Maar hij moest haar tonen dat hij degene was met de macht om haar leven te bepalen en te vernietigen. Carmela? Of Kerry zelf? Dat was de vraag. Hij zou een aantal zaken moeten heroverwegen in het licht van deze nederlaag. Zijn prioriteiten waren duidelijk geweest voor Kerry op het toneel verschenen was, en hij had haar zijn plannen laten verstoren en ontwrichten. Hij kon haar natuurlijk negeren en doorgaan met zijn...

Nee! Zijn hele ziel verzette zich tegen die optie.

Juist, dan zouden er vanaf dit moment een aantal zaken moeten veranderen.

Hij stak zijn hand uit en toetste het nummer van Dickens in.

'Dickens.' George kwam uit de bibliotheek toen Kerry en Silver de volgende ochtend beneden kwamen. Hij wapperde met een stapeltje faxen. 'Donald William Dickens. Tweeënveertig jaar oud, en vanaf zijn tiende volledig toegewijd aan kleine en minder kleine criminaliteit. Diefstal, verkrachting, verdacht van twee moordzaken. Volgens het dossier dat de FBI boven water heeft weten te halen, is hij opgegroeid in Detroit en een aantal jaren aangesloten geweest bij de maffia, totdat hij voor zichzelf is gaan werken. Hij schijnt niet de allersnuggerste te zijn, maar hij heeft de reputatie bijzonder nauwkeurig en loyaal naar zijn opdrachtgevers te zijn.'

'Had de FBI een dossier over hem?' vroeg Kerry. 'Maar hoe is Trask dan aan hem gekomen?'

George haalde zijn schouders op. 'Dickens heeft zich twaalf jaar lang beziggehouden met het smokkelen van drugs en kunst in Azië, voordat hij terugkwam naar de Verenigde Staten. Hij heeft veel contacten opgebouwd in Noord-Korea.'

'Dus jij denkt dat Trask hem cadeau heeft gekregen van Ki Yong?' Silver knikte langzaam. 'Dat is heel goed mogelijk. Trask zou hulp bedongen kunnen hebben als onderdeel van zijn verkoopprijs.'

'Waar zit hij?' vroeg Kerry. 'Kunnen we hem vinden nu we weten wie hij is?'

'Daar zijn we mee bezig,' antwoordde George. 'Vergeet niet: het is een prof, dus het zal niet eenvoudig worden.'

'Niets is eenvoudig,' zei Kerry. 'Hebben we een foto van hem?'

'Uiteraard.' Hij stak haar de faxen toe. 'Op de tweede pagina. Het derde vel is zijn strafblad.'

Dickens was een zwaargebouwde man met een buldogachtig hoofd en weerspannig rood haar met hier en daar wat grijs. Ze gaf de fax door aan Silver. 'Aangezien hij niet weet dat we op de hoogte zijn van zijn bestaan, zou dit moeten kunnen helpen.'

Hij knikte. 'En Trask heeft hem waarschijnlijk het voorwerk laten doen voor hij jou benaderde. Het staat buiten kijf dat hij hem ogenblikkelijk achter jou aan stuurt op het moment dat hij ontdekt dat Carmela nog leeft.' Hij richtte zich tot George. 'Staat het verhaal van haar redding al in de kranten?'

'Wat verwacht u nu?' zei George. 'Een knap, dakloos tienermeisje dat door onze helden van een dramatische dood gered is? Dat is een verhaal waar de kranten van dromen.'

'Dan weet Trask het dus al.' Het kostte Kerry grote moeite niet te huiveren. Dom van haar om hier zo van te schrikken. Ze had geweten dat Trask ter ore zou komen dat het hem niet gelukt was Carmela te doden. 'Weten jullie zeker dat Carmela goed bewaakt is?'

'Heel zeker.' Silver gaf de faxen terug aan George. 'Maar misschien vindt Trask haar niet de moeite waard om het nog een keer te proberen. Ze was niet meer dan een willekeurig slachtoffer.'

'Willekeurig.' Het woord liet een vieze smaak achter in Kerry's mond. Een kil woord voor een kille daad. Het idee dat iemand als Trask zomaar een slachtoffer als Carmela uit kon kiezen was afgrijselijk. Ze likte over haar lippen. 'Misschien heb je gelijk. Maar ik ben geen willekeurig slachtoffer en de kans dat Trask mij opzijschuift kan ik vergeten. En daar heeft hij de hulp van Dickens waarschijnlijk bij nodig.'

'Waarschijnlijk.'

'Dus misschien moeten we er dan voor gaan zorgen dat ik bereikbaar voor hem word.'

'Vergeet het maar,' antwoordde Silver toonloos.

'Wacht eens even.' George bestudeerde Kerry's gezicht door samengeknepen ogen. 'Ik heb niet de indruk dat ze het over martelaarschap heeft. Wat had u in gedachten?'

'Mezelf gewoon een beetje verplaatsen. Dickens zal zijn gezicht niet laten zien zolang ik hier achter vier muren opgesloten zit. Als ik wat uitstapjes maak, zal hij me moeten volgen. En dat geeft Ledbruk en zijn mannen dan weer de kans om hem te identificeren of aan te houden. Heb ik gelijk of niet?'

George knikte. 'Het klinkt logisch.'

Ze wendde zich tot Silver. 'En als we hem weten te identificeren zonder dat hij dat in de gaten heeft, kan hij ons misschien naar Trask leiden.'

'En als Trask nu eens besluit Dickens niet in te zetten? Als hij daarbuiten nu eens klaarstaat met zijn kleine schotel om jou in de fik te steken?'

'Dan zul jij ervoor moeten zorgen dat dat niet gebeurt. Ik kan niet alles in mijn eentje.' Ze draaide zich om en liep door de gang naar de keuken. 'Maar wat ik wel kan, is koffie en toast maken, en dat is precies wat ik nu ga doen. Je kunt er met George over in discussie gaan als je wilt, maar je weet dat ik gelijk heb.'

Achter zich hoorde ze hem vloeken, maar dat negeerde ze. Ze had op dit moment geen enkele behoefte aan ruzie met Silver. Ze had al haar energie nodig om dit gevoel van... ja, van wat? van zich af te schudden. Angst? Ongerustheid? Naderend onheil? Misschien een combinatie van die drie.

Of misschien maakte haar fantasie overuren. Ze had alle recht op nervositeit na wat er bij het pakhuis gebeurd was.

Ze zat aan haar tweede kop koffie toen Silver de keuken binnenkwam. 'Je hebt wel de tijd genomen, zeg. Ik dacht dat George meer overredingskracht had.'

'Ik heb geen tijd verspild. Ik wist dat je besluit vaststond.' Hij schonk een kop koffie in voor zichzelf en ging tegenover haar zitten. 'Ik heb net een gesprek met hem en Ledbruk gehad en bewaking voor je geregeld. Als jij vastbesloten bent dit te doen, dan kan ik niet anders dan zorgen voor waterdichte beveiliging.' Hij nam een slok van zijn koffie. 'Maar laat één ding duidelijk zijn: ik ben elk uitstapje bij je, elke seconde ervan.'

'Daar heb ik niets op tegen.'

'En niet meer dan één uitstapje per dag. Nooit op hetzelfde tijdstip. Nooit naar dezelfde plek.'

'Geen probleem.' Ze ving zijn blik over de tafel. 'En geef nu maar toe dat ik gelijk heb. Dit is onze enige kans om Dickens te pakken te krijgen.'

'Oké, je hebt gelijk,' antwoordde hij chagrijnig. 'Nu je zin?'

'Oef, deed dat even pijn,' glimlachte ze. 'Wat kun jij een arrogante klootzak zijn, zeg. Ik vraag me af hoe het me ooit is gelukt door die nurksheid heen te kijken en te zien dat je de kwaadste nog niet bent.'

De chagrijnige blik verdween van zijn gezicht. 'Zal ik je dat eens vertellen?' Hij boog zich naar voren en pakte haar hand. 'Seks slaat nu eenmaal een brug tussen mensen.' Zijn duim masseerde langzaam de binnenkant van haar hand. 'Ik mag dan een klootzak zijn, maar ik ben wel goed. En geef jij nu maar toe dat ik gelijk heb.'

Verdorie, hij wist hoe haar handpalmen en polsen reageerden op zijn aanraking. Hij wist alles over haar lijf. Hij hoefde haar maar aan te raken en ze was klaar voor hem. Beverig haalde ze adem en trok haar hand weg. 'Knap hoor. Opschepper. Je hebt makkelijk praten met de enorme voorsprong die jij hebt ten opzichte van andere mannen.' Ze keek hem recht aan. 'En dan heb ik het niet over het fysiologische aspect.'

Hij fronste zijn voorhoofd en barstte toen in lachen uit. 'Allemachtig, Kerry. Je weet wel hoe je een vent op zijn plaats moet zetten. Ik neem aan dat het fysiologische aspect naar believen is?'

Ze glimlachte. 'Absoluut naar believen.'

'Zullen we dat boven nog even testen dan?'

Haar glimlach verdween. Hij maakte geen grapje. 'Dat meen je niet. We zijn pas een uur uit bed.'

'Ik heb niet genoeg gehad. Ik vraag me af of dat ooit het geval zal zijn. Ik zei toch tegen je dat we een bijzonder paar vormen?'

Ook Kerry vroeg zich af of ze er ooit genoeg van zou krijgen. Ze had nooit gedacht dat ze verslaafd zou kunnen raken aan seks, maar daar was ze nu niet meer zo zeker van. En die onzekerheid alleen al maakte haar erg voorzichtig. 'Dat betekent nog niet dat we al onze tijd in bed door hoeven te brengen.'

'Nou ja, we zouden tussendoor af en toe op kunnen staan.' Hij ging weer rechtop zitten en bestudeerde haar gezichtsuitdrukking. 'Nee?'

Ze schudde haar hoofd. 'Ik vind het geen goed plan.'

'Maar niet omdat je het niet wilt. Je bent gewoon bang dat je het te leuk gaat vinden. Dat je mij te leuk gaat vinden.'

'Je bent te veeleisend. Je hebt me zelf gewaarschuwd dat je...' Ze haalde diep adem. 'En we beginnen af te dwalen. Hoe zit het met Trask?'

'Die ben ik niet vergeten. Maar aangezien we maar één keer per dag naar buiten gaan houden we genoeg tijd over voor spelletjes.' Hij glimlachte. 'En ik zal ervoor zorgen dat we die spelen, Kerry. Dat weet je heel goed. Het leven is te kort om niet van de mooie dingen te genieten.'

Ja, dat wist ze. Bij hun gezamenlijke tijd hoorde seks, en onder de huidige omstandigheden viel daar niet aan te ontkomen.

Maar het was van groot belang dat hij niet in alles zijn zin kreeg. 'Niet nu.' Ze stond op. 'Ik ga bij Carmela op bezoek. Waarom maak jij jezelf niet nuttig en kijk je eens hoe je haar zus weg kan krijgen bij de moeder?'

'Goed, mevrouw.' Hij kwam overeind. 'Maar dat kan ik per telefoon, onderweg naar het ziekenhuis. Ik ga met je mee.' Hij liep naar de deur. 'Weet je nog? Ik ga overal met je mee naartoe. Ik ben elke seconde bij je.'

'Jullie zijn geen echte sociaal werkers, hè?' zei Carmela met een kwade blik toen Kerry de ziekenhuiskamer binnenkwam. 'Wie zijn jullie verdomme?'

Kerry keek haar omzichtig aan. 'Waarom denk je dat ik tegen je heb gelogen?'

'Ik heb het aan de verpleegster gevraagd en die kende jullie niet. En het ziekenhuis heeft haar eigen sociaal werkers.' Haar ogen boorden zich in die van Kerry. 'Dus, bent u journaliste?'

'Nee.'

'Van de politie dan?' Zonder op antwoord te wachten vervolgde ze: 'En ik ga niet terug naar mijn moeder. Dat kunt u vergeten.'

'Ik ben niet van de politie. Om eerlijk te zijn werk ik als brandexpert voor de brandweer.'

'Ik heb de brand niet aangestoken.'

'Dat weet ik.'

'Ik heb niet gezien wie het heeft gedaan.'

'Dat weet ik ook.'

'Rot dan lekker op.' De tranen stonden in Carmela's ogen. 'Ik wil niet met u praten. U hebt tegen me gelogen. Ik krijg helemaal geen geld van de eigenaar van het pakhuis, of wel? Ik zal Rosa helemaal niet weg kunnen halen bij die klootzak.'

'Daar zijn we op dit moment heel hard mee bezig. Maar je zou ons bijzonder helpen als je toegaf dat Harvey je verkracht heeft.'

'Ja, vast.' Ze draaide haar gezicht naar de muur. 'En dan arresteert de politie mijn moeder ook. Ik weet hoe het gaat. Ik heb het in de bibliotheek opgezocht voor ik van huis wegliep. Dat noemen ze kinderbedreiging.'

'Ik snap dat je je moeder geen pijn wilt doen, maar je moet toegeven dat Rosa gevaar loopt.'

'Ik hoef helemaal niets toe te geven aan u. Ik heb tegen Rosa gezegd dat ze moet maken dat ze wegkomt als Harvey bij haar in de buurt komt. Misschien laat hij het uit zijn hoofd. Ik denk dat hij wel op zal passen nadat ik mama over hem heb verteld. En trouwens, zodra ik hier weg ben ga ik voor Rosa zorgen.'

'Goed, maar dat kan nog wel een paar dagen duren. We moeten een manier bedenken om Rosa daar onmiddellijk weg te krijgen.' Ze stak een hand op toen Carmela haar gealarmeerd aanstaarde. 'Zonder de politie naar je moeder te sturen.'

Carmela keek haar even zwijgend aan voor ze vroeg: 'En waarom zou u dat willen?'

'In godsnaam, Carmela. Misschien kan ik er gewoon niet tegen dat een jonge meid als jij ten onrechte het slachtoffer is geworden. Is dat nu zo moeilijk te geloven?'

'Hoe weet ik dat? Ik ken u niet. En ik geloof gewoon niet dat de brandweer dit soort liefdadigheidswerk doet.'

Allemachtig, wat was die meid achterdochtig, dacht Kerry. Maar waarom zou ze dat niet zijn? Ze had niet veel kansen gekregen om mensen te leren vertrouwen, en degene die haar het meest na stond, had haar vertrouwen beschaamd. Vertel het meisje de waarheid. 'Nee, dat is ook zo. We helpen waar mogelijk, maar jij bent een bijzonder geval. En daar wil ik me persoonlijk voor inzetten.' Ze aarzelde. 'Degene die de brand aangestoken heeft, wilde dat jij in die vuurzee zou sterven.'

'U bent niet goed wijs. Niemand wist dat ik daar zat.'

'Trask wist het. Hij heeft me gebeld en gezegd hoe je heette. Hij vertelde zelfs hoe je eruitzag.'

'Trask. Heet hij zo?'

'James Trask.'

'Maar waarom wilde hij mij vermoorden?'

'Het ging niet om jou. Het ging om mij. Hij is op mij... gefixeerd. Hij wist hoe erg ik het zou vinden als er een jong meisje bij een brand om het leven zou komen, en hij wilde dat ik je een beetje leerde kennen zodat ik jouw dood nog erger zou vinden.' Vriendelijk voegde ze daaraan toe: 'En dat is hem gelukt.

Je bent heel veel voor me gaan betekenen in de tijd dat we naar het pakhuis op zoek waren.'

Het duurde even voor Carmela vroeg: 'Echt?'

'Ja, echt.'

'Maar ik snap nog steeds niet waarom hij mij dan wilde vermoorden. Ik heb hem toch niets gedaan?'

Ze begreep waarom Carmela Trasks beweegredenen niet begreep; ze begreep het zelf nauwelijks. 'Zoals ik al zei: hij wilde mij pakken via jou. Hij wilde míj pijn doen.'

'Nou, hij heeft mij anders ook pijn gedaan. Hij moet wel heel erg gestoord zijn.' Aarzelend vroeg ze: 'Gaat hij het nog een keer..?'

'Nee, ik denk het niet. Maar je wordt bewaakt voor het geval dat.'

'Wat een gestoorde gek.' Vol afschuw schudde ze haar hoofd. 'Komt u vaak van dat soort mensen tegen?'

'Nee, gelukkig niet.' Ze had Carmela nu wel genoeg verteld, en ze was niet van plan in details te treden die het meisje nog banger zouden maken. 'Maar nu begrijp je tenminste waarom ik me zoveel zorgen om je maak. Voorzover je het nog niet wist: we hebben een gezamenlijke band.'

'Ja, dat die gek achter ons allebei aan zit.' Carmela perste haar lippen op elkaar. 'Als u me tenminste de waarheid vertelt.'

God, wat was dat meisje achterdochtig. 'Je zult toch iemand moeten vertrouwen, Carmela.'

'Waarom? Ik ben veel beter af als ik...'

'Hier is hij dan.' Een jonge vrijwilligster werd door Sam zo ongeveer naar binnen gesleurd. 'Op de kinderafdeling waren ze allemaal verliefd op hem.' Met een lach op haar gezicht overhandigde ze de riem aan Kerry. 'Ik had niet verwacht dat de hoofdzuster Sam daarbinnen zou laten toen u het vroeg.'

'Ik heb haar eerst met het ziekenhuis in Atlanta laten bellen voor een aanbeveling.' Ze klopte op Sams kop. 'Maar ik wist dat niemand hem buiten zou kunnen zetten als deze jongen zijn charmes eenmaal los zou laten.'

'Het is een schat.' De vrijwilligster liep glimlachend naar de deur. 'En ongelooflijk goedgemanierd bij de kinderen.'

'Omdat hij weet wat zijn taak is. Bedankt dat je hem even hierheen hebt gebracht.'

'Niets te danken.' Ze zwaaide toen ze de kamer verliet.

'Waarschijnlijk moet ik haar toch echt wel bedanken,' zei Kerry grijnzend tegen Carmela. 'Het is nu niet bepaald de best opgevoede hond ter wereld.'

Carmela staarde naar Sam. 'Hij is... prachtig. Waarom heeft u hem hierheen gebracht?'

'Omdat ik dacht dat je hem misschien wel wilde ontmoeten. En ik wist dat ik er de kinderen een groot plezier mee zou doen.' Ze klikte de riem los. 'Wil je hem aaien? Roep hem maar.'

'Sam?'

Sam stormde door de kamer en plantte zijn voorpoten stevig op het bed.

Kerry grinnikte. 'Hij heeft niet veel aanmoediging nodig.'

Aarzelend stak Carmela een hand uit en aaide Sam over zijn kop. 'Hij is... zacht.'

'Had je thuis ook een hond?'

Ze schudde haar hoofd. 'Nee, dat vond mama te lastig.'

Sam schuurde met zijn kop tegen haar hand en kreunde zachtjes.

Carmela glimlachte. 'Dat vindt hij lekker.' Ze keek op naar Kerry. 'Ik heb wel eens over brandspeurhonden gehoord. Is Sam er een?'

Ze knikte. 'Hij is heel beroemd.'

Verward trok Carmela een rimpel in haar voorhoofd. 'Maar tegen de verpleegster zei u dat hij wist wat zijn taak was. Maar dat is toch niet zijn werk?'

'Jawel. Ook. Eerlijk gezegd is hij nog veel beter in het opfleuren van kinderen dan het opsporen van brandhaarden.' Dat was niets dan de waarheid. 'Sam heeft één heel bijzondere gave: hij schenkt onuitputtelijke liefde.'

'Dat lijkt me niet echt een bijzondere gave.'

'Het is de grootste gave die er bestaat. Onvoorwaardelijke liefde? Daar zijn maar weinig levende wezens toe in staat. Hij verwarmt je hart en houdt de eenzaamheid op afstand. Voor mij is Sam een wonder op vier poten.' Ze glimlachte spottend. 'Goed, het is een onstuimige boef, maar bij kinderen in de buurt heb ik hem nog nooit anders dan supervoorzichtig gezien. Hij lijkt precies te weten wanneer hij voorzichtig moet zijn.'

'Hij lijkt niet...' ze onderbrak zichzelf toen Sam haar hand likte. 'Hij vindt me lief.'

Kerry kon de muur rond Carmela praktisch zien smelten. Dankjewel, Sam. 'Ja, inderdaad. En zolang hij voelt dat je ziek bent, zal hij niet bij je op bed springen en je halfdood likken.'

'Dat zou ik helemaal niet erg vinden.' Ze legde haar wang op Sams kop. 'Wat is hij lekker zacht.'

'Wil je dat ik hem de volgende keer weer meebreng?'

Het duurde even voor Carmela antwoord gaf en zich oprichtte. Maar haar hand bleef op Sams kop rusten. 'Misschien.'

'Mag ik nog een keertje komen? Geloof je wat ik je heb verteld over Trask?'

'Ik vind het wel raar.'

'Maar het is waar.'

Carmela aarzelde even voor ze zei: 'Ik geloof dat ik hem een keer heb gezien.'

Kerry verstijfde. 'Wat?'

'Op de dag van de brand. Ik werd gevolgd door een man.'

'Hoe zag hij eruit?'

'Een beetje dik, rossig haar. Was hem dat?'

Dickens.

'Nee, waarschijnlijk iemand die voor hem werkt.'

'Heeft die griezel mensen in dienst? Wat is hij? Baas van de maffia of zo?'

'Nee, dat niet.'

'En u gaat me niet vertellen wat hij wel is.' Ze haalde haar schouders op. 'Het kan me niet schelen. Als u hem maar uit de buurt houdt van Rosa en mij.' Ze vroeg: 'Gaat u Rosa echt ophalen?'

'Ik lieg niet. Mijn vriend, Silver, zit op dit moment op de parkeerplaats te bellen om een manier te vinden haar weg te halen bij je moeder.'

'En waar brengen jullie haar dan heen? Naar zo'n huis van de kinderbescherming?'

'We zullen een veilig plekje voor haar zoeken. Maak je geen zorgen.'

'Wat een stomme opmerking,' antwoordde het meisje ineenkrimpend, ook al bleef ze Sam aaien. 'Natuurlijk maak ik me zorgen. Het is mijn zusje. Ik moet voor haar zorgen.'

Kerry grinnikte. 'Je hebt gelijk. Dat was stom. Je mag je net zoveel zorgen maken als je wilt, maar ik ben niet van plan hetzelfde te doen, want ik weet dat het allemaal goed komt met haar.' Haar glimlach verdween. 'En met jou ook, Carmela. Alles komt goed. Dat beloof ik je.' Ze liep naar het bed en lijnde Sam aan. 'En nu laat ik je met rust zodat je kunt uitrusten.'

'Wat moet ik hier anders?' Ze trok haar hand met tegenzin weg van Sam na een laatste aai. 'Hebben ze gezegd wanneer ik hier weg mag?'

'Over een paar dagen. Je hebt nog steeds koorts.' Onderweg naar de deur vroeg ze: 'Heb je al iets van je moeder gehoord?'

'Ze heeft me gisteravond gebeld.' Uitdagend stak ze haar kin in de lucht. 'Het is precies zoals ik tegen u zei: ze kon geen vrij krijgen van haar werk. Het is niet dat ze niet van me houdt. Ze heeft gewoon een paar... problemen.'

'Nou, misschien kunnen wij dan een paar van haar problemen oplossen.' Kerry deed de deur open. 'Ik kom morgen weer bij je langs, Carmela.'

'Dat hoeft niet.'

'Dat weet ik,' zei ze met een glimlach. 'Maar ik neem aan dat je heel graag wil weten wat we voor Rosa hebben kunnen doen.'

'Gaan jullie haar echt helpen?'

'Ik heb één keer tegen je gelogen, en dat was meteen de laatste keer.'

'Dat hoop ik dan maar.' Met gebalde vuisten greep ze het laken vast. 'Ik hou niet van liefdadigheid. Daar stik ik in. Maar als u dit voor me wilt doen, dan ben ik u heel wat verschuldigd. En dat zal ik met u goedmaken, dat beloof ik u.'

Ze kon zien dat het meisje bloedserieus was, en ze wilde haar niet beledigen door haar af te wijzen. 'Daar hou ik je aan. Ik zie je morgen, Carmela.'

'Wacht.' Toen Kerry omkeek, zei Carmela ongemakkelijk: 'Ik vind het niet erg als u die boef morgen weer meeneemt. Ik denk dat hij heel goed is voor die zieke kinderen.'

'Daar heb je gelijk in,' knikte ze met een uitgestreken gezicht. 'Goed dan, als je het echt niet erg vindt.'

'Goed gedaan, Sam,' mompelde ze toen ze de kamer verliet. Kwispelstaartend trok hij Kerry door de gang, alle voorzichtigheid en goed gedrag vergeten. Het kon Kerry niet schelen. Hij was lief geweest voor Carmela en had haar pijn verzacht op een voor het meisje acceptabele manier.

Arm kind, dacht Kerry terwijl ze op de lift wachtte. Ze had tot nu toe geen makkelijk leventje gehad, daarvan was bewijs genoeg. Het was een wonder dat ze nog zo toegankelijk was en dat ze zich staande had gehouden.

Silver stond in de lobby op haar te wachten toen ze uit de lift stapte. 'Hoe is het met haar?'

'Kwetsbaar, op haar hoede. Sam was een grote steun.'

'Ik vroeg me al af waarom je hem mee wilde hebben.'

'Sam is geweldig met kinderen. Ze had hem nodig. Maar ze heeft wel ontdekt dat we geen sociaal werkers zijn.'

'Betrapt. Wat heb je haar verteld?'

'De waarheid. Ik besloot dat ze die aankon.' Ze liep door de gang naar de parkeerplaats. 'Ik mag haar graag, Silver. Het is een taaie, maar ik denk dat ze... Ik weet niet... Ze doet me aan iemand denken.' Ze probeerde te bedenken aan wie, maar ze kon er niet opkomen. 'Ik mag haar écht graag.'

'Ja, dat zei je al.' Hij haalde haar in. 'Ik zal je op je woord moeten geloven. Ik ben nog steeds te moe en beurs van de moeite die het me kostte haar van het dak te laten springen om objectief te kunnen zijn.'

'Ze was bang.'

'En jij neemt het voor haar op.'

'Iemand moet het toch voor haar opnemen? Ze heeft niet bepaald veel hulp van haar moeder gehad.' Ze keek hem vluchtig aan. 'En nu we het toch over haar moeder hebben: heb je nog iets kunnen bereiken?'

Hij knikte. 'Ik heb contact gehad met Travis en gezegd dat hij de kinderbescherming in Louisville onder druk moet zetten. Hij gaat een maatschappelijk werker sturen om Carmela's moeder subtiel onder druk te zetten om Rosa onder hun verantwoordelijkheid te plaatsen.'

'Hoe subtiel?'

'Misschien niet zo heel subtiel. Een in zijden handschoentjes verpakt dreigement waarvan ik hoop dat het haar zo zal afschrikken dat ze vanzelf meewerkt.'

'En wat gebeurt er met Rosa nadat de kinderbescherming haar bij haar moeder heeft weggehaald?'

'Dan zorgen we ervoor dat er een eersteklas pleeggezin klaarstaat om haar op te vangen totdat Carmela uit het ziekenhuis is.'

'Wanneer horen we dat?'

Hij haalde zijn schouders op. 'Vanavond. Misschien morgen. Ik heb tegen Travis gezegd dat het dringend was.'

'Goed zo. Ik wil morgen goed nieuws voor Carmela hebben.' Ze gebaarde naar Sam dat hij in de suv mocht springen, voor ze zelf instapte. 'Het was geen pretje om haar over Trask te moeten vertellen, maar ze nam het goed op.'

'Zoals je al zei: een taaie tante.'

'En zo prikkelbaar als de pest. Ze wilde...' Kerry begon ineens te lachen. 'Jezus, ik bedenk me ineens aan wie ze me doet denken.'

'Aan wie dan?'

'Aan jou.'

Met een verbaasde blik keek hij opzij terwijl hij de auto startte. 'Pardon?'

'Prikkelbaar en stuurs en alles alleen willen doen.'

Hij glimlachte flauwtjes. 'Nou, ik zal deze omschrijving maar accepteren aangezien je hebt gezegd dat je haar graag mag. Maar misschien moet je toch eens bij jezelf te rade gaan. Kennelijk heb je een zwakke plek voor moeilijke mensen zoals wij.'

De glimlach verdween van haar gezicht. Ze wilde de warme gevoelens die ze voor Silver had niet ontleden. Die zwakke plek was nog gevaarlijker dan het seksuele genot dat ze met hem had beleefd. Snel keerde ze haar gezicht naar het raam. 'Denk je dat we gevolgd zijn?'

'Als dat het geval was, is het absoluut een vakman geweest.' Hij stopte bij het hokje van de parkeerwacht en overhandigde de man het kaartje en het geld. 'En ik heb contact gehad met Ledbruk, en zijn bewaking had niet het idee dat we gevolgd werden.'

Ze fronste haar voorhoofd. 'Dus ik had het mis. Ik had toch echt gedacht dat...'

'Ik ook, maar misschien heeft Trask zijn zaakjes gewoon nog

niet op orde. De kans dat Dickens verschijnt is nog steeds aanwezig.'

Hij had waarschijnlijk gelijk. Wat had ze dan verwacht? Dat ze Dickens meteen op de eerste dag te pakken zouden krijgen? Maar dat nam haar ongemakkelijke gevoel niet weg. Trask zat heus niet op zijn lauweren te rusten nu hij wist dat het hem niet was gelukt Carmela te doden. Hij zou iets willen doen om Kerry te laten zien dat ze nog niet gewonnen had.

En als dat niet inhield dat hij haar door Dickens liet volgen, wat was hij dan van plan?

'Hou op met dat gepieker,' zei Silver. 'Ik heb jaren geleden al geleerd dat wanneer je niet in staat bent een oplossing aan te dragen voor een probleem, je er dan maar beter voor kunt zorgen dat je uitgerust bent en klaar voor het moment dat je dat wel bent.'

'Wat moet het heerlijk zijn om zo paternalistisch te zijn. Ik ben niet zo'n helderziend supermens als jij. Ik ben hier niet goed in en ik beschik niet over jouw ervaring. Ik kán me gewoon niet ontspannen.'

Hij stootte een zachte fluittoon uit bij het horen van de scherpte in haar stem. 'Het spijt me. Het was niet mijn bedoeling zo paternalistisch te doen. En je wordt steeds sterker en steeds beter. Je kunt me al blokkeren, en de laatste keer dat je binnen probeerde te komen voelde ik toch echt een duwtje.'

'Een duwtje? Daar zal ik weinig aan hebben als ik tegenover Trask kom te staan.'

'Ik heb je van tevoren gezegd dat ik niet weet hoe sterk dat bij iemand anders over kan komen.'

'Goh zeg, moet ik me daar nu beter door voelen?'

'Kalm aan. Ik kan je geen zelfvertrouwen schenken, maar ik kan er wel met je aan blijven werken tot je...'

'Ja, ja, ja. Ik weet het.' Ze perste haar lippen samen. 'Jezus, ik heb er schoon genoeg van. Ik heb dit soort dingen nooit willen leren. Als we Trask eenmaal te pakken hebben, neem ik Sam mee en ga ik weer doen waar ik goed in ben. Dan zet ik de afgelopen weken voorgoed uit mijn hoofd.'

Hij staarde haar zwijgend aan, voor hij vroeg: 'En mij ook?'

'Wat wil je horen? Het een hangt samen met het ander. Ga me

nu niet vertellen dat jij niet blij zult zijn als je van me verlost bent.'

'Ik pieker er niet over.' Hij wendde zijn hoofd af. 'Ik zeg alleen maar dat het nog wel eens moeilijk zou kunnen worden.'

Ze wist dat hij gelijk had, maar ze was absoluut niet van plan hem dat te laten weten. Moeilijk of niet: de band tussen hen moest verbroken worden. Ze liet haar hoofd tegen de hoofdsteun rusten en deed haar ogen dicht. 'Nee hoor, je hebt het mis. Na alles wat ik meegemaakt heb, zal dat een fluitje van een cent zijn.'

'Wat heerlijk om overtuigd te zijn van je gelijk,' antwoordde hij met een uitdrukkingsloos gezicht. 'We zullen zien...'

'Ik geloof dat ik onze geheimzinnige Helen op het spoor ben,' zei George toen ze de voordeur binnenstapten. 'Ik heb een paar van mijn makkers bij de FBI gesproken, en zonder iets te willen zeggen hebben ze me wel subtiel in de richting gestuurd.'

'Waarvan?' vroeg Silver.

'Van de CIA,' glimlachte hij. 'Dus ik ga daar maar eens even een paar bronnen aftappen.'

'Allemachtig, u hebt net zoveel contacten als de gemiddelde journalist van Fox News,' zei Kerry. 'Ik zal maar niet vragen hoe u daaraan komt. Wanneer verwacht u iets te weten?'

'Snel. Vanavond of anders morgen. Ik denk dat ik al iemand weet die me de juiste informatie kan verstrekken.'

'Laat het me alstublieft onmiddellijk weten.' Ze nam de eerste treden van de trap. 'Ik kan wel wat goed nieuws gebruiken.'

Ja, daar had ze gelijk in, dacht Silver terwijl hij keek hoe ze de bovenste treden van de trap bereikte. Ze was bang en maakte zich zorgen en wilde niets anders dan zich onder het spreekwoordelijke dekbed begraven en zich verstoppen voor alles en iedereen.

Ook voor hem, verdomme.

'U staat te knarsetanden,' zei George. 'Mag ik u erop wijzen dat uw tandarts zou zeggen dat dat ernstige gevolgen kan hebben voor het kaakbeen?'

'Nee, dat mag je niet.' Silver draaide zich met een ruk om. 'Hou je erbuiten, George.'

George floot zachtjes. 'Onaangenaam.' Hij liep naar de biblio-theek. 'Waar kan ik u vinden wanneer we een doorbraak heb-ben inzake Helen?'

'Ik ga een wandeling maken.' Hij trok de voordeur met een ruk open. 'Een lekkere lange wandeling.'

'Dat is een goed idee. Beweging doet een mens altijd goed. Mis-schien komt dat uw humeur ten…'

De deur klapte achter Silver dicht voor George zijn zin af had kunnen maken.

Brand.

Ze moest hulp halen voor mama.

Ze gleed uit op de gladde treden en viel op straat.

Er stond een man aan de overkant, onder de lantarenpaal.

Ze kroop overeind en rende naar hem toe. 'Help. Brand. Ma-ma…'

Hij draaide zich om en liep weg. Hij had haar vast niet gehoord.

Ze rende achter hem aan. 'Alstublieft. Mama zei dat ik…' Hij draaide zich om en ze keek hem aan.

Ze gilde.

'Sst. Het is te laat. Je kunt niets voor haar doen.' Hij tilde een arm op en ze zag de glinstering van metaal in zijn handen voor-dat hij het pistool neer liet komen…

Duisternis. Ja, duisternis…

'Stop daarmee!' Ze werd uit die welkome duisternis weggerukt, terug naar de verschrikking van die nacht. 'Dat sta ik niet toe, Kerry. Je mag nu niet stoppen. Kijk hem verdomme aan!'

Silver!

Het was Silver die tegen haar praatte, besefte ze verward. Silver die naast haar stond onder de lantarenpaal.

Maar dat kon niet. Hij hoorde hier niet.

Maar toch was hij er, en het totale nachtmerrieachtige scenario was verstild. Het brandende huis, de lantarenpaal, de man met opgeheven arm, klaar om haar te slaan.

'Kijk hem aan,' herhaalde Silver. 'Kijk naar zijn gezicht.'

Paniek overspoelde haar. 'Nee, ik zie niks. Het is te donker.'

'Kijk hem aan.'

'Hou je erbuiten. Ga weg hier.'

'Dat had je gedroomd. Ik blijf hier net zo lang tot je ophoudt met dat martelaarschap en die klootzak aankijkt.'

'Ik doe het niet.' Ze kneep haar ogen stijf dicht. 'Ga weg.'

'Waar ben je bang voor?'

'Hij gaat me pijn doen.'

'Dat is niet de reden dat je bang bent. Zeg het.'

'Ga weg.'

'Kijk hem aan.'

Ze merkte dat ze haar ogen inderdaad opende en opkeek naar dat beschaduwde gezicht boven haar. 'Nee! Ik doe het niet. Ik doe het niet.' Wild rukte ze zich los en sloot haar ogen weer.

'Ga weg. Laat me met rust.'

'Verdomme, duw me nu niet weg. Ik probeer je te...'

'Nee!'

Ze werd wakker en zag dat Silver zich over haar heen boog. 'Verdomme.' Ze duwde hem weg en kwam overeind. 'Waar dacht je verdomme dat je mee bezig was?'

'Daar hoef ik niet over na te denken. Ik weet heus wel dat ik je de stuipen op het lijf heb gejaagd.' Hij zwaaide zijn benen over de rand en ging staan. 'Kom, onder de douche jij. Je bent drijfnat van het zweet.'

Ja, inderdaad, en ze trilde zo hevig dat ze nauwelijks een woord uit kon brengen. 'En dat is zeker niet jouw schuld. Die nachtmerrie is al erg genoeg zonder dat jij er je neus insteekt.'

'Zorg dan dat je hem kwijtraakt.' Hij trok haar uit bed en wikkelde haar in een laken. 'Eerst douchen. Schelden mag je later.'

'Ik wil nu schelden.' Maar ze liet zich door hem naar de badkamer voeren. Ze was op dit moment niet in staat om met hem in gevecht te gaan. 'Je had niet het recht om...'

'Sst.' Hij duwde haar onder de warme waterstraal en stapte er toen zelf bij. 'Je hebt helemaal gelijk. Ik ben binnengedrongen en heb je privacy beschaamd. Ik heb me zelfs niet aan mijn eigen regels gehouden.' Met een vertrokken gezicht gaf hij de spons aan haar. 'Maar goed, zo is het nu eenmaal. Ik schijn telkens over de schreef te gaan.'

'Je had gewoon niet moeten...' Ze onderbrak zichzelf toen hij haar nek begon te masseren. Jezus, dat was lekker. De spanning spoelde zo van haar af. 'Ik ben niet van plan je te vergeven. Hoe kan ik je nu vertrouwen als...'

'Sst. Later.'

Ja, inderdaad, later. Het warme water verdreef de kilte en zijn aanraking verzachtte haar gespannenheid. Ze sloot haar ogen en liet zich meevoeren.

'Goed.' Minuten verstreken voor hij haar onder de douche vandaan trok en begon af te drogen. 'En nu terug naar bed, daar mag je je gal spuien.'

Ze besefte dat ze geen zin meer had om haar gal te spuien. Elke aanval zou tot een confrontatie leiden, en ze was bang dat Silver...

'Reken daar maar op.' Hij trok de deken over haar heen en stopte haar in voor hij naast haar schoof. 'Maar het is genoeg voor je geweest, vanavond. Ik zal je met rust laten.'

'Verwacht nu niet dat ik je daarvoor ga bedanken. En bespioneer je me nog steeds? Maak dat je wegkomt.'

'Ik ben weg. Maar ik kan er niets aan doen dat ik af en toe een gedachte opvang die je naar me toe slingert.' Hij sloeg zijn armen om haar heen en kroop tegen haar aan, lepeltje bij lepeltje. 'En nu slapen. Je hebt wel genoeg gedroomd voor één nacht.' Hij liet zijn lippen langs haar slaap glijden. 'Als je te dichtbij komt, haal ik je terug.'

'Of bemoeit je met zaken die je niet aangaan.'

'Die me wel aangaan.'

'Echt niet.' Ze aarzelde, en vroeg toen: 'Waarom deed je dat, Silver?'

'Omdat je verging van de pijn. Ik kon het niet meer aanzien.'

'Het is mijn pijn, het zijn mijn herinneringen. Ik heb het recht om ze te verwerken zoals ik dat wil.'

'Je verwerkt ze niet. Je verstopt je. En zolang je dat blijft doen, zullen ze je bestoken.'

'Is dat de reden dat je me met geweld uit mijn schuilplaats probeerde te krijgen?'

'Ik heb geen geweld gebruikt. Ik duwde alleen maar een beetje.'

'Je zei telkens dat ik naar zijn gezicht moest kijken. Dat vond ik stom. Het was veel te donker om iets te kunnen zien.'

'O ja? Hij stond onder de lantarenpaal.'

'Niet toen hij zich eenmaal omgedraaid had. Ik ben achter hem aan gerend. Hij stond in de schaduw.'

'Dus hij was volledig blanco?'

'Ja, natuurlijk.' Ze verstijfde. 'Waarom geloof je me niet?'

'Omdat je het zelf niet gelooft.'

'Wel. Wél waar.'

'Rustig maar. Ik zit je nu niet te duwen.' Hij trok haar weer tegen zich aan. 'Ga maar lekker slapen.'

'Ik kan niet slapen. Hoe kan ik nu slapen als je me de hele tijd ligt te prikkelen? Zorg nou maar dat je niet meer bij me in...'

'Dat kan ik niet,' antwoordde hij met zware stem. 'Dat doe ik niet.'

'Waarom niet?'

'Omdat ik wil dat je iets van me meeneemt als je besluit bij me weg te gaan. Dit is iets dat ik je kan geven. Iets dat niemand anders je ooit zal kunnen geven.'

Ze zweeg. 'Je bedoelt dat dit een soort... cadeau voor me is?'

'Zo zou je het kunnen noemen. Maar je zou ook kunnen zeggen dat mijn trots niet toestaat dat je me zult vergeten. Het is mijn manier om je mijn onsterfelijkheid te tonen. Hoe dan ook: je hebt iets dat stuk is, en ik wil het voor je maken.'

'Zelfs als ik dat níét wil.'

'Dan moet je je ertegen verzetten. Het is je deze keer ook gelukt me buiten te zetten. Je begint steeds sterker te worden. Misschien lukt het je wel om helemaal van me af te komen.'

'Dat zal ik zeker doen.' Ze sloot haar ogen. 'Je hebt volkomen gelijk. Je loopt me in de weg en ik stuur je weg.' Vreemd om aan hem te denken als iemand die ze wilde afstoten, terwijl ze op dit moment zo tegen hem aan lag. Hij maakte dat ze zich gekoesterd voelde. Lieve god, dat zou ze missen als ze niet meer bij elkaar waren. 'En nu zou ik het bijzonder op prijs stellen als je je mond hield zodat ik een beetje kon rusten.'

'Ik zal muisstil zijn.'

'Ik houd niet van muizen. Het zijn scharrelaars.'

'Nou, ik ben geen scharrelaar. Ik stap door de wereld als een leeuw.'

Ze gaapte. 'Dit worden me te veel metaforen.'

'Ik ben het met je eens. Ik hou mijn mond.'

'Dat is wat ik je de hele tijd al vraag.' Ze probeerde zich te ont-spannen. Zet de wereld van je af. Zet de droom van je af. Zet Silver van je af. Nee, ze kon hem niet meer van zich afzetten. Hij was nu voor altijd bij haar. Maar dat was niet erg, want hij was deel van haar gaan uitmaken, aangenaam en vertrouwd...

Ze verkeerde net op het randje van slaap, toen Silver in haar oor fluisterde: 'Wat zag je, Kerry?'

Waar had hij het over, vroeg ze zich wazig af.

'Wat zag je toen je naar hem opkeek? Vertel het me.'

'Dat kan ik niet...'

'Jawel, dat kun je wel. Als je het tegen me zegt mag je daarna weer gaan slapen. Graaf eens even. Wat zag je?'

Graven...

Duisternis. Het schijnsel van de vlammen dat zijn silhouet afte-kende en zijn gezicht in de schaduw plaatste.

'Blauwe ogen,' fluisterde ze. 'Blauwe ogen...'

14

Dickens' handen omklemden het stuur toen hij in een geul terechtkwam en bijna van de weg raakte.
'Godverdomme!' Deze vloek werd gevolgd door een serie andere obsceniteiten. Hij mocht van geluk spreken als hij de stad
weer wist te bereiken zonder lekke band. Daar zat hij net op te
wachten. Hij zou hem zelf moeten verwisselen aangezien Trask
de strikte order had gegeven geen onnodige aandacht op zich te
vestigen. Alsof hij zo stom zou zijn. Maar Trask dacht nu eenmaal dat iedereen behalve hijzelf een idioot was, en behandel-
de je dus ook als zodanig.
Nog een paar kilometer voor hij om kon draaien en kon maken
dat hij hier weg kwam. Even rondneuzen en dan kon hij Trask
bellen en verslag uitbrengen. Hij hoopte maar dat dit eindelijk
was wat de klootzak zocht. Dit was al de achtste tocht die hij
maakte, hij werd er doodziek van.
Hij nam een bocht, en daar was het.
Hij floot zachtjes.
Hij parkeerde de auto langs de kant van de weg voordat hij de
foto oppakte van de stoel naast hem.
Misschien. Heel misschien...

Blauwe ogen.
Dat was het eerste wat Kerry te binnen schoot toen ze de vol-
gende ochtend wakker werd. Het ene moment was ze nog diep
in slaap, en het volgende klaarwakker, met kloppend hart, als-
of ze zojuist was wezen hardlopen. Ze schoot rechtovereind.
Wat was dit in godsnaam?
En waar was Silver?
Ze zwaaide haar benen over de rand en sprong uit bed.
Na vijf minuten was ze aangekleed en stormde ze de trap af.
'Goedemorgen,' zei George toen hij door de voordeur binnen-

kwam. 'U ziet er wat gespannen uit.'

'Zeg dat wel. Waar is Silver?'

'Vlak achter me. We hebben het terrein geïnspecteerd. Hij wilde even controleren of de bewakers geen tekenen van indringers over het hoofd hebben gezien. Het is een achterdochtig man, die Brad van ons.'

'Uw Brad. Ik maak op het moment geen aanspraak op hem.'

Hij trok zijn wenkbrauwen op. 'Meent u dat nu? Dan verklaart dat misschien waarom hij zo dringend naar buiten wilde.' Hij wendde zich tot Silver die achter hem binnenkwam. 'U staat in een slecht blaadje.' Hij liep in de richting van de bibliotheek. 'En ik ben weg. Ik verwacht elk moment iets te horen van de CIA over onze geheimzinnige Helen, en dat wil ik niet missen.' Hij keek om naar Kerry. 'Wilt u proberen hem niet al te hard aan te pakken? Ik heb mijn kans op revanche nog niet bij hem gehad.'

'Daar heeft hij dan misschien te lang mee gewacht,' zei Kerry grimmig toen de deur achter hem sloot. 'Nu zal hij moeten aansluiten in de rij. Wat heb je met me gedaan?'

'Volgens mij hebben we het daar gisteravond al over gehad.'

'Dat bedoel ik niet. Ik bedoel vlak voor ik in slaap viel. Heb je een posthypnotische suggestie gedaan om mijn geheugen op te porren?'

Hij aarzelde. 'Misschien.'

'En het was geen toeval dat ik die droom gisteravond had.'

Hij haalde zijn schouders op. 'Toeval bestaat niet.'

Tot op dat moment had ze niet beseft hoe graag ze het mis had gehad. 'Klootzak. Het is al erg genoeg dat je je hebt bemoeid met andermans zaken. Je hebt me gemanipuleerd. Je had gezegd dat je dat niet zou doen. Je had het belóófd. Waarom hou je je verdomme niet aan de afspraak?'

'Omdat ik geen andere oplossing zag. Je verzette je met hand en tand. Ik moest ingrijpen op het moment dat je ontspannen en weerloos was.'

'En het is niet bij je opgekomen dat dat wel eens al mijn vertrouwen in jou zou kunnen vernietigen?'

'Jawel, maar ik vond dat ik de gok moest wagen. We hebben het hier over het monster dat je al je hele leven achtervolgt. Je moest hem een keer in de ogen kijken in plaats van je te verstoppen.'

'Vind jij.'

'Vind ik.'

'Arrogante klootzak.'

'Inderdaad. Ik heb nooit ontkend dat ik een egoïstische zak ben en dat ik het risico waarschijnlijk ook uit eigenbelang heb genomen.' Hij voegde er eenvoudigweg aan toe: 'Ik kon je pijn niet langer aanzien, Kerry. Elke keer als ik je daar raakte, dan... dan had ik zelf pijn. Er moest een einde aan komen, Kerry.'

'En wat denk je daarmee bereikt te hebben?'

'Als je jezelf toe zou staan verder te kijken dan je kwaadheid, dan zou je daar misschien achter kunnen komen.'

'Ik weet niet waar je het over hebt.'

'Blauwe ogen,' zei hij vriendelijk. 'Hij had blauwe ogen. Waarom wilde je dat vergeten, Kerry?'

'Misschien wist ik het niet meer. Misschien heb je die herinnering geplant toen je...'

'Dat geloof je zelf niet,' onderbrak hij haar. 'Hou op met die onzin en vertel me waarom je de herinnering aan de man die je moeder vermoord heeft onderdrukt hebt.'

'Dat heb ik niet. Ik lag in coma, en toen ik bijkwam wist ik het niet meer.'

'Maar gisteravond wist je het weer. Je herinnerde je de blauwe ogen. Als ik harder had geduwd, had je hem dan in zijn geheel kunnen omschrijven?'

'Nee!'

'Ik denk van wel.'

'Dan heb je het mis.' Ze balde haar vuisten. 'Je hebt het helemaal mis.'

'Waarom raakte je in shock bij het zien van zijn gezicht?'

'Omdat ik bang was.'

'Ja, dat klopt.' Hij zweeg even. 'Ken je iemand met blauwe ogen?'

'Die vraag slaat nergens op. Ik ken honderden mensen met blauwe ogen.' Ze draaide zich op haar hielen om en smeet de deur open. 'Ik ben niet van plan je verhalen nog langer aan te horen. Blijf uit mijn buurt.'

'Dat zal ik doen,' antwoordde hij zachtjes toen hij haar de trap af volgde. 'Je zult een aantal dingen in je eentje uit moeten zoeken. Je weet waar je me kunt vinden als je mijn hulp nodig hebt.'

'Ik heb schoon genoeg van je hulp.' Ze liep weg over de oprit in de richting van de bomen bij de poort. 'En ik ben niet van plan dingen uit te zoeken. Ik wil gewoon niet bij je in de buurt zijn.'

'Of je nu wilt of niet, je kunt je hoofd niet langer in het zand steken.' Hij ging op de trap zitten. 'Je zult jezelf toch dingen af gaan vragen. Het zal niet gemakkelijk zijn, maar je hebt de moed om de dingen onder ogen te zien. Als je klaar bent met wegrennen, kom dan terug om te praten.'

'Ik wil niet praten.' Ze voelde zijn ogen in haar rug toen ze naar de bomen liep. En ze rende verdomme helemaal niet weg. Ze was boos en wilde alleen zijn. Dat was een natuurlijke reactie wanneer je vertrouwen in iemand beschaamd was. En ze stak haar hoofd helemaal niet in het zand. Misschien had hij herinneringen opgeroepen die de politie en psychoanalytici nooit boven water hadden weten te halen. Maar dat betekende niet dat ze zich daar bewust voor afgesloten had...

Blauwe ogen.

Snel onderdrukte ze die gedachte. Ze wilde er niet aan denken. Ze wilde helemaal niet denken aan de dingen die Silver had gezegd. Hij had het mis. Er was niets dat...

Wegrennen.

Als ze inderdaad te erg geschrokken was om over zijn woorden na te denken, dan zat er misschien een kern van waarheid in.

God, die waarheid wilde ze niet. Ze wilde niet dat hij gelijk had. Ze kon het negeren. Ze kon hem negeren.

Nee, dat kon ze niet. Dat was een leugen, en ze probeerde juist altijd eerlijk tegen zichzelf te zijn.

Maar misschien was ze dat niet geweest.

Ze bleef staan in de schaduw van een enorme eikenboom toen die gedachte in haar opkwam. Misschien lag die eerlijkheid alleen maar aan de oppervlakte. Misschien had ze nooit de moed gehad om dieper te graven.

Maar Silver had gezegd dat ze de moed had, en hij kende haar beter dan wie ook.

Ze legde haar wang tegen de ruwe stam van de boom en sloot haar ogen.

Blauwe ogen...

De zon was al onder aan het gaan toen Kerry terugkeerde naar het huis. Silver zat nog steeds op dezelfde plek op de trap waar ze hem uren geleden achtergelaten had.

Ze sloeg haar armen over elkaar. Ze had gehoopt wat meer tijd te hebben voor ze hem onder ogen kwam. 'Heb je niets beters te doen dan hier een beetje rond te hangen?'

'Nee,' glimlachte hij. 'Nou ja, er waren wel een paar wereldschokkende zaken die mijn aandacht vroegen, maar ik vond jou belangrijker. Als je het vuurtje opstookt, is het wel zo eerlijk om in de buurt te blijven en te zorgen dat de zaak niet overkookt.'

'Ik ben je zaak niet.'

Zijn glimlach verdween. 'Sorry, zo bedoelde ik het niet. Maar ik denk dat je wel weet dat ik het niet onpersoonlijk bedoelde. Dat wat tussen ons speelt, is absoluut heel persoonlijk.'

Inderdaad. Zo persoonlijk dat ze de intimiteit soms nauwelijks kon verdragen. 'En ik was echt niet van plan in te storten omdat jij je als een klootzak hebt gedragen en je belofte gebroken hebt.' Ze ging naast hem op de trap zitten. 'Hoewel ik je dat nooit zal vergeven.'

Hij wendde zijn blik af. 'Ik wist van tevoren dat die mogelijkheid bestond.'

'Natuurlijk wist je dat. Maar het heeft je er niet van weerhouden naar binnen te springen en orde op zaken te stellen om jezelf een plezier te doen.'

'Dat is mijn vak.' Hij aarzelde, en zei toen: 'Maar aangezien je nu niet meteen het hellevuur over me uitstort, neem ik aan dat ik je aan het denken heb gezet.'

'Ik ben op dit moment te moe om boos te zijn. Misschien later.'

'Zelfanalyse kan een vermoeiende bezigheid zijn.'

'Doe niet zo aanmatigend. Ik heb mijn geweten niet onderzocht. Met mijn geweten is niets mis.' Ze zweeg even. 'Maar misschien had je gelijk wat betreft het me verstoppen voor wat er die avond is gebeurd.'

Hij draaide zijn hoofd om. 'Halleluja,' zei hij zachtjes. 'Een doorbraak.'

'Ik zei: misschien.' Ze bevochtigde haar lippen. 'Ik kan geen reden bedenken waarom ik anders... Als het al die jaren in mijn geheugen heeft gezeten, waarom is het dan niet eerder naar boven gekomen?'

'Vertel het me maar.'

Ze kneep in haar gevouwen handen tot de knokkels wit werden. 'Blauwe ogen.'

Hij zei niets.

'Verdomme, blijf daar nu niet zitten als de een of andere alwetende sfinx.'

'Wat wil je dan dat ik zeg? Wil je dat ik de vraag nog een keer stel? Goed dan: ken je iemand met blauwe ogen?'

'Ik heb toch gezegd dat ik...' Ze ademde diep in. 'Mijn hele familie heeft blauwe ogen. Ikzelf. Tante Marguerite had blauwe ogen. Mijn broer, Jason, heeft blauwe ogen.'

'En wie nog meer?'

Het antwoord duurde even. 'Mijn vader heeft blauwe ogen,' zei ze hortend. 'Zo. Ben je nu tevreden?'

'Jij?'

'Hou nu eens op met dat psychiatertje spelen. Elke vraag met een wedervraag beantwoorden.' Maar ze moest het kwijt. Ze moest het zeggen. 'Mijn vader en moeder lagen in scheiding. Ik weet nog... de dreiging. Al die bittere ruzies. Ruzie over alles. Over mij, Jason, het huis waar we woonden. Het stenen huis was van de ouders van mijn vader geweest, maar mijn moeder wilde er blijven wonen. Toen mijn vader Jason mee naar Canada nam om te vissen, was ik eigenlijk blij dat hij weg was.'

'Dat lijkt me een natuurlijke reactie.'

'Daar voelde ik me schuldig over.' Vreemd dat ze zich nu ineens de dag kon herinneren dat haar vader weg was gegaan, terwijl ze dat al die jaren niet had gekund. De herinnering aan haar vader en Jason die in een taxi stapten en dat ze daar niets dan opluchting bij voelde. 'Maar het deed pijn dat hij Jason wel meenam, en mij niet. Ik dacht dat hij niet meer van me hield. Ik wist dat hij niet meer van mijn moeder hield. Waarom zou hij nog van mij moeten houden?'

'Met een kind ligt het anders.'

'Hij nam Jason wel mee. Mij heeft hij nooit iets gevraagd. Als mijn vader en moeder ruzie hadden, ging het er altijd over dat hij Jason bij zich wilde houden. Mama zei altijd dat Jason en ik bij elkaar moesten blijven, maar hij wilde zijn zoon.'

'Ik geloof dat ik antipathie voor allebei je ouders begin te ontwikkelen. Ze hadden je geen getuige mogen laten zijn van die ruzies.'

Ze haalde haar schouders op. 'Als er zoveel haat leeft, borrelt het over en gaat het zijn eigen leven leiden.'

'Als een brand.'

Ze ving zijn blik. 'Zoals die brand.'

'Je denkt dat je vader die brand waarin je moeder omgekomen is aangestoken heeft.'

'Ik weet het niet. Ik probeer me al de hele middag een weg te vechten door de wrok en verbijstering die ik altijd voor hem heb gevoeld. Hij haatte haar. Hij hield niet meer van mij. Hij wilde niet dat zij het huis kreeg. Dus wat gebeurde er? Het huis brand-de af. Mijn moeder stierf. En ik lag twee jaar in een ziekenhuis.'

'Maar je was een getuige. In de tijd dat jij daar hulpeloos lag, had hij best kans kunnen zien je te vermoorden.'

'Maar dat zou een risico hebben betekend. Wie zal het zeggen? Ik lag in coma. Ik had zomaar weg kunnen glippen. En toen ik eenmaal bijgekomen was, bleek ik me niets meer te kunnen her-inneren, dus toen was hij veilig. Het was niet nodig om zich van me te ontdoen.'

'Dus je denkt dat hij het heeft gedaan?'

'Dat moet ik in ieder geval gedacht hebben. Ik weigerde te ge-loven dat hij een moordenaar was. Anders zou ik die herinne-ring niet geblokkeerd hebben.'

'Een man met blauwe ogen. Nauwelijks afdoende bewijs. Wat herinner je je nog meer?'

Ze schudde haar hoofd. 'Niets. Dit is alles wat je met brute kracht uit me getrokken hebt.'

'Maar je hebt je tegen me verzet. Je hebt me niet dieper laten spitten.'

'Ik heb zijn ogen gezien. De rest van zijn gezicht lag in de scha-duw.'

'Die ogen waren alleen maar je eerste indruk. Je dacht dat je hem herkende, en toen ben je in shock geraakt. Ik kan je helpen andere kenmerken te zien.'

'Daar was het te donker voor,' zei ze snel.

'Het was niet te donker om de kleur van zijn ogen te zien.'

'Die zullen wel gereflecteerd zijn door het vuur.'

'Of omdat het in een fractie van een seconde gebeurde, zodat je verder niets zag. Als ik dat moment voor je bevries, dan zou je tijd hebben om hem goed te bekijken.'

'Dus nu kun je de tijd ook al stilzetten? Ongelooflijk. Toe maar, wat staat me nog meer te wachten?'

'Je weet maar nooit. Ik ben een man met een onuitputtelijke voorraad mogelijkheden.' Hij keek haar onderzoekend aan. 'Je bent bang, hè?'

'Nee, ik ben niet...' Ze onderbrak zichzelf. 'Misschien. Het is te nieuw allemaal. Ik heb nooit geweten dat ik mijn vader van moord verdacht.'

'Verdénken is hier het juiste woord. Wil je het niet zeker weten?'

Daar was ze niet zeker van. Elke keer dat ze daaraan dacht, raakte ze in paniek. 'Het is... moeilijk. Misschien heb ik het mis. Misschien is het een volslagen vreemde.'

'En je wilt niet dat het je vader is. In de grond van ons hart weigeren we iets slechts van onze ouders te denken. Je zag het aan Carmela. Daarom zit je waarschijnlijk al jarenlang in die ontkennende fase.'

'Je lijkt nogal zeker van je zaak te zijn. Maar het is niet zo eenvoudig.'

'Je hebt mij niet horen zeggen dat het eenvoudig was.' Hij zweeg. 'Je bent er nog niet klaar voor, hè? Je wilt niet dat ik je help.'

'Ik geloof dat je me wel genoeg geholpen hebt.'

'Nee, dat heb ik niet. Maar dat geeft niet. Je hebt tijd nodig om het allemaal tot je door te laten dringen en te wennen aan het idee dat je je niet meer kunt verstoppen.'

'Goh, fijn dat jij vindt dat het niet geeft,' zei ze sarcastisch en stond op. 'Wat zou ik toch zonder jouw goedkeuring moeten. Maar, als je me wilt excuseren ga ik nu op zoek naar George om te horen of hij nog iets heeft ontdekt over die vriendin van Trask.'

Hij knikte. 'Doe dat.' Hij stond ook op. 'En aangezien ik weet dat jij er de voorkeur aan geeft dat ik een tijdje bij je uit de buurt blijf, ga ik nu maar eens aan de slag met een aantal van die wereldschokkende zaken waar ik het eerder over had.'

'Wat dan?'

Hij glimlachte. 'Travis heeft gebeld. Rosa komt over een paar uur aan op het vliegveld.'

'Heeft de kinderbescherming van Louisville haar laten gaan?'

'Onder toezicht van Ledbruk. Er is nogal wat medewerking op hoog niveau voor nodig geweest om alle administratie inzake het onttrekken van een kind aan ouderlijk toezicht te omzeilen, maar uiteindelijk is het ze gelukt.'

Een golf van opluchting stroomde door haar heen. 'Waarom heb je me dat niet verteld?'

'Omdat je ergens anders door in beslag werd genomen. Ik ga haar zo ophalen en naar de geheime plek brengen die Ledbruk voor haar heeft geregeld.'

'Waarom breng je haar niet hierheen?'

'Je hebt aan Carmela beloofd dat Rosa veilig zou zijn. Denk je nu echt dat dit de veiligste plek voor haar is? Jij bent een van de belangrijkste doelwitten en Trask zou in zijn nopjes zijn als hij hier iets kon aanrichten.'

Hij had gelijk. Hoe verder Rosa van hen verwijderd was, hoe veiliger ze was. Kerry vond het alleen een afschuwelijk idee dat een kind alleen maar veiligheidsagenten om zich heen zou hebben. 'Ze is pas twaalf.'

'Ik ben ervan overtuigd dat Ledbruk een vrouwelijke agente voor haar geregeld heeft. En ik zal hem om Rosa's nummer vragen.'

Ze veronderstelde dat dit inderdaad de beste oplossing was. 'Leg je haar alles uit? En zeg je dat Carmela voor haar...'

'Kerry, doe me een plezier, zeg. Ik ben heus niet van plan haar zomaar uit de auto te gooien en aan die veiligheidsjongens te geven,' onderbrak hij haar op ruwe toon. 'Ik ben niet helemaal van steen. Jezus, ik ben gek op kinderen.' Hij liep de trap af. 'Ik zie je straks.'

Hij was weer kwaad en ze kon de stekels in zijn stem bijna voelen. Nou, jammer dan. Ze was niet van plan hem te troosten nu ze zelf getart werd door een paar doornen.

Een paar? Dat was zwak uitgedrukt. Ze voelde zich verscheurd en bont en blauw, en ja, ze was bang. Silver had het donkere gordijn van leugens opzij gerukt waar ze zich jarenlang achter verscholen had, en nu was ze naakt en kwetsbaar. Ze wilde dat gordijn terug. Het had de verschrikking op afstand gehouden die ze nog niet onder ogen wilde zien.

Maar wanneer dan wel? Ze kon niet terug. Silver, met zijn gebruikelijke meedogenloze efficiëntie, had er wel voor gezorgd dat ze zichzelf niet langer voor de gek kon houden.

Wat dacht ze wel? Angst was één ding, maar zelfbedrog was iets heel anders, en daar had ze haar portie wel van gehad. Op dit moment was ze nog niet voorbereid op een diepe sprong in die herinnering, maar het zou niet lang meer duren voordat ze wel zou moeten.

'Fijn.' Silver keek even om voordat hij in de auto stapte. 'Dat hoopte ik al toen ik...'

'Het kan me niet schelen wat je hoopte,' zei ze kil. 'En zorg dat je uit mijn hoofd blijft. Je hebt je laatste welkome uitnodiging verspeeld.'

Hij haalde zijn schouders op. 'Het was slechts een kwestie van tijd voordat dat gebeurde. Ik zat erop te wachten.' Hij opende het portier. 'Tot straks.'

Ze had hem gekwetst. Ze voelde zijn rauwe pijn alsof het haar eigen pijn was. Jezus, ze kon hem dit haar niet langer laten aandoen. Ze duwde hem weg, blokkeerde hem. Zo, dat was beter. Ze was sterker dan ze had gedacht. Ze had veel van hem geleerd in de afgelopen dagen. Over niet al te lange tijd zou ze van hem bevrijd zijn. Geen intimiteit meer. Geen saamhorigheid meer.

Stekende pijn. Afschuwelijke eenzaamheid.

Ze zou er wel overheen komen. Deze verslavende intimiteit was ongezond en Silver had bewezen dat ze er niet op kon vertrouwen dat hij haar gedachten hun eigen gang liet gaan. Het feit dat hij het had gedaan omdat hij dacht dat het goed voor haar was, was geen echt excuus. Hij had een machtige positie, en hij had die macht misbruikt.

Ze keek toe hoe hij achteruit de oprit afreed. Het was voor het eerst sinds dagen dat hij het landgoed zonder haar verliet. Stond Trask daarbuiten te wachten?

Trask zou zich ook graag van mij ontdoen.

Waarom maakte ze zich zorgen over hem terwijl ze wist dat ze zich een weg uit deze vreemde relatie wilde vechten? Ledbruks mannen zouden Silver volgen en beschermen. Verdomme, ze zou níét toekijken hoe hij de poort uitreed. Zet hem van je af. Ga door met je leven. Zoek een manier om Trask te vinden.

Ze draaide zich om en liep het huis binnen, op zoek naar George.

George zat aan de telefoon toen Kerry de bibliotheek binnenkwam, maar hij hing vrijwel direct op. 'Ja?'

'Wat hebt u ontdekt over die Helen van Trask?'

Hij trok zijn wenkbrauwen op. 'Die vraag heeft lang genoeg op zich laten wachten.'

'Ik vraag het nu toch? Ik werd nogal in beslag genomen door iets anders.'

'Dat was duidelijk. Ik had gehoopt Brad een beetje te ontlasten, maar dat wilde kennelijk niet lukken.'

'Nee, maar nu wel. Wat hebt u gevonden?'

'Ik meen dat de volledige naam van de dame Helen Saduz was.' George bladerde door de papieren die voor hem op het bureau lagen. 'Hier staat het.' Hij stak haar een dossier toe. 'Hoewel het goed mogelijk is dat het een valse naam is en dat ze illegaal in dit land verbleef.'

'Is dat de reden dat niemand ons iets over haar kon vertellen?'

Hij schudde zijn hoofd. 'Nee, dat was omdat niemand wilde dat we zouden weten wat er met haar is gebeurd.'

Ze keek hem vragend aan. 'Wat bedoelt u?'

'Weet u nog dat er in het rapport stond dat Trasks laboratorium in opdracht van het Witte Huis is opgeblazen?'

Ze knikte.

'Welnu, zij was in het laboratorium.'

Kerry sperde haar ogen wijdopen. 'Wat?'

George maakte een handgebaar. 'Boem. Het lab klapte uit elkaar, samen met Helen Saduz.'

'Hoe heeft dat kunnen gebeuren?'

'We vermoeden dat Trask haar naar binnen heeft gestuurd om iets op te halen dat hij vergeten was.'

'Wat?'

Hij haalde zijn schouders op. 'Papieren, misschien het een of andere prototype... Hoe dan ook: ze had de pech binnen te zijn toen het gebouw opgeblazen werd.'

'Maar ze zullen toch eerst wel gekeken hebben of er niemand was?'

'Het gebouw was verzegeld. Er werd niemand geacht binnen te zijn. Ik denk niet dat ze erg goed gezocht zullen hebben.'

'Hoe kon ze dan naar binnen als het gebouw verzegeld was?'

'Ik vermoed dat Trask haar heeft verteld hoe ze binnen moest komen. Klaarblijkelijk had hij een manier om langs de beveiliging te komen terwijl hij onderdelen en informatie van leden van zijn team ontvreemdde voor hij de benen nam.'

Ze keek naar de foto die voor haar lag. Het was een brunette van achter in de twintig met klassieke gelaatstrekken. 'Een knappe vrouw.'

Hij knikte. 'Absoluut. En eenvoudig te herkennen. Dat konden we wel gebruiken. Want er was weinig te identificeren toen ze haar in de as vonden. Aan het lijk konden ze haar leeftijd en sekse aflezen, maar de rest was giswerk. Of moet ik het veldwerk noemen? Geen van zijn medewerkers had Trask in haar nabijheid gezien, maar dat zei niets. Hij was een einzelgänger en ging met geen van zijn collega's om. De geheime dienst heeft agenten naar alle lievelingsrestaurants van Trask gestuurd en een paar obers gevonden die zich haar herinnerden. Aan de hand daarvan hebben ze een compositietekening laten maken door een tekenaar en die naar de database gestuurd. Toen kwam de naam Helen Saduz naar boven.'

'Grieks?' vroeg Kerry terwijl ze door het dossier bladerde. Ze verstijfde. 'En haar vader kwam uit Iran?'

'Precies. Trask was waarschijnlijk al in onderhandeling met Iran voor het project stopgezet werd. Helen Saduz werd gestuurd om de deal te beklinken. Ze was slim, hoog opgeleid, en bijzonder bedreven in het overreden van mannen om te doen wat zij wilde. Zoals je kunt lezen in het dossier heeft ze als agente ten minste vier wetenschappers naar het Iraanse kamp weten te lokken.'

Kerry keek op. 'Het is haar gelukt Trask voor de gek te houden. Hij hield van haar. Misschien is dat zijn motivatie om iedereen te vernietigen die connecties heeft met het opblazen van dat laboratorium.'

'Vergeet niet dat hij haar daarheen heeft gestuurd. Misschien wist hij niet dat ze het op zouden blazen, maar hij moet geweten hebben dat ze gevaar liep.'

'Dat is waar. Maar misschien heeft ze hem overgehaald haar dat te laten doen. Als manier om hem nog dichter naar zich toe te trekken.'

'Misschien. En daarbij een manier om waardevolle informatie in handen te krijgen en te fotograferen voordat die bij Trask terechtkwam.'

'Maar wat is dan de reden dat de regering niet wilde dat iemand te weten kwam dat zij in dat gebouw om het leven was gekomen?'

'De CIA heeft zich erin gemengd toen ze erachter kwamen wie ze was. Ze zijn op zoek naar verbanden tussen de Iraanse regering en spionage. Ze was bekend bij hen en ze roken hun kans. Ze wilden niet dat iemand van haar dood op de hoogte kwam en hebben de president overgehaald alle dossiers aan hen over te dragen en haar aandeel in het onderzoek door hen te laten overnemen. Ze hebben berichten gestuurd naar haar contactpersoon in Iran in de hoop concrete bewijzen tegen de regering te kunnen verzamelen.' Hij trok een gezicht. 'Dat is de reden dat alle dossiers over haar vernietigd zijn. Geen kans op lekken.'

'Dus alleen voor ingewijden? Lieve God, vertellen die instanties elkaar dan nooit iets?'

'Zo min mogelijk. Het is zelfs Homeland Security niet gelukt door al die bureaucratische rompslomp heen te breken.'

'Maar Trask doet op dit moment geen zaken met Iran. U zei dat hij in onderhandeling was met Noord-Korea. Waarom?'

Hij schudde zijn hoofd. 'Waarom vraagt u het hem niet, aangezien u kennelijk op zulke goede voet met hem staat? Heeft hij geen contact meer met u opgenomen?'

'Nee.' Maar ze wist dat dat slechts een kwestie van tijd was. Ze voelde hem... rondzweven. 'En ook geen teken van Dickens?'

'U zou het als eerste horen als Ledbruk hem gesignaleerd had. Niets verdachts bij het ziekenhuis van Carmela. U wordt door niemand gevolgd wanneer u op pad gaat.'

Wat was er dan met Trask aan de hand? Haar intuïtie zei dat hij zijn nederlaag bij het pakhuis niet zonder vergelding zou accepteren.

'U bent hier veilig,' zei George toen hij haar gezichtsuitdrukking zag. 'Ik heb ervoor gezorgd dat Ledbruk zijn beste medewerkers op u heeft gezet. U hoeft niet bang te zijn dat ze hun aandacht laten verslappen en u om laten brengen.'

'Net zoals bij Joyce Fairchild zeker?'

Hij trok een gezicht. 'Touché. Maar ze zijn intelligent genoeg om te leren van hun fouten.'

'Dat hoop ik dan maar.' Ze wendde haar gezicht af. 'Silver is weg om Rosa Ruiz op te halen.'

'Ja, dat zei hij.'

'O ja? Nou, ik wil niet dat haar iets overkomt.' Nog steeds wegkijkend, vervolgde ze: 'En ik wil ook niet dat hem iets gebeurt.'

'Ook al bent u boos op hem?'

'Dat staat er los van.'

Hij leunde achterover en bestudeerde haar profiel. 'Ja, dat is zo. Jullie hebben een bijzonder sterke band.'

Iets in zijn stem maakte dat ze zich omdraaide en hem aankeek. 'En wat bedoelt u daar precies mee?'

Met een onschuldige blik keek hij haar aan. 'Hoezo, raak ik een gevoelige snaar?'

'Als dat zo is, dan is dat omdat u dat wilt.'

'Discretie verbiedt me te suggereren dat ik misschien hooguit refereerde aan het feit dat jullie met elkaar naar bed gaan.'

Zijn botte woorden verrasten haar. Ze had aangenomen dat hij wist dat zij en Silver minnaars waren, maar hij had er nooit iets van gezegd.

Waarom dan nu, zo uit het niets? 'Die opmerking was allesbehalve discreet.' Ze bestudeerde hem. 'En volslagen ongepast. Kan het zijn dat u een afleidingsmanoeuvre in de strijd wilde gooien?'

Hij grinnikte. 'Inderdaad. Ik moet toegeven dat ik erg genoot van mijn subtiele toespelingen, maar ik had natuurlijk kunnen verwachten dat u me zou doorzien en de uitdaging aan zou nemen.'

'Leg uw kaarten dan maar op tafel.'

Nog steeds glimlachend maakte hij het zich gemakkelijk op zijn stoel. 'Toen jullie in Marionville waren, heb ik een bezoekje gebracht aan de universiteit van Georgetown. Het is algemeen bekend op de campus dat het laboratorium voor hydrostatica niet is wat het lijkt. Er gonzen allerlei geruchten over de mensen die dat gebouw in- en uitgaan. Er zitten zelfs een paar interessante ideeën tussen over connecties met de CIA. Dus toen ik terugkwam ben ik maar eens even gaan bellen met een paar vriendjes van me bij de CIA die nog bij me in het krijt stonden.'

'En?'

'Het schijnt dat de CIA Brad Silver nog een paar wederdiensten moet bewijzen in ruil voor een aantal ongebruikelijke bijdragen. Je zou het zelfs eigenaardige bijdragen kunnen noemen.' Hij hield zijn hoofd schuin. 'En toen ging ik mezelf afvragen: als Brad de een of andere helderziende goeroe is, wat bent u dan, Kerry?'

'Ik neem aan dat u daarop een antwoord hebt gevonden?'

'Jazeker. Een fascinerend antwoord zelfs. Het leven blijft ons nieuwe gegevens zenden die ons tot nadenken stemmen.'

'Geloofwaardige gegevens?'

Hij knikte. 'Bedoelt u of ik denk dat Brad en u gek zijn? Ik zou mijn hand niet in het vuur durven steken voor iets dat u, zoals u het noemt, 'waarneemt', maar ik sta overal voor open. Ik heb in genoeg vreemde situaties verkeerd om te weten dat er meer onder het oppervlak zit dan we met het blote oog kunnen zien.'

'En wat bent u van plan daaraan te doen?'

'Niets. Waarom zou ik? Ik kon alleen de verleiding niet langer weerstaan u te laten weten dat ik niet langer onwetend was. Een kwestie van ego. En wat betreft de uitgestrektheid van uw talent: daarin ben ik niet werkelijk geïnteresseerd zolang het niet op mij van toepassing is. U kunt mijn gedachten toch niet lezen of iets dergelijks, of wel?'

'Nee.'

'En Brad?'

Ze aarzelde. 'Dat is wel het laatste wat hij wil.'

'U geeft geen antwoord,' zei hij met een grimas. 'Of misschien ook wel. Misschien voel ik me hierbij toch niet zo op mijn gemak als ik dacht. Ik denk dat we maar beter alles op alles kunnen zetten om Trask zo snel mogelijk te pakken, voor het geval ik besluit de benen te nemen.'

Hij voelde zich niet op zijn gemak. Dat was te verwachten. Dat was het soort reactie dat ze had geprobeerd te vermijden vanaf die dag in het ziekenhuis dat Travis haar de omvang van haar gave uitgelegd had. Maar om de een of andere reden stoorde het haar dat zelfs George zo reageerde. Verdomme, ze mocht hem. Ze probeerde te glimlachen. 'We hebben ons vanaf het begin op niemand anders geconcentreerd dan op Trask.'

'Maar ik heb jullie twee het zware werk laten doen. Misschien wordt het tijd dat ik me erin meng en de zaak een beetje versnel.' Hij pakte de telefoon weer op. 'Ik zal het even moeten laten bezinken. Is er nog iets anders waarmee ik u van dienst kan zijn?'

Ze werd weggestuurd. Er was een subtiele verandering in zijn manier van doen. Dat tikje spottende dienstigheid was verdwenen. 'Nee, ik heb waar ik voor kwam. Een nieuw stukje van de puzzel.' Ze draaide zich om. 'Helen Saduz.'

'Kerry?'

Ze keek om.

Hij glimlachte. 'Ik zie u niet als een rariteit. Maar ik ben nogal een teruggetrokken persoon en ik moet mezelf beschermen tegen Brad. Ik heb te veel geheimen.'

'Wie niet?' Ditmaal was haar glimlach oprecht. 'Ik weet hoe u zich voelt. Maar ik denk dat u hem wel kunt vertrouwen.'

'Vertrouwt u hem?'

Haar glimlach gleed van haar gezicht. 'Onder geen voorwaarde. Maar onze relatie is... anders. U hebt het voordeel dat u niet zo dicht bij hem hoeft te komen.'

Hij wierp zijn hoofd naar achteren en lachte. 'Jezus, nee, laten we hopen van niet. Ik voel niet in het minst de behoefte om met hem naar bed te gaan.'

'Gelukkig maar,' zei ze en opende de deur. 'Het is al ingewikkeld genoeg allemaal.'

15

Silver belde haar om negen uur die avond. 'Rosa Ruiz is in veiligheid. Ze zit in een leuk huisje in een leuk woonwijkje vlak bij
het ziekenhuis. Agente Jane Dorbin zorgt voor haar.'
'Is dat de enige beveiliging die ze heeft?'
'Nee, in het huis ernaast zitten nog een paar veiligheidsmannen,
maar ik dacht dat het je vooral te doen was om haar emotio-
nele verzorging.'
'Dat is ook zo.' Ze zweeg even. 'Is ze bang?'
'Ja, maar niet bang genoeg om naar huis te willen. Ze wil bij
haar zus blijven. Carmela wordt morgen ontslagen en dan haal
ik haar op en breng haar naar Rosa.'
'Dat hoeft niet. Dat doe ik wel.'
'Om met eigen ogen te zien dat ze veilig is?' Hij zweeg even.
'Vind je niet dat je op mijn oordeel mag vertrouwen?'
Ze antwoordde niet meteen. 'Ik wil gewoon zien dat ze samen
veilig zijn.'
Silver mompelde een vloek. 'In godsnaam, je hoeft me niet direct op alle vlakken te wantrouwen.' Toen ze niet reageerde,
voegde hij daar bitter aan toe: 'Of misschien ook wel. Ik neem
je morgen om tien uur mee naar het ziekenhuis. Dan halen we
haar samen op.' Hij verbrak de verbinding.

'U rijdt rondjes.' Carmela keek Silver achterdochtig aan. 'Brengt
u me wel echt naar Rosa?'
'Jazeker, je hebt haar gisteravond toch gesproken?'
Ze knikte. 'Maar dat betekent niet dat jullie haar niet voor de
gek hebben kunnen houden. Het is nog maar een kind.' Ze keek
Kerry aan. 'Is het allemaal geregeld? Jullie sturen ons toch niet
terug naar mama?'
'Alles is in orde,' antwoordde Kerry. 'Maar we willen er zeker
van zijn dat jullie veilig zijn. Silver was bang dat we misschien

gevolgd zouden worden vanuit het ziekenhuis.'

'En, is dat zo?'

Silver schudde zijn hoofd. 'Ik geloof van niet.'

'Dat is niet wat ik wil horen,' zei Carmela heftig. 'Jullie moeten het zeker weten. Ik wil niet dat er iets met Rosa gebeurt.'

'Er gebeurt niets met Rosa,' antwoordde Kerry. 'Silver is te vertrouwen, Carmela.'

'O ja?'

'O ja?' mompelde Silver. 'Wat een verrassende opmerking van jouw kant. Ik ben geroerd.'

Ze negeerde hem. 'Hij zal ervoor zorgen dat er niets met jou en Rosa gebeurt.' Ze voegde eraan toe: 'En ik ook. We moeten gewoon heel voorzichtig zijn.'

'En dat komt door die gek,' zei Carmela. Ze zweeg even. 'Jullie vertrouw ik wel. Meestal tenminste. Maar het is gewoon moeilijk. Ik vind het net of die Trask niet echt bestaat.'

'Dat snap ik,' reageerde Kerry. 'Ik vind het zelf soms ook moeilijk te geloven allemaal. Ik wilde dat hij niet echt bestond, dat hij alleen maar in mijn…' Ze onderbrak zichzelf toen Silver de oprit van een klein bakstenen huis opdraaide. 'Is het hier?'

Silver knikte toen hij de motor uitzette en zijn deur opende. 'Blijven jullie maar even zitten. Ik ga even naar binnen om agente Dorbin te vertellen dat jullie goed volk zijn. Zij gelooft me wél.' Hij liep met grote passen naar de voordeur. 'Ook al schijnen jullie zo je twijfels over me te hebben.'

'Ik dacht niet echt dat hij van plan was een geintje met me uit te halen, hoor,' zei Carmela aarzelend tegen Kerry. 'Het komt door Rosa. Er is gewoon te veel gebeurd om hem te… Ja, ik vertrouw hem.'

'Hij maakte een grapje. Hij begrijpt het wel.'

'Ik hoop het.' Ze trok een gezicht. 'Weet je, ik heb het gevoel… Heel raar, maar ik wil niet dat hij het… Het is net alsof ik hem al mijn hele leven ken. Nee, dat is het niet. Het is meer dat…' Verward stopte ze. 'Nou ja, laat maar. Ik weet niet hoe ik het moet zeggen.'

Saamhorigheid. Verbondenheid.

Kerry bedacht dat ze dit had kunnen verwachten nadat Silver bij Carmela op dat dak was geweest. Klaarblijkelijk had hij toch iets bij haar achtergelaten. 'Een soort van vriendschap?'

'Ja, zoiets.' Ze haalde haar schouders op. 'Ja. Hebt u dat ook?'

'Zo zou je het kunnen noemen. Hoe dan ook: ik denk niet dat je je zorgen hoeft te maken dat...'

'Daar is ze!' Carmela sprong de auto uit toen een klein, donkerharig meisje in de deuropening verscheen. Carmela straalde en was dolenthousiast. Op dit moment zag ze er een stuk jonger uit dan vijftien. Zo zou ze er altijd uit moeten zien, bedacht Kerry. Zo zouden alle kinderen eruit moeten zien. Levenslustig. Zonder achterdocht. Zorgeloos.

Carmela kwam vlak voor haar zusje tot stilstand. 'Alles goed met je?'

Rosa knikte. 'En met jou?'

'Prima.' Ze deed een stap dichterbij en gaf haar zus een onhandige knuffel. 'Alles komt goed. Dat beloof ik je, Rosa.'

'Houd dan nu maar op met dat slijmerige gedoe,' zei Rosa terwijl ze een stap naar achteren deed. 'Hier ben ik te groot voor.'

Kerry onderdrukte een grijns bij het zien van die typische puberreactie. De genegenheid tussen de zussen was zichtbaar, maar het was duidelijk dat geen van beide meisjes dat graag liet blijken. Maar ja, welke tiener deed dat wel? De meesten zouden niet eens toe durven geven dat ze van hun familie hielden.

'Een mooi plaatje, hè?' Silver kwam over het pad naar haar toe gelopen. 'Hartverwarmend, niet?'

'Doe niet zo sarcastisch.' Ze keek toe hoe de deur achter Carmela en Rosa sloot. 'Ik vind het inderdaad hartverwarmend.'

'Ik bedoelde het niet sarcastisch.' Zijn glimlach trok weg. 'Je zou beter moeten weten. Ik ben blij dat het ons gelukt is ze te herenigen. Wil je mee naar binnen? Dan stel ik je voor aan Rosa. Het is een leuke meid.'

Ze schudde haar hoofd. 'Dadelijk. Laten we ze even een paar minuutjes alleen geven.' Ze ontmoette zijn blik. 'Gesteld dat Carmela ooit weer alleen zal zijn. Waarom heb je me niet verteld dat jullie nog steeds verbonden zijn?'

'Weet ze dat?' Hij fronste zijn voorhoofd. 'Zo sterk is het niet. Het is nauwelijks waarneembaar. Waarschijnlijk vervaagt het wel.'

'Je doet het niet met opzet?'

'Jezus, je denkt toch niet dat ik het leuk vind om zomaar een band te hebben met mensen? Als er iets is dat ik van onze gezamenlijke ervaring geleerd heb, is het wel dat ik dat nooit meer wil.'

God, ze voelde zich echt gekwetst. Niet dat ze daar het recht toe had, want het was precies wat ze zichzelf al de hele tijd probeerde te vertellen. 'Helemaal mee eens.' Ze draaide zich om. 'Ik ga naar Rosa. Ga je mee?'

'Straks. Ik bel eerst even met George om te horen hoe het daar gaat.' Hij liep terug naar de auto. 'O, trouwens, ik heb een pleeggezin voor Carmela en Rosa gevonden waar ze naartoe gaan als dit allemaal veilig en wel achter de rug is.'

'Waar?'

'Vlak bij de universiteit van Georgetown. Een prettige woonwijk, en ik ken daar een paar heel aardige mensen die goed voor ze zullen zorgen.'

'Gewone mensen?'

'Ja.' Met een ernstige blik voegde hij eraan toe: 'Ik ken ook gewone mensen, Kerry. Hoewel ik moet toegeven dat ik een absolute voorkeur heb voor gestoorde types zoals jij.'

'Verdomme, ik ben helemaal niet...' Hij maakte een grapje. Als ze niet zo gespannen was geweest, was ze er nooit ingetrapt. 'Ik wil alleen maar dat ze niet gaan denken dat de hele wereld vol zit met mensen zoals... Ze hebben al genoeg problemen zonder zich af te moeten vragen of hun gevoel voor de werkelijkheid wel...'

'Ik weet het,' glimlachte hij. 'Je hoeft het me niet uit te leggen. Nu niet en nooit niet.'

Dat was nu precies het probleem, dacht ze wanhopig. Zelfs als ze boos en verontwaardigd was, had het iets opbeurends om volledig begrepen en geaccepteerd te worden. Het was bijna net zo verleidelijk als de seks die ze hadden gehad.

'Echt niet,' mompelde hij terwijl hij het portier opende. 'Hou jezelf niet voor de gek, Kerry. Zo is het niet, voor geen van ons beiden.'

Ze voelde het bloed naar haar wangen stijgen toen ze over het pad liep. Ze had kunnen weten dat hij nu juist die ene gedachte die ze voor hem verborgen zou willen houden op zou pikken.

'Laat het me weten als George nieuws heeft.'

'Het zal in geen geval urgent genoeg zijn om ons bezoek af te breken.' Hij haalde zijn telefoon te voorschijn. 'Anders had hij ons wel gebeld. Maar je kunt er in ieder geval op rekenen dat ik jóú niet buitensluit.'

Ze was zich bewust van de lichte klemtoon op het voornaamwoord. 'Jezus, na alles wat je míj hebt aangedaan probeer je me een schuldgevoel aan te praten?'

'Ik stel alleen maar een feit vast.'

Ze wierp hem een gefrustreerde blik toe toen ze op de bel drukte. 'Val dood, Silver.'

'En, nog nieuws?' vroeg Kerry toen ze de deur van de auto een uur later opentrok.

'George zei dat alles rustig is aan het front. Geen enkel teken van rondsnuffelende personen bij de mensen die bij Ledbruk onder bewaking staan.'

'Waar zit Trask dan?' Vermoeid schudde ze haar hoofd terwijl ze zich installeerde op de passagiersstoel. 'Wat voert hij in godsnaam uit?'

Silver reed achteruit de oprit af. 'In ieder geval weet je dat Carmela en Rosa veilig zijn. Dat moet een geruststelling voor je zijn.'

'Dat is het ook.' Ze beet op haar onderlip. 'Weet je zeker dat we niet gevolgd zijn onderweg hierheen?'

'Ik geloof van niet, maar ik weet het niet honderd procent zeker. Er bestaan tegenwoordig zoveel geavanceerde langeafstandsinstrumenten, dat Trask of Dickens ons gemakkelijk gevolgd kan hebben zonder dat we ze hebben gezien.'

'Nou, dat is een geruststellende gedachte.'

'Ik geef je eerlijk antwoord. Je wilt niet gerustgesteld worden, je wilt de waarheid.'

Hij had gelijk. Het onder ogen zien van de waarheid was de enige manier waarop ze het misschien konden overleven. 'Ik had liever gehoord dat Trask Carmela van zijn lijstje had geschrapt.'

'Dat is heel goed mogelijk, maar je zou je kunnen afvragen wie er dan op nummer één komt te staan.'

'Ik ben de meest waarschijnlijke...' Ze onderbrak zichzelf toen haar telefoon overging en ze haalde hem uit haar tas.

'Hoe gaat het met onze lieftallige Carmela? Volledig hersteld, neem ik aan.'

Trask.

Ze ademde diep in. 'Het gaat goed met haar, Trask. En ze wordt goed bewaakt. Je kunt niet bij haar in de buurt komen.'

Silver vloekte en zette de auto langs de stoep.

'O, jawel hoor. Ik kan bij iedereen in de buurt komen. Dat is gewoon een kwestie van plannen en de juiste hulpbronnen aanboren.'

'Betekent dat dat je het gaat proberen?'

'Wie weet. Ze is een onafgemaakte zaak, en ik heb een hekel aan slordigheid. Ze heeft absoluut een hoge prioriteit aangezien Firestorm niet in staat was zijn missie te doen slagen. Ik zal alleen nog even moeten bekijken hoe hoog die prioriteit precies is.'

'Je verdoet mijn tijd. Waar bel je voor, Trask?'

'Omdat ik het daar tijd voor vond. Ik heb ons persoonlijke contact gemist, maar ik ben geduldig geweest. Ik wilde je een paar dagen geleden al bellen, maar ik had het druk met mijn plannetjes.'

'Wat voor plannetjes?'

'Wel, ik zal je toch moeten tonen dat je noch mij, noch Firestorm verslagen hebt toen je die kleine charmante Latijns-Amerikaanse redde. Dat was pas het openingsgevecht.'

'Geef me antwoord. Ga je opnieuw achter haar aan?'

'Misschien. Wat kunnen raadsels toch boeiend zijn. Ik denk dat ik je wat dat betreft maar eens in het duister laat tasten. En dat is eigenlijk precies waar ik je voor bel. Ik wil voor mezelf een beeld scheppen van een Kerry die zich zorgen maakt, gespannen is, misschien zelfs enigszins over haar toeren is. Dat is een bevredigend plaatje.'

'Ik ben niet over mijn toeren, en bezorgdheid is iets voor de autoriteiten.'

Hij grinnikte. 'Daar geloof ik niets van. Het zit in jouw aard om de gang van zaken naar je hand te zetten. Net als in de mijne.'

'Ik lijk in niets op jou.'

'Dat zullen we nog wel eens zien. Als je toekijkt hoe Firestorm zijn werk doet.'

'Dat heb ik al gezien. Kotsmisselijk word ik ervan.'

'Je liegt. Toen je het pakhuis zag branden, bespeurde je toen niet een heel klein beetje opwinding achter het afgrijzen?' Hij wachtte haar antwoord niet af. 'Ach, laat ook maar, je zou me toch niet de waarheid vertellen. Maar de volgende keer zal ik het aan je gezicht kunnen zien. Ik kijk ernaar uit. Je hoort nog van me.'

Hij verbrak de verbinding.

Met trillende handen deed ze de telefoon uit. 'De klootzak.'

'Zeker. Heeft hij iets laten doorschemeren?'

'Nee, hij wilde gewoon even van zich laten horen.' Ze vertrok haar gezicht. 'Hij miste me.'

'Wat zei hij over Carmela?'

'Hij wist dat ze weg was uit het ziekenhuis. Dat ze een hoge prioriteit had.' Hortend haalde ze adem. 'Ik wil dat je agente Dorbin belt om te zeggen dat alarmfase één ingegaan is.'

Hij tastte naar zijn telefoon. 'Misschien weet hij helemaal niet waar ze zitten. Het kan best zijn dat hij alleen maar naar het ziekenhuis heeft gebeld en te horen heeft gekregen dat ze vandaag ontslagen is.'

'En het kan ook zijn dat hij ons gevolgd is. Je zei dat de kans bestond.'

'Heeft hij tegen je gezegd dat hij het opnieuw gaat proberen met Carmela?'

Ze schudde haar hoofd. 'De klootzak vindt het gewoon leuk om mensen een beetje te kwellen. Wat zeg ik: een beetje? Hij zei dat iedereen te vinden was als je de beschikking hebt over de juiste bronnen.' Ze beet hard op haar onderlip. 'Jezus, we moeten echt zorgen dat ze veilig is, Silver.'

Hij knikte terwijl hij het nummer intoetste. 'Ik spreek je niet tegen. Ik bel eerst naar agente Dorbin en dan naar Ledbruk.'

In de tijd dat hij belde, zakte ze onderuit en staarde naar de kleine, keurige huizen in de straat. Dit vriendelijke buurtje was als honderden andere wijken in honderden andere steden. Het leek praktisch onmogelijk dat er hier een monster als Trask aan het werk zou kunnen zijn.

Het was niet onmogelijk. Niets was onmogelijk voor Trask. Hij was totaal onvoorspelbaar.

Nee, hij was niet onvoorspelbaar. Niet als ze zich concentreerde op de dingen die ze van hem wist. Ze moest er alleen voor zorgen dat ze haar paniek onderdrukte en dat ze hem een stap voor bleef.

'Zo, geregeld.' Silver hing op. 'Carmela's beveiliging wordt verdubbeld. Hoewel Ledbruk zei dat het wat hem betreft niet nodig was. Het leek hem zo genoeg.'

'Je weet het niet. Als Trask alleen zou werken wel. Maar hij had het over het aanboren van de nodige hulpbronnen.'

'Dickens?'

Hulpeloos haalde ze haar schouders op. 'Ik weet het niet. Het lijkt er niet op dat... We zullen moeten afwachten.'

Hij startte de motor van de wagen. 'Dat is waar. Maar ik hou er niet van rond te hangen en...'

'Omdraaien. Nu.'

Hij keek haar aan. 'Waarom?'

'Ik wil dat je me terugbrengt. Ik blijf bij Carmela en Rosa.'

Hij vloekte zachtjes. 'Dat had je gedroomd.'

'Waarom niet? Als zij daar veilig zijn, ben ik het ook.'

'Maar dat wil nog niet zeggen dat jij persoonlijk toezicht op ze hoeft te houden.'

'Jawel, dat betekent het wel.' Ze ving zijn blik. 'Want ik ben de enige die zou kunnen weten of Trask bij ze in de buurt zit of niet. Misschien kan ik hem tot staan brengen voor hij de aanval op ze inzet. Heb ik gelijk of niet?'

Hij perste zijn lippen op elkaar. 'Dan blijf ik daar ook.'

'Nee.'

'En als hij nu eens hulp heeft? Als hij nu eens iemand anders op Carmela afstuurt? De enige die jij aanvoelt is Trask. Je kunt niet zonder me.'

Maar ze zat nu niet bepaald te wachten op zijn allesoverheersende aanwezigheid in dat kleine huisje. Het was al erg genoeg een kamer te hebben op dat grote landgoed van hem. 'Ik maak me alleen maar zorgen over Trask. Ledbruks mannen kunnen de rest wel aan.'

'Ik maak me anders wél zorgen, en ik...'

'Nee, Silver.' Ze wendde haar blik af. 'Ik wil je daar niet. En ben je nu nog van plan me terug te brengen naar de meisjes, of moet ik gaan lopen?'

Met een gefrustreerde blik op zijn gezicht trapte hij het gaspedaal in. 'Ik ga al, verdomme.'

Dickens had goed werk geleverd.
De boerderij was nagenoeg perfect.
Trask bekeek het twee verdiepingen hoge cederhouten huis met de grote veranda aan de voorzijde met een tevreden en nostalgisch gevoel. Hij had van tevoren geweten dat hij dit heerlijke déjà vu zou ervaren als hij de juiste plek zou vinden. En dit was de juiste plek. De perfecte locatie om Firestorm met Kerry te delen.
Hij keek op zijn horloge. Vijf voor zes. Bijna tijd.
De voordeur ging open en er liep een gezette, grijzende man de veranda op en de trap af. Het was Lon Mackey die het vee in de stal een stuk verderop ging voeren.
'Maak je een beetje voort?' riep zijn vrouw, Janet, hem na. 'Vanavond zitten die studenten bij *Wheel of Fortune*.'
Lon grinnikte. 'Dat is pas over een klein uur. Moet ik de koeien soms laten verhongeren omdat Pat en Vanna op tv zijn?' Zonder op antwoord te wachten liep hij op zijn gemak het pad af.
Trask wachtte tot Mackey in de stal verdwenen was voor hij de beschutting van de bomen verliet en achter hem aan ging. Het enige minpuntje aan deze locatie was dat ze bewoond was. Maar dat was niet meer dan een klein obstakel voor Firestorm.
En dan zou de boerderij helemaal volmaakt zijn.

'Waar kijkt u naar?'
Kerry keek om en zag Carmela in de deuropening staan. 'Niets bijzonders.' Ze draaide weg van het raam. 'Een paar kinderen die aan de overkant basketballen op hun oprit.'
Carmela kwam naast haar bij het raam staan. 'Rosa speelt basketbal. Ze is best goed.'
'Nou, als je maar zorgt dat ze niet naar buiten gaat om met die jongens te spelen.'
Carmela trok een gezicht. 'Het is niet gemakkelijk om Rosa tegen te houden als ze iets wil.'
'Ik meen het, Carmela.'
'Ik zei dat het niet gemakkelijk was, niet dat het niet kon. Ik laat haar heus niets stoms doen.' Houterig voegde ze eraan toe:

'Ik weet best dat u gisteren niet teruggekomen was als u niet bang was geweest.'

'Ik ben niet bang.'

'Echt wel.'

Ze glimlachte. 'Goed, je hebt gelijk. Maar misschien is dat juist wel goed. Een gewaarschuwd mens telt voor twee, toch?'

'Is hij in de buurt?'

Kerry schudde haar hoofd. 'Nee, maar de mogelijkheid bestaat natuurlijk dat hij dat zal proberen.'

'Dus u bent gekomen om ons te beschermen.'

'Samen met agent Dorbin en de mannen in het huis hiernaast.'

'Ik vertrouw liever op u en meneer Silver.'

'Daarom ben ik er ook.' Ze keek weer naar de basketbalspelers. Het was zaterdag en het leek er niet op dat de jongens al snel naar binnen zouden gaan. Het kon nog moeilijk worden om Rosa bij hen weg te houden. 'Zullen we eens kijken waar Rosa zit en of we iets leuks kunnen vinden op tv?'

'We hebben hier kabel, dus we kunnen naar oude afleveringen van *Buffy* kijken.'

''s Morgens vroeg?'

'O, vast wel, volgens mij draaien ze die de hele dag.'

Glimlachend antwoordde ze: 'Wat een lol.'

'U moet echt kijken hoor, naar *Buffy*,' zei Carmela vasthoudend. 'Maar misschien is het een beetje lastig als je niet weet over wie het gaat. Ik leg u wel uit wie…'

Kerry's telefoon ging over.

Ze verstijfde en liep naar de tafel waar ze hem neergelegd had. 'Kerry?'

Het was Trask niet. Silver. Ze slaakte een opgeluchte zucht. 'Ja?'

'Ik ben onderweg om je op te halen.'

'Ik ga nergens heen. Ik heb je gezegd dat ik…'

'Ivan Raztov is dood.'

Ze bleef stokstijf staan. 'Hoe?'

'Een autobom onder zijn jeep. Volledig aan stukken gereten. Hij was net het parkeerdak van zijn appartementencomplex opgereden.'

'Hoe heeft dat kunnen gebeuren? Ledbruks mannen waren toch bij hem?'

'Hoe moet ik dat verdomme weten? Ik heb alleen maar van Ledbruk te horen gekregen dat hij dood is. We horen het straks als we daar zijn.'

'Wanneer is het gebeurd?'

'Drie kwartier geleden. Ik dacht dat je er wel heen zou willen om te kijken of je iets kunt vinden. Je zei dat je soms dingen doorkrijgt na een brand.'

Drie kwartier geleden. Op het moment dat ze naar die kinderen stond te kijken en zich concentreerde op de mogelijke aanwezigheid van Trask, had hij op Raztov toegeslagen.

Volledig aan stukken gereten.

'Kerry?'

'Ja, ik wil erheen. Ik zal zorgen dat ze hier in de hoogste staat van paraatheid zijn en dan zie ik je op de oprit.'

Volledig aan stukken gereten.

Metalen stukken van Ivan Raztovs jeep lagen verwrongen tot in de verste uithoeken van de garage, en het verzengende vuur was overgeslagen naar de andere auto's die er geparkeerd stonden en had de verf en banden doen smelten.

Jezus.

Kerry ademde diep in voor ze onder het afzetlint van de politie door naar Ledbruk liep. 'Waar is hij?'

'Een goede vraag,' antwoordde Ledbruk. 'De forensische dienst doet haar best genoeg van hem bij elkaar te schrapen om hem te kunnen identificeren. Het is maar goed dat het hier gebeurd is. De betonnen muren hebben het grootste deel van de klap opgevangen. Trask moet genoeg springstof gebruikt hebben om het hele complex op te blazen.'

'Hoe heeft dit kunnen gebeuren? Werd zijn auto niet in de gaten gehouden?'

'Jezus, natuurlijk wel. We vermoeden dat de bom is geplaatst in de parkeergarage van het laboratorium waar hij nu werkte. De dienstdoende veiligheidsagent vertelde dat er een ongelukje was geweest met een Buick die een Cadillac aanreed, en dat zijn zicht op de wagen van Raztov een paar minuten geblokkeerd was geweest.'

'En hij koesterde geen achterdocht?'

'Uiteraard. Maar er zaten twee kinderen bij de vrouw in de wagen, en het leek een echt ongeluk. Hij heeft de jeep maar een paar minuten niet kunnen zien en de vrouw bleef netjes wachten om aangifte te doen van de aanrijding.'

'Dan hebben jullie haar gegevens dus,' zei Silver.

'Daar zijn we mee bezig. Maar we vermoeden dat haar rijbewijs en verzekeringsgegevens vervalst waren,' antwoordde Ledbruk kortaf. 'Ga me niet vertellen hoe ik mijn werk moet doen, Silver.'

'Ik zou niet durven.' Silver duwde Kerry zachtjes in de richting van het forensisch team. 'Kerry wil de plaats van het misdrijf even aan een onderzoek onderwerpen. We zullen niets verstoren.'

'Er valt niets te verstoren. Het zal nagenoeg onmogelijk zijn om bewijzen te vinden aangezien de sprinklerinstallatie meteen is aangesprongen.' Hij draaide zich om. 'Zorg er alleen voor dat jullie me niet voor de voeten lopen.'

'Een vrouw...,' mompelde Kerry terwijl ze door de garage liepen. 'Met twee kinderen?'

'Kennelijk heeft Trask nieuwe medewerkers aangetrokken.'

'Iets... Het voelt verkeerd.' Ze schudde haar hoofd om zich te concentreren. 'Iets klopt er niet.'

'Hoe bedoel je?'

'Ik weet het niet.' Ze likte haar lippen. 'Wil je een stuk metaal van Raztovs jeep voor me zoeken?'

'Dat is niet zo moeilijk. De garage ligt er vol mee.' Hij maakte een hoofdgebaar naar een stuk verwrongen staal dat ooit als veiligheidsbeugel gediend zou kunnen hebben. 'Kun je daar iets mee?'

'Misschien. Laten we het hopen.' Ze liep erheen. 'Laten we het in godsnaam hopen.' Ze liet zich op haar knieën zakken, stak haar handen uit en legde ze op het metaal.

Niets.

Ze vouwde haar handen eromheen.

Snel. De springstof aan de uitlaat en maken dat je onder de jeep vandaan komt. Twee minuten.

Klaar!

En nu wegrollen naar de auto naast de jeep. Zorg dat je laag blijft...

'En?'

Ze keek op naar Silver. 'Trask heeft de bom niet geplaatst. Onze man was zwart, rond de veertig, en goed bekend met explosieven. Hij heeft dit eerder gedaan.'

'Heb je een naam?'

Ze schudde haar hoofd.

'Denk je dat je nog meer te weten kunt komen?'

'Dat betwijfel ik. Meestal krijg ik maar een paar beelden door van het moment van de daad.' Ze omklemde het metaal nog een keer, concentreerde zich, en liet het weer los. 'Nee, het is weg.' Ineens gierde de paniek door haar keel. Ze sprong op. 'We moeten hier weg.'

'Kun je Ledbruk een signalement geven?'

'Niet nu.' Fout. Helemaal fout. Het was Trask niet. 'Hoe zou ik hem dat moeten uitleggen?' Ze rende praktisch naar het afzetlint. 'We moeten wég!'

Pas op straat haalde hij haar in. 'Wat is er verdomme met je aan de hand?'

'Het was niet Trask.' Ze stapte in de auto. 'Het had Trask moeten zijn, maar hij was het niet.'

'Nou en? Dan heeft hij iemand betaald om het voor hem te doen. De uitkomst is hetzelfde.'

'Maar hij doet het altijd zelf. En altijd met Firestorm. Dat is zijn kind, het wapen van zijn keuze. We weten dat Raztov op zijn lijstje stond. Waarom heeft hij Firestorm dan nu niet ingezet?'

Met samengeknepen ogen keek Silver Kerry aan. 'Weet jij het antwoord?'

Dat formuleerde ze op het moment dat ze het uitsprak: 'Omdat Raztov minder belangrijk was dan zijn andere doelwit. Hij wilde hem dood hebben, maar was bereid zichzelf dat pleziertje te ontzeggen in ruil voor een bijkomstigheid van die moord.'

'Welke bijkomstigheid?'

'Afleiding.' Ze begon te trillen. 'Het was zijn bedoeling dat we ons op Raztov concentreerden, en dat...' Ze pakte haar telefoon. 'O god, Carmela. Hij zit achter Carmela aan. Wat is het nummer daar?'

'Laat mij maar bellen.' Hij toetste het nummer op zijn eigen telefoon in. 'Hij gaat over. Kerry, ik weet zeker...' En toen, tegen de persoon aan de andere kant van de lijn: 'Agente Dorbin? U spreekt met Silver. Alles goed daar?' Geruststellend knikte hij naar Kerry en opgelucht zakte ze onderuit. 'Nee, we wilden alleen maar even weten hoe het bij jullie ging.' Hij hing op. 'Niets aan de hand. Het zou nagenoeg onmogelijk voor hem zijn om door de beveiliging van Carmela en Rosa te breken.'

'Nagenoeg. Maar niet helemaal.' Haar opluchting verdween in rap tempo. 'Ik weet zeker dat ik het goed heb, Silver. Raztov was een afleidingsmanoeuvre, en Trask vroeg specifiek naar Carmela toen hij belde. Daarom denk ik dat...'

'Wel gódverdomme!' Met snelle gebaren toetste Silver een ander nummer in. 'Het is verdomme een vals spoor.'

'Hè?'

'Het gaat hem om jou. Hij wil je terugpakken. Het gaat hem helemaal niet om Carmela. Het ging hem er gewoon om dat jij je zorgen over haar maakt. En daar heeft hij je een handje bij geholpen door te bellen.'

'En wat wil je daarmee zeggen?'

'Dat hij het wel eens dichter bij huis zou kunnen zoeken.' En in de telefoon zei hij: 'George, ik wil dat je contact opneemt met de mannen in Macon om te kijken of alles in orde is met Jason Murphy. Nee, ik blijf wel hangen.'

Silvers woorden schoten als een schok door haar heen. 'Jason? Je hebt me gezegd dat hij goed beveiligd werd. Dat heb je me beloofd.'

'Dat is verdomme ook zo. Jason en zijn vrouw hebben twee keer zoveel bewaking rondlopen als Carmela en Rosa. Eerlijk gezegd zie ik niet in hoe Trask bij ze in de buurt zou kunnen komen.' Maar ze zag dat hij desondanks toch bang was dat het Trask was gelukt. 'Hulpbronnen' zei ze dof. 'Hij zei dat hij bij iedereen in de buurt kon komen als je de juiste hulpbronnen daarvoor had.' Ze rekte zich uit en masseerde haar slapen. 'Laat het Jason niet zijn. Lieve God, ik hoop dat je het mis hebt.'

'Ik ook,' antwoordde hij grimmig. 'Ik hoop met heel mijn hart en ziel dat...' Hij onderbrak zichzelf en luisterde naar wat er aan de andere kant van de lijn gezegd werd. 'Jezus Christus.' Hij hing op. 'Jason is vier uur geleden uit het hotel vertrokken. De agent die hem volgde is hem vrijwel meteen uit het oog verloren en Jason neemt zijn mobiele telefoon niet op.' Hij liet een stilte vallen. 'Agent Fillmore had het idee dat je broer hem bewust kwijt probeerde te raken.'

'Dat is absurd. Waarom zou hij dat willen doen?' Ze balde haar vuisten. 'Hij zoekt gewoon een excuus. Ze moeten hem vinden, Silver.'

'George zegt dat ze hun best doen. Fillmore heeft Jasons vrouw gebeld en vervolgens alle nummers van vrienden en zakenrelaties die ze hem gegeven heeft.' Hij startte de motor. 'Hij stond op het punt contact op te nemen met Ledbruk om verslag uit te brengen, toen George belde.'

Ze likte haar lippen opnieuw. Vier uur. 'Jason kan ondertussen wel dood zijn.'

'Ik ga je niet vertellen dat die kans niet bestaat. Maar uit wat je me over je gesprek met Trask hebt verteld, maak ik op dat hij zal willen dat jij daar dan getuige van bent. Net als met Carmela bij het pakhuis.'

Hoop vlamde op. 'Je hebt gelijk. Daar had ik aan moeten denken.'

'Je draait op dit moment op de automatische piloot, en je denkt met je gevoel.'

Ze wierp hem een boze blik toe. 'Wat verwacht je anders? Het gaat verdomme om mijn broer.'

Hij glimlachte. 'Dat is al beter. Niets dat de adrenaline zo goed op gang krijgt als een beetje boosheid. Goed, en wat zou volgens jou de reden kunnen zijn dat je broer die agent die hem probeerde te beschermen kwijt wilde raken?'

'Ik kan me niet voorstellen dat...' Maar als Jason dat inderdaad gedaan had, dan moest hij daar een goede reden voor hebben gehad. Ze probeerde haar gedachten te ordenen door de mist van angst die haar omringde. 'Misschien heeft Trask hem benaderd. Misschien heeft hij iets of iemand gebruikt om Jason zover te krijgen.'

'Daar moet hij dan een behoorlijk sterk wapen voor hebben gebruikt.'

'Laura,' zei ze plotseling. 'Hij zal het hebben gedaan als hij vermoedde dat Laura gevaar liep. Hij zou alles doen om dat te voorkomen.'

Hij schudde zijn hoofd. 'George zei dat Jasons vrouw honderd procent veilig was.'

'Goddank.'

'Iemand anders?'

'Ik. Misschien heeft Trask hem wijsgemaakt dat ik in gevaar was.'

'Maar dan zou hij je hebben gebeld om te zien of dat waar was.'

Dat was zo. Dan was er nog maar één andere mogelijkheid. 'Mijn vader. Jason is gek op mijn vader. En mijn vader wordt niet bewaakt.'

'Heb je het mobiele nummer van je vader?'

Ze knikte. 'In mijn telefoonboekje.' Ze grabbelde in haar tas en haalde een versleten zwartleren boekje te voorschijn. Even later belde ze het nummer van haar vader. Hij ging zes keer over en toen sprong de voicemail aan. Ze probeerde het opnieuw. Weer zijn voicemail. 'Hij neemt niet op.'

'Kun je hem misschien nog ergens anders bereiken?'

Ze schudde haar hoofd. 'Hij heeft een flat in Boston, maar daar is hij zelden. Hij is vaak op pad voor opdrachten maar probeert meestal in het zuiden van het land te zijn zodat hij bij Jason in de buurt is. Hij is verdomme verslaggever. Hij hoort de telefoon op te nemen.'

'Ik zal aan George doorgeven dat hij het moet blijven proberen.' Hij belde George. 'Hoewel ik betwijfel of hij op zal nemen.'

Nee, als Trask hem te pakken had zou hij inderdaad niet opnemen. De angst verkilde haar tot op het bot. En als Trask haar vader had, dan had hij Jason ook. 'Laat mij maar met George praten. Rijd jij maar naar het vliegveld. We moeten naar Macon. Trask wordt gezocht. Hij zal niet het risico nemen ver met Jason te reizen vanaf de plek waar hij hem gepakt heeft.'

'Daar heb je gelijk in.' Hij voegde zich tussen het drukke verkeer. 'Ik denk dat we daar inderdaad de grootste kans maken om Trask te vinden.'

'Ik denk niet dat we hard hoeven te zoeken. Hij heeft Jason,' zei ze bibberig. 'Hij zal willen dat ik hem vind, zodat ik mijn broer kan zien sterven. We zullen moeten wachten tot hij me belt en zegt waar en wanneer ik moet verschijnen.'

Silver perste zijn lippen op elkaar. 'Ik ben niet van plan je de martelaar te laten uithangen en in een val te laten lopen.'

'Ik weet nog niet wat ik zal doen.' Ze keek hem recht aan. 'Behalve dan dat ik niet van plan ben Jason dood te laten gaan. Dat is geen optie voor me.'

'Ik zal je broer niet laten sterven, maar ik kan niet toezien hoe jij...' Met een vloek onderbrak hij zichzelf. 'Ik dring niet tot je door. Luister: je hebt mij en de hele geheime dienst om je te helpen met het opsporen van Trask. Je staat er niet alleen voor.'

'En als ik Ledbruk inschakel, dan besluit Trask misschien dat zijn spelletje met mij het hem allemaal niet waard is en dat hij Jason maar moet vermoorden.'

'En als jij doodgaat, dan wint Trask en is Jason nog niet gered. Gebruik je hoofd nu alsjeblieft.'

Haar hoofd liet zich op het moment slecht gebruiken. Ze was veel te bang. 'Ik zal Jason niet dood laten gaan,' herhaalde ze.

Hij zweeg even, en zei toen: 'Goed. We laten Ledbruk erbuiten, maar ik wil niet dat je mij buitensluit.'

'Dat was ik ook zeker niet van plan. Misschien heb ik je nog nodig.'

'Dat doet me genoegen. En ik zal tegen George zeggen dat hij moet maken dat hij op het vliegveld komt en ons daar treft. Misschien hebben we hem ook nodig.' Hij schudde zijn hoofd toen ze wilde protesteren. 'Hij zegt heus niets tegen Ledbruk als ik tegen hem zeg dat dat de voorwaarde voor zijn deelname aan deze actie is. Hij heeft zijn zinnen op Trask gezet.'

Ze dacht na over zijn woorden en knikte toen. Ze konden alle mogelijke hulp gebruiken, en je kon op George vertrouwen als hij een belofte deed. 'Wie niet? Maar niet met het risico dat dat gevaar oplevert voor Jason. Als hij dat maar goed begrijpt.' Ze ademde diep in. 'En nu gas geven, naar het vliegveld.'

16

George nam de sleutel aan van de werknemer van het autoverhuurbedrijf op het vliegveld van Macon. 'Dienstbaar als ik ben, zal ik de auto even ophalen en voorrijden.'

'Laten we hopen dat u net zo discreet als dienstbaar bent,' zei Kerry.

'Zeker.' Hij pakte zijn plunjezak op. 'Ik heb nooit anders geleerd.' Hij glimlachte. 'Maakt u zich geen zorgen. Ik heb niemand iets verteld. Ik zou u nooit in de problemen brengen.'

Ze geloofde hem. 'Wat zit er in godsnaam in die plunjezak? Ze hebben er bij de veiligheidscontrole wel heel erg lang naar gekeken.'

'O, gewoon een paar noodzakelijke attributen. Het overviel me natuurlijk, maar ik heb het belangrijkste bij elkaar weten te pakken.' Hij somde op: 'Een machete, een m-16 en een h&k 94 sg-1. O ja, en een wurgijzer.'

Kerry knipperde met haar ogen. 'En dat is niet in beslag genomen?'

'Ik heb mijn oude persoonsbewijs van de geheime dienst bij me, en een speciaal daartoe bestemde brief van Homeland Security. Maar u hebt gezien dat ze alles uitvoerig gecontroleerd hebben. Daar ben ik het uiteraard helemaal mee eens. Ik zou het niet anders gewild hebben.' Hij glimlachte. 'Ik ben over vijf minuten terug.'

Met een warm gevoel keek ze hem na. Het was een prettig gevoel George aan hun kant te hebben.

'Ik denk dat hij binnen vijf minuten terug is,' zei Silver en pakte haar elleboog. 'Het is maar een klein vliegveld. Waarschijnlijk hadden we een hoop tijd bespaard als we hem niet meegevraagd hadden. Staat je telefoon aan?'

Hij dacht dat Trask contact met haar op zou nemen. Lieve God, ze hoopte het maar. Ze voelde zich zwak en hulpeloos. 'Ik heb

hem meteen nadat we geland waren aangezet. Ik had twee ge-
miste oproepen.'

'Geen berichten?'

'Zo werkt Trask niet. Hij wil mijn angst horen. Hij zal wachten tot ik...'

De telefoon ging.

Gehaast nam ze op.

'Ik heb een hekel aan tijdverspilling, Kerry,' zei Trask. 'Je vaders telefoon bleef maar overgaan, maar helaas kon hij niet opnemen.'

Haar greep om de telefoon verstevigde. 'Waar is mijn broer,
Trask?'

Silver keek haar gespannen aan.

'Bij zijn vader,' antwoordde Trask. 'Die twee delen iets speci-
aals samen. Hartverwarmend.'

'Ik wil hem spreken.'

'Je vader niet?'

'Ik wil mijn broer spreken,' herhaalde ze.

'Daar kan ik inkomen, maar die beslissing ligt bij mij. Ik denk
dat ik dat maar bewaar als speciale beloning. Hier heb je je vader.'

'Doe wat hij zegt, Kerry,' zei Ron Murphy. 'Jasons leven hangt
ervan af.'

'Ik wil hem spreken.'

'Christus, ik weet dat je me niet vertrouwt, maar je denkt toch
niet dat ik zou liegen over Jason?' vroeg hij bruusk. 'Jij bent verantwoordelijk voor deze puinhoop. Maak dat je Jason hier uithaalt voor deze klootzak hem vermoordt.'

'Heb jij Jason gebeld om te zeggen dat Trask jou had?'

'Nee, Trask heeft hem gebeld en toen is hij naar mijn hotelka-
mer gegaan en heeft daar het briefje gevonden dat Trask voor
hem had neergelegd. Ik zou me nooit hebben laten dwingen tot
iets dat Jason in gevaar zou brengen.'

'Maar mij wel.'

Het bleef stil aan de andere kant van de lijn. 'Wat wil je dat ik
zeg? Ik kan niet lijdzaam toezien hoe hij Jason vermoordt. En
jij ook niet.'

'Nee,' antwoordde ze op vermoeide toon. 'Ik sta niet toe dat hij

Jason vermoordt. Geef me Trask weer.'

'Werk je mee?'

'Geef me Trask.'

Het was weer even stil en toen kwam Trask weer aan de lijn. 'Ik zei toch dat ze een speciale band hebben? Maar ik begrijp wel waarom jij niet datzelfde voor je vader voelt. Hij heeft niet eens gevraagd waarom ik je hierheen wilde hebben. Wat denk je: kan hij dat wel raden?'

'Ik wil Jason spreken.'

'Vanavond. Ik stuur Dickens om je op te halen. Ik moet je waarschuwen dat hij bijzonder goed in staat is om te weten of hij geschaduwd wordt. Bij het minste of geringste teken daarvan belt hij me en dat zal tot gevolg hebben dat deze zaak vroegtijdig en bijzonder teleurstellend zal eindigen. En hetzelfde geldt wanneer hij en jij hier niet binnen een redelijke tijd vanaf jullie vertrek aankomen. Ik tolereer niet dat Dickens door de geheime dienst onder druk gezet zal worden om informatie door te spelen. En als jullie hier aankomen zul je zien dat ik ruimschoots beveiliging heb aangebracht om je vader en broer te bewaken. Niet dat iemand zich met ons zal bemoeien als we eenmaal bij elkaar zijn. Ik heb de bewakers al laten weten dat ik slechts één knopje in hoef te drukken om het huis met Firestorm in lichterlaaie te zetten. Dus: wees een braaf meisje en volg mijn instructies, en hopelijk kun je dan onderweg naar hier je broer even spreken.'

'Waar is hier?'

'Ik weet zeker dat je dat zult begrijpen op het moment dat je hier bent. Dat hoop ik tenminste. Ik heb deze plek met zorg uitgezocht. Het is een heel knus huisje.'

'Ik kom pas als ik zeker weet dat mijn broer nog leeft.'

'Je vader heeft tegen je gezegd dat hij nog leefde. Nou ja, niet met zoveel woorden, maar je denkt toch niet dat hij je hierheen zou lokken als daarmee niet de kans bestond hem te redden?'

'Waarom kan ik hem dan niet even spreken?'

Hij zuchtte. 'Omdat je broer helaas in tegenstelling tot je vader heeft besloten jou nergens om te smeken. Hij heeft besloten zichzelf voor jou op te offeren.'

Ze liet haar tong over haar lippen glijden. 'En toen heb je hem vermoord?'

'Kerry, je zou me ondertussen beter moeten kennen,' zei hij berispend. 'Het zou alle pret bederven als ik je gezicht niet kon zien op het moment dat Firestorm hem grijpt. Hij is tamelijk veilig op dit moment.'

Op dit moment.

'Wat wil je dat ik doe?'

'Ben je al in Macon?'

'Ik ben net geland.'

'Heel goed. Je hebt geen tijd verspild. Ik wist wel dat je in vliegende vaart zou komen als je eenmaal wist van Jason. In welk hotel zit je?'

'In het Hyatt.'

'Dickens zal contact met je opnemen wanneer hij bij je in de buurt is en je laten weten waar je hem vanavond moet treffen.'

'Hoe laat?'

'Negen uur.' Hij zweeg even. 'Ik hoop dat je beseft hoe belangrijk je voor me geworden bent. Ik heb diep na moeten denken voor ik mezelf het genoegen ontzegde om me van Raztov te ontdoen op de manier die hij verdiende. Maar ik moest een afleidingsmanoeuvre bedenken om je gedachten af te leiden van je broer.'

'Was Carmela alleen niet genoeg?'

'Achteraf waarschijnlijk wel, maar het regelen van onze ontmoeting van vanavond heeft me nogal wat tijd gekost. Ik wilde dat alles perfect was, en ik was bang dat je misschien achterdochtig zou worden vanwege de vertraging en andere mogelijkheden zou overwegen. En aangezien ik toch al een overeenkomst gesloten heb met mijn zeer gewaardeerde werkgever, heb ik hem Raztov vervroegd uit de weg laten ruimen om de boel een beetje te vertroebelen.'

'Wie heeft Raztov vermoord? Dickens?'

'Welnee. Dickens kan dodelijk zijn, maar hij is geen vakman. Ik heb een deal moeten maken met mijn toekomstige werkgever om een expert in te huren. Hij was behoorlijk prijzig.'

'Maar je beschikte over de juiste hulpbronnen.'

'Precies. Nou ja, Ki Yong had ze en hij was bereid mee te werken. Maar hij heeft wel voorwaarden gesteld, dus ik zal er alles aan doen om onze gezamenlijke tijd de moeite waard te maken.'

'Wat voor voorwaarden?'

'Ik moest de afhandeling van senator Kimble en Handel aan hem overlaten, zodat al mijn zaken hier afgerond zijn. Hij is het wachten moe. Maar in ruil daarvoor moet ik Firestorm vanavond onmiddellijk nadat we hier klaar zijn aan hem overdragen.'

'Jij zult Firestorm nooit overdragen.'

Hij grinnikte. 'Heel slim van je. Helaas is Ki Yong een stuk minder slim, al vindt hijzelf van niet. Hij weet dat hij me nodig heeft voor de eerste testfase. En ik denk dat ik de worst nog wel een tijdje voor zijn neus kan laten bungelen voordat ik besluit weg te glippen.'

'Zoals je uit onze regering weggeglipt bent? En tussendoor Hellen Saduz nog even hebt vermoord?'

'Ik heb haar niet vermoord. Ze heeft zichzelf om het leven gebracht.' Hij klonk verdrietig. 'Ik hield echt van haar. Ze zou me compleet gemaakt hebben.'

'En toch voelde je je niet schuldig toen je haar het gevaar instuurde?'

'Waarom zou ik me schuldig moeten voelen? Ze wilde Firestorm van me afpakken. Vanaf het moment dat ze aanbood die tamelijk onbelangrijke documenten voor me op te halen, wist ik dat ze me zou gaan bedriegen. Ik was bijzonder dankbaar toen het laboratorium de lucht in ging en ik het zelf niet op hoefde te lossen.'

'Zo dankbaar dat je onmiddellijk met een ander in onderhandeling bent gegaan over Firestorm.'

'Ik kon het niet over mijn hart verkrijgen om zaken te doen met mensen die met Helen te maken hadden. Dat deed te veel pijn.'

'Je bent ongelooflijk.'

'Inderdaad, dat ben ik. Maar jij ook. Daarom zal deze avond zo'n fascinerende ervaring zijn.' Hij verbrak de verbinding.

Silver bestudeerde haar gezicht toen ze haar telefoon opborg. 'Gaat het?'

Ze knikte krampachtig. 'Hij heeft mijn vader, en mijn broer hoogstwaarschijnlijk ook. Maar ik kreeg Jason niet aan de lijn. Dickens haalt me vanavond op en brengt me naar Trask.'

'Hoe laat?'

'Negen uur.'

'Verdomme,' zei hij toen hij op zijn horloge keek. 'Dat is al over drie uur. We hebben niet veel tijd.'

Drie uur. Angst schoot als een bliksemflits door haar heen. 'Jij en George staan hierbuiten. Hij zei dat Dickens het zou merken als hij gevolgd werd.'

'Hij merkt niets.' Hij hield de deur voor haar open. 'Vertrouw me maar.'

'Ik kan je niet vertrouwen. Daar is Jason veel te...' Ze onderbrak zichzelf in een poging zichzelf onder controle te krijgen. Ze moest toch iemand kunnen vertrouwen. 'Wat ben je van plan?'

'Ik ga vlak bij de plek staan waar jij Dickens zal ontmoeten. Ik verwacht niet dat hij een blokkade voor me heeft. Ik ga naar binnen zonder dat hij zal beseffen dat ik er ben.'

'En als hij je nu eens wel blokkeert?'

'Nu geen beren op de weg zien. Trask is de enige uitzondering. Ik dring heus wel tot hem door. Als Dickens moeilijk gaat doen, wals ik als een bulldozer over hem heen.'

Hij klonk zelfverzekerd, kil en bijzonder hardvochtig. 'Als een bulldozer? Je zei dat je voorzichtig moest zijn. Je maakte je zorgen over Carmela. Zouden Dickens' hersens een dergelijke aanval overleven?'

'Nee, maar zijn lichaam zal ook niet lang meer meegaan, dus het doet er niet toe.' Hij keek haar aan. 'Hij is een dode man, Kerry. Ik weet niet of hij Trask geholpen heeft bij de moordaanslag op Cam, maar ik neem geen enkel risico. Het spijt me voor je als ik je daarmee in de problemen breng.'

Ze had geen medelijden met Dickens. De oorzaak van haar terughoudendheid lag in de plotselinge ommekeer die ze in Silver zag. Ze had deze harde kant van hem niet meer gezien sinds hun eerste dagen samen. 'Ik stribbel niet tegen. Ik weet niet of hij medeplichtig is geweest aan de moord op je broer, maar ik weet zeker dat hij Trask heeft geholpen bij de moordaanslag op Carmela.' Ze liep in de richting van de auto die George langs een stoeprand geparkeerd had. 'Doe wat je moet doen.'

'Dat zal ik zeker,' mompelde hij terwijl hij het portier voor haar openhield. 'En ik laat je heus niet in je eentje die landmijn op dansen.'

Onder het instappen keek ze naar hem op. 'Uiteindelijk zal ik het toch alleen moeten doen. Hij had het over een huis waar hij Jason en mijn vader gevangen houdt. Als jij dat huis binnenstormt zal hij op de knop drukken en Firestorm loslaten.'

'Met hemzelf erbij?'

'Ik neem geen enkel risico met die idioot wat betreft Jason.'

'Dan zult u ervoor moeten zorgen dat we een doelwit krijgen,' zei George. 'Kunt u ervoor zorgen dat hij voor het raam gaat staan zodat we op hem kunnen richten?'

'Misschien.'

'En misschien ook niet,' zei Silver. 'Dat weet je pas op het moment dat je hem kunt laten doen wat jij wilt.'

'Ik wil onder geen voorwaarde dat jullie dat huis bestormen. Ik wil niets doen dat gevaar voor Jason oplevert.'

Hij haalde zijn schouders op en smeet het portier dicht. 'Goed, we zullen het huis niet bestormen.'

Maar hij had geen antwoord gegeven op haar laatste, voornaamste verzoek, besefte ze.

Maar goed, dit was niet het moment om met hem in discussie te gaan. Trasks telefoontje begon na te werken. Ze moest haar kracht verzamelen en deze kille, verlammende angst van zich af zien te zetten.

Dickens belde exact om negen uur die avond.

'Loop twee straten in oostelijke richting naar de baptistenkerk. Ik ben er over tien minuten. Als er iemand bij je is smeer ik hem en zie je me niet meer terug.'

'Ik kom alleen.' Ze hing op en keek Silver aan. 'Tien minuten. De baptistenkerk twee straten hiervandaan in oostelijke richting.'

'We zijn onderweg.' Hij stormde naar de deur. 'Kom op, George.'

'Hè, hè, eindelijk actie,' zei George toen hij opstond en de plunjezak bij zijn voeten oppakte. 'Aan de slag.'

'Wacht eens even,' zei Kerry. 'Hoe lang heb je nodig om in Dickens' hoofd te kruipen?'

'Niet zo lang. Dat hangt een beetje van hem af. Vijf, tien minuten.'

'En hoe weet ik of hij je niet ziet?'

'Dat merk je vanzelf. Ik zal je nog geen twee straten met die klootzak mee laten rijden als het me niet lukt.'

'Laat dat maar uit je hoofd. Ik zal het je nooit vergeven als je iets doet waardoor Trask...'

'Wat heb ik te verliezen?' vroeg hij met een onbehoedzame ondertoon. 'Je bent me toch al niet vergevingsgezind. En als het tussen jou en je broer gaat, voor wie denk je dan dat ik zal kiezen?'

'En nu naar buiten, Brad,' mengde George zich snel in het gesprek. 'Hebben ze je nooit verteld dat er bepaalde momenten in het leven zijn waarop de waarheid niet bespreekbaar is?' Hij opende de deur en duwde hem naar buiten. 'Het schijnt dat Brads barbaarse driften op dit moment op de voorgrond treden, Kerry. Maar ik zal ervoor zorgen dat u ons duidelijk zult zien terwijl we jullie volgen, aangezien Brad zegt dat Dickens ons toch niet ziet. Ik vind het moeilijk te geloven, maar het lijkt me een bijzonder interessante situatie.'

Interessant? Doodeng, bedacht ze. 'Luister.' Ze keek Silver diep in zijn ogen. 'Je hebt je belofte aan me al eerder gebroken, maar hier moet je je aan houden. Beloof me dat je zult wachten tot ik aangeef dat het veilig is om Trask neer te halen.'

'En als je hem nu eens niet kunt duwen? Moet ik dan maar gewoon afwachten en lijdzaam toezien hoe hij jullie naar de hemel stuurt?'

'Dan zul je erop moeten vertrouwen dat ik wel iets anders bedenk om hem te verlokken zich aan jullie bloot te stellen.'

Hij keek haar zwijgend aan.

'Beloof me dat, Silver.'

Hij bleef zwijgen en antwoordde toen: 'Ik beloof dat ik je een kans zal geven.' De deur sloeg achter hem dicht.

Het was niet het antwoord dat ze had willen horen, maar meer dan dit kreeg ze niet. Het was al erg genoeg dat ze niet zeker wist of ze Trask zou kunnen beïnvloeden. Silver was een onzekere factor geworden.

Ze wierp een blik op haar horloge. Er waren pas een paar minuten voorbij, maar het was tijd om te vertrekken. Hoe wist ze wat Dickens zou doen als ze niet op tijd was? Nog een onzekere factor. Haar leven scheen er vol van te zitten.

De blauwe Ford reed drie rondjes om het blok waar Kerry stond, voor hij langs de stoep tot stilstand kwam.

'Stap in.' Dickens leunde opzij en opende het portier. Hij pakte haar tas, woelde er doorheen en liet zijn hand toen over haar borsten en armen glijden.

Ze duwde hem weg. 'Wat doe je?'

'Kijken of je een wapen of een zendertje bij je hebt.' Hij keek schichtig naar de baptistenkerk en de straat. 'We gaan. Hoe eerder dit achter de rug is, hoe beter.'

'Zeg dat wel.' Ze trok het portier met een klap dicht. 'Waar breng je me heen?'

Hij pakte zijn telefoon. 'Ik heb 'r. Nee, niemand in de buurt. Dat heb ik gecontroleerd voor ze instapte. Ik weet wat ik doe, Trask.'

'Ik wil hem spreken.'

Hij haalde zijn schouders op en gaf haar de telefoon.

'Je zei dat ik mijn broer kon spreken, Trask.'

'O, ja. Ik maakte me een beetje zorgen dat hij dat niet zou willen, maar ik geloof dat hij je iets te zeggen heeft.'

Jason kwam aan de lijn. 'Kerry, niet komen. Probeer weg te komen.'

Hij lééfde. Tot dit moment had ze niet beseft hoe bang ze was geweest dat Trask hem al vermoord had. 'Is alles goed met je?'

'Kom niet,' zei Jason wanhopig. 'Mijn leven is het niet waard...'

Trask kwam weer aan de telefoon. 'Volgens mij houdt hij erg veel van je. Het is een slimme vent, en ik geloof niet dat hij twijfelt over het feit dat zijn leven op het spel staat. En nu braaf zijn en geen trammelant maken met Dickens. Hij is erg gespannen en kan dodelijk uit de hoek komen. Ik zou niet willen dat je iets overkomt.' Hij hing op.

Ze gaf de telefoon terug aan Dickens. 'Hij zei dat je gespannen bent. Dat betekent waarschijnlijk dat je niet van dit soort klusjes houdt. Zou het niet slimmer zijn als je mij en mijn broer hielp om Trask te pakken?'

'Hou je bek.' Hij draaide weg van de stoeprand. 'Ik ben niet gespannen. Alles gaat prima. Na vanavond is alles voorbij.'

Waar was Silver? Hij had vijf of tien minuten gezegd, maar Dickens vertoonde nog steeds geen tekenen van... Jezus, wat had ze dan verwacht? Ze wist niet eens of ze een verandering in Dickens' gedrag zou kunnen waarnemen als het Silver lukte om binnen te komen. 'Ze pakken je toch wel, Dickens.'

'Nee hoor. Het moment dat Trask in dat vliegtuig stapt met Ki Yong, ben ik hier pleite.' Hij nam een bocht en reed in de richting van de rand van de stad. 'Dan rijd ik de zonsondergang tegemoet met een zak vol geld.'

'Tenzij Trask besluit om een experimentje met je te doen met zijn Firestorm.' Met gespeelde onverschilligheid verplaatste ze haar blik naar de buitenspiegel. De moed zonk haar in de schoenen toen ze zag dat de straat achter hen verlaten was. Niemand die hen volgde.

Lieve god. Was er iets gebeurd? Probeer daar niet aan te denken. Als ze het zelf moest opknappen, dan moest dat maar. 'Trask heeft totaal geen scrupules. Je weet toch wat hij met Fairchild heeft gedaan? Waarom zou hij hetzelfde niet...'

Er kwam een bruine Lexus de hoek om met George achter het stuur.

'Dichterbij,' zei Silver kortaf. 'Je mag hem niet kwijtraken.'

'O, nee?' George trok zijn wenkbrauwen op. 'Excuseer me dat ik weinig van uw werkwijze begrijp, maar zou u niet gewoon even kunnen uitzoeken waar hij naartoe gaat?'

'Daar wil ik mijn tijd nu niet aan verspillen,' antwoordde Silver kortaf. 'Ik moet me eerst door dikke lagen slijm worstelen om zo veel mogelijk te weten te komen over de bewakers die bij de boerderij staan.'

'Boerderij?'

'Dat is waar hij haar heen brengt. Een boerderij. Dickens heeft die voor Trask op moeten sporen.'

'Als u dan eens even uitzoekt waar die boerderij staat, dan kunnen we vast vooruitrijden en wachten tot...'

'Jezus, zo werkt het niet. Ik ben niet bekend met de hersens van deze smeerlap. Ik zal moeten oppikken wat ik kan totdat ik hem kan besturen.'

'Oké,' antwoordde George kalm. 'Het was maar een idee. U hebt gelijk, ik weet niet hoe dit werkt. Wie wel?'

'Sorry.' Silver wendde zijn blik niet eenmaal af van de auto voor hen. 'Zorg nou maar dat je dichterbij komt en hem niet kwijtraakt.'

'Weet u zeker dat hij ons niet zal zien?'

'Nee, dat weet ik niet zeker, maar ik verwacht van niet. Ik geloof dat ik hem al wel zover heb.'

'Dus het is een gok.'

'Verdomme, ja.'

'Wat zie je?' Dickens keek achterdochtig opzij.

Shit. 'Niets.' Snel draaide ze haar gezicht van de spiegel weg en probeerde ze hem af te leiden. 'Trask is niet bepaald stabiel, weet je. Iedereen kan zijn doelwit worden.'

Het had geen effect. Dickens' blik was naar zijn spiegel gegleden.

Ze verstarde. Christus, George was hun tot op een afstand van een paar auto's genaderd en probeerde zelfs niet eens ongemerkt te volgen.

Dickens haalde zijn schouders op en richtte zijn blik weer op de weg. 'Hou op met die indianenverhalen. Daar krijg je me niet gek mee.'

En kennelijk ook niet met de bruine Lexus die achter hen reed. Silver was binnen.

Ze slaakte een zucht van verlichting. 'Ik probeerde je alleen maar te behoeden voor een grote fout. Maar ik zal mijn tijd niet meer verspillen.' Ze dwong zichzelf niet meer in de spiegel te kijken.

'Waar breng je me naartoe?'

'Naar het platteland.'

'Waar?'

Hij keek haar dreigend aan. 'Dat kan ik je niet vertellen. Trask wil dat het een grote verrassing is. De idioot...'

Het eerste dat ze opmerkte, was de geur van rook. Scherp, bijtend en honderden herinneringen aan nachtmerries oproepend. Haar hart klopte in haar keel. Had die klootzak Firestorm nu toch al op Jason losgelaten?

'Bel Trask, Dickens.'

Dickens schudde zijn hoofd. 'Het is hier om de hoek.'

'Schiet dan op, verdomme.'

'Hou op met die bevelen,' antwoordde hij kwaad. 'Ik ben het zat dat iedereen me vertelt wat ik moet doen.'

Ze hoorde hem nauwelijks. Ze reden nu de bocht om en ze zag de brand.

Een grote stal aan het einde van de weg werd verteerd door een uitslaand, fel, alles opslokkend vuur.

De vrees sloeg haar om het hart. *Jason.* 'Laat me eruit.'

'Wat je wil.' Dickens kwam tot stilstand voor de boerderij. 'Mijn taak zit erop.'

Ze smeet de deur open en sprong de auto uit. De intense hitte sloeg in haar gezicht toen ze in de richting van de stal rende.

'Daar is hij niet, Kerry.'

Met een schok kwam ze tot stilstand en keerde ze zich om naar de man die haar aangesproken had.

Trask was naar buiten gekomen en stond nu op de veranda. Geen twijfel mogelijk over wie het was. De kinderlijk blauwe ogen die haar aanstaarden waren die van de foto die ze had gezien. De weerschijn van het vuur verlichtte zijn geamuseerde glimlach toen hij de trap afkwam. 'Je schijnt te denken dat ik mezelf in mijn ongeduld mijn pleziertje zou ontnemen. Maar ik heb nu zo lang gewacht dat ik van alles tot in het kleinste detail wil genieten.'

Ze negeerde al zijn woorden, behalve de eerste. 'Jason is niet in die stal?'

'Nee. Ik heb zelfs het vee uit hun knusse onderkomen weg laten gaan. Het ging mij er vooral om een welkomstbaken voor je aan te steken.'

En me doodsangst te bezorgen, dacht ze verbitterd. 'Waar is hij?'

Hij maakte een hoofdgebaar naar het huis. 'In een kamer boven, samen met zijn vader. Het is zo'n liefhebbend stel dat ik het niet over mijn hart kon verkrijgen ze uit elkaar te halen.'

'Ik ga,' zei Dickens en liet de motor loeien. 'Ki Yong staat een stuk verderop met mijn geld.'

'Ga je gang.' Trask wendde zijn blik niet van Kerry af toen Dickens wegreed. 'Hoewel hij waarschijnlijk nog voor een grote verrassing komt te staan,' mompelde hij. 'Ik betwijfel ten zeerste of Ki Yong van plan is hem te betalen. Ik vermoed eerder dat hij zich op een wat andere wijze zal ontdoen van een mogelijke getuige.'

'Mooi zo. Dickens interesseert me niet. Ik wil Jason zien.'

'Dadelijk.' Hij staarde naar de brandende stal. 'Maar eerst wil ik dat je even naar mijn vuurtje kijkt. Ik heb er erg veel moeite voor gedaan en ik wil er samen met jou van genieten.'

Ze volgde zijn blik in de richting van de vlammen. 'Is het de bedoeling dat ik geniet van deze vernietiging?'

'Ach, misschien niet. Je ziet niets anders dan een omhulsel zonder ware betekenis.' Hij glimlachte. 'Hoewel het vanbinnen misschien minder leeg is dan je dacht.'

Ze verstijfde. 'Je zei dat Jason daar niet was. Dat hij boven was. En dat je het vee hebt laten gaan.'

'Zeker, zeker. Maar ik kon Firestorm niet beledigen door het kind niet de broodnodige brandstof toe te dienen.'

'Wat heb je gedaan, klootzak? Wie zit daarbinnen?'

Hij grinnikte. 'De boer en zijn vrouw. Maar maak je geen zorgen, ze hebben vanavond niets gevoeld. Ik was gedwongen me gisteren al van ze te ontdoen. Ik kon natuurlijk niet het risico lopen dat ze problemen zouden veroorzaken.' Hij schudde zijn hoofd. 'Helaas. Het effect zou veel beter zijn geweest als ik je een paar hors d'oeuvres had kunnen serveren voor de grote hoofdmaaltijd.'

De rillingen liepen over haar rug. Ze sloot haar ogen. Verzet je. Vecht ertegen. Ze maakte geen schijn van kans tot hem door te dringen als ze zich bang liet maken.

Ze deed haar ogen weer open. 'Ik hoef niet te zien hoe je die arme mensen cremeert. Dat is ziekelijk, net zo ziekelijk als jij. Breng me naar Jason.'

Hij fronste zijn voorhoofd. 'Je stelt me teleur.' Maar toen fleurde zijn gezicht weer op. 'Hoewel ik niet verbaasd zou moeten zijn. Ik had een gevecht verwacht. Herken je dit huis?'

'Waarom zou ik? Ik ben hier nog nooit geweest.'

'Dat is waar. Maar wat dacht je van de Bartlett perenbomen? En de rivier?'

De rivier aan de achterzijde van de boerderij was haar nog niet opgevallen. Er roerde zich iets in haar herinnering. 'Wat probeer je me duidelijk te maken?'

'Ik heb Dickens een oude krantenfoto gegeven van het huis van de familie Krazky, en gezegd dat hij iets dergelijks voor me moest zoeken.'

'Waarom?'

'Omdat dat waarschijnlijk mijn opwindendste moord is geweest. De eerste keer blijft je altijd bij, vind je niet? En het is nog meer voor me gaan betekenen omdat ik besefte hoe wij aan elkaar verbonden zijn toen ik je daar bij de restanten van dat huis zag.'

Hij deed een stap in haar richting en ze zag de spanning in zijn spieren, de opwinding die in zijn ogen glinsterde. 'Kijk nu nog eens naar het vuur en laat het over je heen komen. Geniet je er nu niet van?'

'Nee. Breng me naar Jason.'

Hij aarzelde. 'Prima.' Hij draaide zich om. 'Einde van de eerste akte. Zonder applaus. Maar het is nog vroeg. Het wordt beter.' Hij liep de trap op naar de veranda. 'Kom. Tijd voor een familiereünie.'

Op de trap keek ze vlug even om naar de weg. Ze had de Lexus niet meer gezien vanaf een kilometer of twee voor ze de brandende stal had geroken.

Niet in paniek raken. Het was logisch dat Silver en George zich niet zouden vertonen aan de bewakers.

Maar god, wat voelde ze zich eenzaam.

'Daar gaat hij,' mompelde George toen de auto van Dickens voorbij het bosje reed waar ze geparkeerd stonden. 'Gaan we nu meteen achter hem aan?'

'Nee, hij is onderweg om zijn geld op te halen. Misschien hebben we hem later nog nodig om ons naar Ki Yong te brengen.'

'Kunnen we hem niet beter direct uitschakelen? We hebben geen idee hoe lang deze toestand gaat duren.'

'Nee.' Met snelle bewegingen tekende Silver lijntjes op een bladzijde van zijn agenda. 'Hij is al uitgeschakeld.'

George keek hem vragend aan. 'Pardon?'

'Ik heb hem enigszins moeten toetakelen om de benodigde informatie uit hem te krijgen,' zei hij afwezig terwijl hij vier kruisjes op een pagina zette. 'Hij is hersendood.'

George schudde zijn hoofd. 'Hij bestuurt die wagen.'

'Nee, ík bestuur die wagen. En ik kan hem nu maar beter langs de weg zetten zodat ik me op iets anders kan gaan concentreren dan op Dickens.'

'Christus.'

Silver keek hem van opzij aan. 'Geloof je me niet?'

'Zeker wel. Dat maakt het nu juist zo eng. Wist de CIA dat u dit soort kunstjes kon?'

'Nee. Je denkt toch niet dat ik gek ben? Ik vertelde ze niets meer dan nodig. Informatie is één ding, maar het besturen van andermans brein is iets anders. Ze zouden me als een gebruiksvoorwerp benaderd hebben of als een bedreiging waar ze geen raad mee wisten. Waarschijnlijk het laatste. Ze zouden me binnen de kortste keren sancties hebben opgelegd.'

'Dus als u zijn auto parkeert en u terugtrekt uit Dickens, dan gaat hij dood?'

'Niet onmiddellijk. Ik zal een paar draden achterlaten om zijn primaire functies aan de gang te houden. Het kan zijn dat we hem later nog nodig hebben.'

'Ik geloof niet dat het idee van het gebruikmaken van een...' George zocht naar het juiste woord, 'zombie me aanspreekt. Ik vertrouw liever op mezelf. Als u het niet erg vindt, maak ik het even af met Dickens op de manier zoals u al die tijd van plan was.'

'Ga je gang.'

'Doe ik.' Hij keek naar de kruisjes in Silvers agenda. 'Wat is het verhaal achter die kruisjes?'

'Er staat een bewaker op de rivieroever achter de stal om te kijken of er geen boten aankomen.' Hij wees naar een ander kruisje. 'En een scherpschutter met een Springfield achter het schuurtje aan de achterkant van het huis.' Hij gebaarde naar het derde kruisje. 'Deze wachtpost staat een kilometer verderop aan de weg naar de boerderij.'

'En de laatste?'

'Ki Yong en zijn chauffeur. Die staat een kilometer of vijftien hiervandaan te wachten tot Trask klaar is met zijn feestje zodat hij hem in het vliegtuig naar Pjongjang kan duwen.'

'Hebt u dat allemaal van Dickens?'

Hij haalde zijn schouders op. 'Het was niet gemakkelijk. Anders had ik hem misschien niet hoeven beschadigen.' Hij perste zijn lippen op elkaar. 'Hoewel ik dat waarschijnlijk toch wel gedaan zou hebben.' Hij keek naar het plattegrondje. 'We moeten gaan. Waar wil je het eerst op af? Op die aan de weg?'

George knikte terwijl hij het portier opendeed en uitstapte. 'En die op de rivieroever. Neemt u de scherpschutter maar. Dan nemen we Trask daarna samen te grazen.'

'Niet voordat Kerry een schietschijf voor ons neerzet,' zei Silver toen hij hem inhaalde. 'We blijven buiten wachten tot we hem duidelijk in beeld krijgen. Dat heb ik haar beloofd.'

Georges lippen vertrokken tot een sardonische grijns. 'En hoe lang was u van plan u aan die belofte te houden wanneer Trask een bedreiging voor haar vormt?' Hij stak een hand op. 'Nee, laat maar. Ik hoef geen antwoord. Straks wordt u boos en raak ik zogenaamd beschadigd.'

'Dat zou ik nooit doen.'

Hij keek even opzij. 'Nee, dat geloof ik ook niet. Doet u me een plezier en wacht tot ik weer terug ben voor u op Trask richt. Ik wil u niet beledigen, maar ik denk dat de kans dat ik hem raak groter is.'

'Als je snel genoeg daar bent.'

'Ach, wat een druk.' Hij versnelde zijn pas. 'Die eerste man zou ons niet meer dan vijf minuten moeten kosten. En dan is het pad naar de boerderij vrij.'

'Waar zijn ze?' Kerry keek de armoedige woonkamer rond. De ramen stonden open en er waaide een dunne waas rook naar binnen, waardoor de kamer iets onwerkelijks, iets buitenaards kreeg. 'Waar is Jason?'

'Boven.' Trask was al halverwege de trap en gebaarde Kerry hem te volgen. 'Ik weet zeker dat ze blij zullen zijn je te zien. Met name je vader. Hij lijkt nogal wanhopig te zijn, bereid zich aan iedere strohalm vast te klampen als hij je broer daarmee kan redden. Niet bepaald een uiting van intelligent gedrag. Maar ja, in jouw geval geldt natuurlijk hetzelfde. Emotie gaat boven ratio, nietwaar?' Hij maakte de deur boven aan de trap open. 'Ik heb ze de grootste slaapkamer gegeven. Niets is te veel voor de mensen om wie je geeft, Kerry.' Hij stapte opzij. 'Ga je gang.'

Ze aarzelde.

'Denk je dat je een onaangename verrassing wacht? Twee lijken zoals die van de boer en zijn vrouw?' Trask grijnsde. 'Dat weet je pas wanneer je naar binnen gaat.'

Ze dwong zichzelf de kamer binnen te lopen.

Geen lijken. Goddank. Ze lééfden.

Haar vader lag op bed, vastgebonden aan de bedstijl, en Jason zat aan een stoel bij het raam gebonden.

'Je had niet moeten komen, Kerry.' Jasons stem klonk hees, en zijn gezicht zag bleek en vermoeid. 'Ik zei toch dat je weg moest blijven.'

'Ze heeft er juist goed aan gedaan te komen, Jason,' zei Ron Murphy. 'Dit alles is haar eigen verantwoordelijkheid.' Hij wendde zich tot Trask. 'Je hebt haar nu en je hebt mij. Waarom laat je Jason niet gaan?'

'Jezus.' Jason staarde hem geschokt aan. 'Je denkt toch niet dat ik hier vertrek zonder jullie twee? Als je nog weg kunt komen, moet je het doen, Kerry.'

'Bespaar je de moeite. Trask is absoluut niet van plan hier iemand levend te laten vertrekken.' Ze keek naar Trask. 'Toch?'

'Helaas niet, nee,' zei Trask met een glimlach. 'Ook al heb ik het gevoel dat je mijn zielsverwant bent en ik wat dat betreft op een doorbraak hoop, zou ik daar tijd aan moeten besteden die ik niet heb. Helaas biedt Ki Yong me die speelruimte niet.' Hij keek op zijn horloge. 'Ik zal genieten van je gezelschap terwijl ik je vader en broer aan Firestorm offer, maar je zult je bij hen moeten voegen wanneer ik hier vanavond weg moet.'

Die veelbetekenende blik op zijn horloge beangstigde haar. De tijd begon te dringen. Houd hem op. Geef Silver en George de tijd om hier te komen. 'Mag ik dan misschien een paar minuten met ze alleen zijn?'

Hij aarzelde en haalde toen zijn schouders op. 'Ach, waarom

ook niet. Misschien geeft het deze hele ervaring wel een extra pikant tintje.' Hij draaide zich om. 'Ik geef je vijftien minuten.'

Zodra de deur achter hem sloot rende ze naar het nachtkastje. Geen schaar, verdomme. Niets anders dat scherp genoeg was om de touwen mee door te snijden.

'Wat doe je?' vroeg haar vader.

'Ik zoek iets waarmee ik jullie los kan krijgen.'

Als ze een raam insloeg, zou Trask het horen voor de scherven de grond raakten... Ze vloog naar het bureau en doorzocht de bovenste lade.

Niets.

'Probeer een deal te sluiten met Trask,' zei Ron Murphy. 'Je hebt het niet eens geprobeerd bij die klootzak. Het gaat om je broer. Red hem.'

'Hou je mond, pa,' zei Jason. En tegen Kerry: 'Als je een manier kunt bedenken om hier weg te komen, doe het dan. Denk niet aan mij.'

'Doe niet zo achterlijk. Ik hou van je. Ik zal ervoor zorgen dat je hier wegkomt.'

'Ik verdien het niet dat jij je leven opgeeft in ruil voor het mijne.'

'Om de donder wel.' Ruw voegde ze eraan toe terwijl ze de volgende lade doorzocht: 'Bovendien zou Laura me vermoorden als jou iets overkwam. Ik ben niet van plan om...'

'Ik vermoedde al dat je geen tijd aan sentimentaliteit zou verspillen als je de kans kreeg om actie te ondernemen.' Trask stond in de deuropening. 'Zie je nu hoe goed ik je ken? En nu weg bij dat bureau en mee naar beneden.' Hij haalde een kleine afstandsbediening uit zijn zak. 'Ik wil niet gedwongen worden om Firestorm nu al los te laten. Ik koester de tijd die ik met je heb.'

Ze verstijfde, haar blik gericht op de afstandsbediening. Toen liep ze langzaam in zijn richting. 'En waar is Firestorm?'

'Buiten, in het busje.'

'Waarom zou je dan op de knop willen drukken? Dan ga je samen met ons in vlammen op.'

'Ik weet precies waar het begint. Ik kan op tijd wegkomen.' Hij wenkte haar naar de deur. 'Ga je gang, Kerry. We gaan beneden in de woonkamer praten, en ik ga naar je kijken en voor-uitlopen op wat er komen gaat.' Hij keek naar het apparaatje in zijn handen. 'En ik neem aan dat jij hetzelfde zult doen.'

17

Rustig.

Zachtjes.

Laat hem niet schrikken.

Silver sloop dichter naar de bewaker achter de schuur. Het was een lange, slungelige man en hij was bijzonder schrikachtig. Hij beende rusteloos op en neer met een waakzame blik op het huis.

Zou het hem lukken in zijn hoofd te kruipen?

Waarschijnlijk wel, maar het zou niet eenvoudig zijn en te lang duren. Hij had geen idee hoeveel tijd ze nog hadden.

Hij had geen idee hoeveel tijd Kerry nog had.

Zet dat maar uit je hoofd. Geen tijd om naar binnen te gaan. In de aanval.

Doe rustig en zachtjes. Zorg dat je achter hem komt en breek de nek van die klootzak voor hij de kans krijgt zijn geweer op te tillen.

'Ga zitten,' gebaarde Trask naar de bank. 'Maak het jezelf gemakkelijk.'

'Gaan we leuk doen?'

'Ach, een klein grapje,' antwoordde Trask. 'Maar ik zou het prettig vinden als je je op je gemak voelde.'

Ze hoestte. 'Waarom doe je die ramen dan niet dicht? Die rook is niet te harden.'

'Ik vind het juist prettig.' Hij ging in de stoel tegenover haar zitten. 'Je went er vanzelf aan. De brand is te ver weg om gevaar op te leveren.'

'Wat een geruststellende gedachte.'

'Ik heb geen enkele behoefte om je bang te maken. Ik heb gewonnen en ik doe mijn best een genereuze winnaar te zijn.'

'Als je werkelijk genereus was, dan zou je Jason en mijn vader laten gaan.' Ze mocht geen tijd meer verspillen. Hoezeer ze ook opzag tegen haar taak. Concentreer je. Duik in die donkere poel die hij zijn brein noemde en versmelt met hem. Ze haalde diep adem en verzamelde haar kracht.

Afstotelijkheid. Duisternis. Vuur. Geblakerde huid.

Ze schuifelde weg van die slijmboel. O god, ze kon het niet.

'Zo ver reikt mijn generositeit niet,' antwoordde Trask. 'Daarvoor heb ik hier te lang naar uitgekeken. Ik haat het om gedienstig te moeten zijn. Bijna net zo erg als vernederd te worden.'

'Stomme eikel.' Tim Krazky zat boven op hem en zei spottend: 'Huilbaby.' Hij klom van hem af en keek naar de kring kinderen die om hem heen stonden voor hij tegen Trask zei: 'Ren maar snel naar je mammie, stommerd.'

Pak hem terug. Pak hem terug. Pak hem terug.

Vlees versmeltend met botten. Gegil. Hitte.

Vreugde.

'Je geeft geen antwoord,' zei Trask. 'Geloof je me niet?'

Praat met hem. Als ze geen antwoord gaf werd hij misschien ongeduldig en raakte ze het beetje tijd kwijt dat ze nog had.

De geur van geroosterd vlees.

Praten? Ze zat zo verstrikt in zijn beelden dat ze nauwelijks functioneerde. De dood en haat en brandend vlees waren zo'n overheersend bestanddeel van zijn herinneringen en drijfveren, dat ze niet in de buurt van zijn brein kon komen zonder erdoor geraakt te worden. Ze wilde wegrennen.

Blijf daar zitten tot je eraan gewend bent geraakt. Zoek dan een pad. Dat was wat Silver haar had geleerd. Nu niet lafhartig worden. Dwing jezelf ertoe. Zoek dat verdomde pad.

Maar ondertussen moest ze Trask aan de praat houden. Blind zocht ze een gespreksonderwerp. Natuurlijk, dat ene waar zijn hele leven om draaide: 'Ik denk niet dat veel mensen de moed hebben gehad je te vernederen. Maar je was nog maar een kind toen je de boerderij van de familie Krazky in brand stak. Had je geen eenvoudiger manier kunnen bedenken om hem terug te pakken?'

'Er bestaat niets eenvoudigers dan brand.' Hij leunde achterover in zijn stoel. 'Niets dat beter opruimt. Niets mooiers.'

Een klein meisje bonkt op het raam, probeert naar buiten te komen.

Negeer zijn herinnering. Neem afstand van de gruwelijkheid. Zoek naar het juiste pad. Als dat er tenminste is...

'Waarom denk je dat de meeste mensen een open haard als het toppunt van genot beschouwen in hun huis?' vroeg Trask. 'Ieder mens is gefascineerd door vlammen en het idee dat ze die onder controle hebben. Dom. Diezelfde vlammen liggen gewoon te wachten op een onoplettend moment en dan gaan ze hun eigen gang.' Hij liet zijn ogen op de afstandsbediening in zijn hand rusten. 'Ik ben de enige die ze in de hand heeft.'

Dat pad liep dood. Probeer een ander. Hou hem aan de praat. 'Firestorm. Maar heb jij de macht over Firestorm of is het andersom?'

'Ik heb hem gemaakt,' zei hij met gefronst voorhoofd. 'Natuurlijk heb ik de macht.'

'Daar geloof ik niets van.'

Ze had een nieuw pad gevonden! Veel langer, veel kronkeliger. Snel. God, laat dit de juiste route zijn.

'Geloof wat je wilt.' De frons verdween van zijn gezicht. 'Maar ik begrijp wel waarom Firestorm zo machtig lijkt. Dat is ook altijd mijn bedoeling geweest, vanaf het allereerste moment dat ik tot de conclusie kwam dat het beheersen van vuur zoiets is als voor God spelen. Die kans krijgt een man niet vaak.'

Zo ver als nu was ze nog nooit doorgedrongen in zijn brein. Dit moest het juiste pad zijn. Sneller. Ze bad dat ze niet op een blokkade zou stuiten. 'Hoe dan?'

'Macht. Staat er niet in de bijbel dat de wereld verslonden zal worden door een allesverzengend vuur?' Hij knipte met zijn vingers. 'Dat is wat ik kan.'

Ze was er! Nu een plekje zoeken. En dan gaan duwen. Wat had Trask ook alweer gezegd? 'Zo machtig is Firestorm nu ook weer niet.'

'Nog niet, nee. Maar geef me nog een jaar of vijf, en dan heb ik hem zover. De ultieme kracht. Je zou versteld staan. Jammer dat je het niet mee zult maken.'

Ze zette zich schrap. Kon ze het aan? Er was maar één manier om daar achter te komen.

Duwen!

Hij leek er niets van te merken. 'Je hebt geen idee hoe vervelend ik het vind dat je...'

Laat het overkomen als een suggestie, niet als een opdracht, had Silver gezegd.

Duw. Rook. Duizelig.

Trask schudde zijn hoofd als om helder te worden. 'Volgens mij begint de rook hierbinnen dikker te worden.'

Dank u, God. 'Het was me nog niet opgevallen.'

Rook. Verstikte longen. Prikkende ogen. 'Ik heb er meestal geen last van. Ik... hou er juist van.'

Brandende longen. Pijn. Duw. Duw. Duw.

'Ik ga even een glas water pakken. Daar knap ik wel van op, denk ik.' Hij stond op, liep naar de buffetkast en schonk een glas water in uit een karaf. 'Weet je? Dat is het enige waar water goed voor is: om te drinken. Verder haat ik het bestaan ervan.'

Dichtgesnoerde keel. Verstikkend gevoel.

Hij begon te hoesten. 'Jezus. Ik kan nauwelijks slikken. Misschien moet ik het raam toch even dichtdoen. Jammer.' Hij liep naar het raam aan de andere kant van de kamer.

Een band om zijn keel. Brandende longen.

'Christus, ik krijg... geen... lucht.' Hij propte de afstandsbediening in zijn zak terwijl hij aan het raam morrelde.

Ga door. Schroeiende pijn in zijn longen.

Stond hij goed in beeld voor het raam? Als hij het raam nu eens dicht kreeg en daar wegliep? Wat als Silver te weinig tijd kreeg?

Duw!

'Verdomme.' Trask trok zijn handen wild weg van het raam. 'Het is heet, verdomme.'

'Wat verwacht je anders, als je je hele leven besteedt aan brandstichting? Er komt een dag dat je je vingers een keer brandt.'

Houd zijn handen in beweging, weg van die afstandsbediening.

'Probeer het nog eens.'

'Ben je gek?' Hij verdween bij het raam. 'Ik kan dat raam niet zonder bescherming aanraken. Misschien moeten we maar naar buiten. Waarschijnlijk is het aan de voorkant minder erg.'

En daar zou het een stuk moeilijker richten zijn voor Silver. Verdomme.

'Kom.' Hij liep naar de voordeur. 'Naar buiten.'

'Ik had hem bijna.' George vloekte toen Trask uit beeld verdween. 'Nog twee seconden en dan had ik hem gehad.'

'Hou je vizier op dat raam,' antwoordde Silver. 'Hij komt zo terug.'

'Op uw verantwoording. Ik wou maar dat ik daar zo zeker van was,' zei George. 'Soms krijg je maar één kans.'

Hij wist het helemaal niet zeker, dacht Silver. Als Kerry de controle kwijt was, zou het moeilijk zijn die terug te krijgen. Elke vezel in zijn lijf schreeuwde om naar dat huis te mogen stormen en een einde te maken aan dit spelletje van afwachten.

Geef haar nog een beetje tijd. Vertrouw op haar.

God, hij hoopte maar dat hij de juiste keuze maakte.

'Waar wacht je op?' Bij de voordeur keek Trask om naar Kerry. 'Naar buiten, zei ik.'

'Ik kom al.' Langzaam stond ze op. Ze moest hem binnen zien te houden. Als hij eenmaal op de veranda stond, kon ze niet voorspellen wat hij zou doen. Het kon zomaar zijn dat hij ter plekke besloot om Firestorm vanuit zijn busje te activeren. Houd overzicht. Niet in paniek raken. Ze kon het.

'Ja, ik denk dat het verstandig is om naar buiten te gaan.' Ze liep naar hem toe. 'Ik krijg ook bijna geen lucht. Denk je dat er daar minder rook is?'

'Het is daar vast niet zo...' Hoestend stopte hij met praten. *Duw. Een kloppend gevoel in zijn longen bij de voordeur. Prikkende, tranende ogen.*

Hij bleef staan. 'Misschien toch maar niet. Het lijkt hier nog wel erger.'

'Wat ben je dan van plan?'

Duw! Het raam! Het raam!

'Wat ik net al had moeten doen. Dat verdomde raam sluiten.' Hij rukte een gehaakt kleedje van een stoel en liep naar het openstaande raam. 'Met dit ding om mijn handen te beschermen.'

'Ja, die bescherming lijkt me wel zinvol.'

'Wat zeg je?' Terwijl hij een hand uitstrekte naar het raam keek hij naar haar om, goed uitgelicht in het kozijn. 'Waarom lach je?'

'Lach ik?' Als dat zo was, dat was het uit wreedaardige wraakzucht. 'Waarom zou dat nou zijn? Misschien omdat je toch minder voor God kunt spelen dan je zou willen?'

'Waarom ben je zo...'

De inslag van de kogel maakte een einde aan zijn zin.

'Nee!' Hij schokte toen de kogel in zijn borstkas sloeg. 'Godverdomme.' Zijn knieën begaven het, maar in zijn val graaide hij naar de afstandsbediening in zijn zak. 'Je komt hier niet...'

In een tel was ze aan de andere kant van de kamer. Ze sloeg zijn hand weg en greep de afstandsbediening. 'Dat had je gedacht, klootzak.'

'Kutwijf,' fluisterde hij. 'Je zult toch niet winnen. Ik laat je niet...'

'Ik heb al gewonnen. Het is voorbij, Trask.'

De haat in zijn brein was allesomvattend. Zelfs in de laatste minuten van zijn leven was hij niet bang voor de dood. Niets dan vuur en duisternis en wraakzucht.

Draaikolken.

Vergif.

Vuur.

'Eruit.' De stem van Silver. Silver die naast haar stond. 'Wat doe je daar nog steeds binnen in zijn hoofd? Eruit!'

Ze kon er niet uit. Ze zat vast, gevangen in de pure kracht van het kwaad in het centrum van Trasks wezen.

'Laat hem los!' brulde Silver.

Trasks ogen werden glazig, maar ze voelde dat hij het, ergens, op de een of andere manier, ineens wíst. Hij grijnsde. 'Je... zit... gevangen... Zei toch... dat ik... zou winnen... Je gaat... met me... mee...'

'Vergeet het maar.' Silver kwam tussenbeide. 'Hou je vast, Kerry.'

Ze gaf een schreeuw van pijn toen ze losgerukt en wild de duisternis in geslingerd werd.

'Alles is in orde, Kerry. Wakker worden, verdomme.'

Ze deed haar ogen open en zag Silvers gezicht boven het hare hangen. 'Ik ben... wakker.' Ze ging rechtop zitten en keek naar Trask. Zijn ogen stonden nog open, maar zijn gezicht was verwrongen in een laatste doodsgrijns. 'Weg?'

'Zo dood als een pier.' Hij stond op en hielp haar overeind. 'Dat hij mag branden in de hel.'

Haar knieën bibberden en ze hield zich even aan hem vast voor ze op eigen benen kon staan. 'Nee, geen hellevuur voor hem. Dat zou hij veel te leuk vinden.'

'Ga zitten.' Hij keek haar scherp aan. 'Je bent nog steeds niet helemaal in orde.'

'Beter dan als je me niet uit hem weggerukt had.' Ze liet zich in de gemakkelijke stoel zakken. 'Waar is George?'

'Hij is hem gesmeerd nadat hij Trask neergelegd had en is toen achter Ki Yong aan gegaan.' Hij aarzelde. 'Ik moet eigenlijk gaan kijken of ik hem kan helpen.'

'Ga dan. Ik moet even een paar minuten uitrusten en dan ga ik Jason en mijn vader losmaken. Ze zitten boven in de slaapkamer opgesloten. Maak je geen zorgen, het gaat wel.'

Hij liet zijn ogen over haar gezicht glijden. 'Ik geloof je.' Hij draaide zich om en liep naar de deur. 'Ik denk niet dat het lang duurt. Waarschijnlijk ben ik al te laat om nog iets voor George te kunnen doen. Hij handelt zijn zaakjes erg snel af.'

Ze legde haar hoofd tegen de leuning en sloot haar ogen toen hij weg was. God, wat voelde ze zich zwak.

Een paar minuten lang verzamelde ze haar krachten. Ze was uitgeput. Het leek bijna onwerkelijk dat het achter de rug was, dat al het kwaad dat Trask vertegenwoordigde van de aardbodem verdwenen was.

Maar Jason wist nog niet dat hij nu veilig was, en het was niet eerlijk hem dat niet te laten weten.

Langzaam stond ze op en bewoog zich traag naar de keuken. Ze moest een mes hebben om de touwen door te snijden voor ze naar boven ging om hen te bevrijden. Waar was de bestek-lade? De rook leek hierbinnen veel dichter. Ze trok drie lades open voor ze een vleesmes vond.

Ze hoorde het toen ze het mes in haar handen had.

Geknetter.

Boven haar hoofd, door het keukenplafond.

Ter hoogte van de slaapkamers op de tweede verdieping.

Ze verstijfde. 'Nee!'

Ze draaide zich om en rende de keuken uit, de trap op. Rook. Overal rook. Niet afkomstig van de stal. Hier binnen!

Je zult toch niet winnen, had Trask gezegd. De klootzak had een tijdontsteker ingesteld voor Firestorm in het geval hij niet op de afstandsbediening zou drukken.

De vlammen likten aan de spijlen van de trap, net als in Jasons huis in Macon.

Nee, het leek meer op de brand in het bakstenen huis van al die jaren geleden.

Mama, waar ben je?

Vlak achter je. Ga hulp halen, Kerry.

Ik wil je niet achterlaten.

Waarom dacht ze op dit moment aan die nacht? Ze was geen klein meisje meer. Ze was niet hulpeloos. Ze zou Jason redden.

Ze stormde naar de slaapkamerdeur die omlijst werd door vlammen.

Rook. Overal rook. Ze moest haar gezicht bedekken.

Daar was geen tijd voor. Ze gooide de deur open en vloog naar binnen. De gordijnen en de vloerbedekking bij het raam stonden in lichterlaaie.

Jason hing voorovergeklapt in de touwen, maar hij was nog steeds bij bewustzijn. Hij hoestte: 'Maak dat je hier wegkomt, Kerry!'

'Niet praten, probeer zo oppervlakkig mogelijk adem te halen.' Ze zaagde in de touwen.

Het vuur sprong over van het gordijn naar het bed en de beddensprei vatte vlam.

'Maak pa...los,' hijgde Jason.

Ze keek vluchtig naar haar vader.

Een man onder de lantarenpaal.

Blauwe ogen.

'Eerst jou losmaken.'

'Dat bed vliegt zo in de fik. Hij eerst.'

'Ik heb je bijna los.' Eindelijk gaven de touwen mee en ze rukte ze van hem af.

Hij griste het mes uit haar handen en sprong overeind. Binnen een tel stond hij naast zijn vader en sneed hem los. Kerry sprong achter hem aan en trok de touwen weg. Jason tilde zijn vader op en droeg hem strompelend en hoestend naar de deur.

Kerry griste een quilt van een schommelstoel en bedekte haar mond en neus voor ze achter hem aan rende. De eerste verdieping stond nu helemaal in vlammen.

Jezus, de rook was ondertussen zo dicht dat ze Jason niet eens meer zag.

Waar was hij?

Toen zag ze hem.

En ze gilde.

Jason stond in brand, zijn hele lichaam in lichterlaaie. En toch hield hij zijn vader nog steeds krampachtig omhoog.

'Laat hem los, Jason. Laat je op de grond vallen.' Ze rukte haar vader uit Jasons armen, gooide de quilt over haar broer en probeerde de vlammen uit te slaan.

'Nee.' Hij klonk verstikt. 'Het is te laat. Red... pa.' Hij stommelde achteruit naar de brandende reling. 'Moet hem... redden. Moet het goed...' De reling brak af en hij viel achterwaarts in de vlammenzee.

'Jason!' Vertwijfeld riep ze zijn naam uit.

Ze moest hem halen. Het leek hopeloos, maar misschien kon ze...

Ze was al onderweg naar de trap toen ze stil bleef staan.

Red hem. Ze moest haar vader redden, had Jason gezegd.

Maar dat hoefde ze helemaal niet. Niet als ze in plaats daarvan Jason kon redden.

Jawel, dat moest ze wel.

Ze tilde haar vader in een brandweergreep en zakte ploeterend de trap af.

Rook. Duisternis. Loeihete stukken vuurzee in de woonkamer beneden.

En daar middenin lag Jason.

Ze had zichzelf voorgelogen. Er was geen redding mogelijk. Niemand kon zo'n vlammenzee overleven. Hij was waarschijnlijk al dood.

'Ik neem hem van je over.' Silver stond naast haar en tilde haar vader van haar schouder. 'Maak dat je hier wegkomt.'

Ze keek om en wist dat ze een poging moest wagen. Ze draaide zich om in de richting van het vuur. 'Jason. Ik kan hem hier niet achterlaten. Ik moet...' Ze bleef staan toen ze zag hoe de trap instortte en op haar afkwam.

Of was het de kolf van een pistool die op haar neerkwam?
Man bij de lantarenpaal.
Ja, dat was het. Brand.
Mama.
Mama die niet te redden was.
Probeer het! Rennen.
Maar de weg naar de lantarenpaal aan de overkant was als een eindeloze tunnel.
Het is te laat.
De klap op haar hoofd.
Blauwe ogen...

Gele muren. Witte linnen lakens. Een gezette verpleegster die onhoorbaar langsliep en iets aan de zuurstoftank naast haar bed verstelde.

Het ziekenhuis.

'Waar...?' Ze klonk als een kikker.

De verpleegster draaide zich glimlachend om. 'Hallo, ik ben Patti. Ik vermoed dat je keel wel wat vocht kan gebruiken.' Ze stak een rietje tussen Kerry's lippen en hield het waterglas voor haar vast. 'Je bent in het Macon General, en het gaat heel goed met je. Je hebt een paar eerstegraads brandwonden en wat rookschade aan je longen. Je hebt geluk gehad. Het moet nogal een brand geweest zijn.'

Jason die brandend in de vuurzee viel. Ze sloot haar ogen toen ze overspoeld werd door een golf van pijn. 'Ja.'

De glimlach verdween van het gezicht van de verpleegster. 'Nou ja, misschien is geluk het verkeerde woord, maar je hebt in ieder geval mensen om je heen die van je houden. Meneer Silver is de wachtkamer niet uit geweest vanaf het moment dat je binnengebracht bent. Wilt u dat ik even met de arts overleg of u hem mag ontvangen? De arts is op dit moment aan zijn ronde bezig.'

'Nee, nog niet. En mijn... broer?'

Ze gaf geen antwoord. 'Ik denk dat u beter even met de arts kunt praten.'

Omdat de verpleegster haar niet wilde vertellen dat Jason dood was. 'Ligt mijn vader in dit ziekenhuis?'

Ze knikte. 'Twee kamers verderop. Het gaat goed met hem. Hij wordt later op de dag ontslagen.'

'Wilt u aan hem vragen of hij bij me langs wil komen?'

'Nu?'

'Alstublieft.'

'Dat lijkt me een heel goed idee.' Ze liep naar de deur. 'Ik zal het even met de arts bespreken.'

Jason.

Ze sloot haar ogen en liet de opkomende tranen over haar wangen rollen.

'Wilde je me spreken?'

Ze deed haar ogen open en zag haar vader in de deuropening staan. Hij zag er lang niet zo goed uit als de verpleegster haar had willen doen geloven. Hij zag er moe en bleek en... gebroken uit.

'Is Jason dood?'

Zijn lippen vertrokken. 'Ja. Je hebt een fout gemaakt. Je had hem moeten redden in plaats van mij.'

'Dat heb ik geprobeerd. Dat wilde hij niet. Hij is degene die je die kamer uitgedragen heeft.'

Hij kromp in elkaar. 'Dat heeft niemand me verteld.'

'Ik was de enige die dat wist. Zijn laatste woorden waren dat ik jou moest redden.' Ze zweeg even. 'Hij hield erg veel van je.'

'Ik ook van hem.'

'Dat weet ik.' Ze aarzelde. 'Je hield zoveel van hem dat je hem zijn hele leven beschermd hebt.'

Hij verstijfde. 'Ik weet niet wat je bedoelt.'

'Hij heeft de brand aangestoken waarin mijn mama omgekomen is. Het was Jason die onder die lantarenpaal naar de brand stond te kijken.'

'Je bent gek.'

Ze schudde haar hoofd. 'Het was Jason.'

Hij staarde haar aan. 'Je herinnert het je weer?'

'Vanavond ineens.' Haar mond vertrok. 'Ik had gehoopt dat jij

het was. Maar dat was niet zo. Jason heeft de brand aangestoken. Jason heeft me geslagen. Het enige wat ik van jou wil weten, is: waarom? Waarom heeft hij het gedaan?'
'Hij wilde je geen pijn doen. Hij hield van je. Hij was gewoon een jongen die ernstig met zichzelf in de knoop zat.' Hij klemde zijn kaken op elkaar. 'Het was mijn schuld. En van die trut van een Myra. We hebben zijn leven tot een hel gemaakt. Jij was nog maar een kind, maar hij was al groot en wist wat er aan de hand was. Het is altijd een gevoelige jongen geweest, en al die ruzies... Hij ging er bijna aan kapot.'
'Dus toen heeft hij zijn eigen moeder maar vermoord?'
'Hij was niet van plan haar te vermoorden. Ik had tegen hem gezegd dat je moeder en jij zouden gaan logeren bij je tante in Macon. Ik dacht dat het op die manier makkelijker voor hem zou zijn om Myra achter te laten en met mij naar Canada te gaan.'
'Als jullie allebei in Canada zaten, hoe kon hij dan terugkomen naar Boston?'
'Ik werd weggeroepen voor een opdracht toen we in een hotelletje buiten Toronto zaten. Ik zou maar een paar dagen weg zijn, maar dat bood hem op dat moment alle ruimte. Later vertelde hij me dat hij het huis al in brand had willen steken voor we Boston verlieten. Hij had al een tijd lang benzine verstopt in het steegje achter het huis. Nadat hij me op het vliegveld afgezet had, is hij met mijn huurauto teruggereden naar Boston.' Zijn gezicht vertrok tot een bittere grimas. 'Iedereen kan ongezien over de grens van Canada naar Amerika komen als hij dat wil. En daar was Jason slim genoeg voor.'
'Ja, heel slim,' reageerde ze mat.
'Je mag hem niet de schuld geven,' zei hij fel. 'Het was niet zijn bedoeling mensen kwaad te doen. Ik zei toch: hij dacht dat het huis leeg was. Hij wist dat ik niet wilde dat zij het kreeg. Hij wist hoeveel dat huis voor me betekende. Hij deed het voor mij.'
'Maar het was niet leeg. Dat wist hij toen ik naar hem toe rende op straat. Hij had onze moeder kunnen redden.'
'Daar was het toen waarschijnlijk al te laat voor.'
'Hij had het kunnen proberen.'
'Hij is in paniek geraakt. Hij was in shock.' Toen ze hem woor-

deloos aan bleef staren, vervolgde hij wreed: 'Jij hebt makkelijk praten. Ik zeg je: het is mijn schuld. De mijne en die van Myra. Heb je enig idee waar hij jarenlang doorheen is gegaan? Al die tijd dat jij in coma lag, heb ik psychiatrische bijstand voor Jason moeten zoeken. Hij wilde naar de politie gaan om te bekennen. Hij wilde gestraft worden. Ik heb het niet toegestaan. Ze zouden hem achter slot en grendel hebben gezet voor iets dat ik veroorzaakt had.'

'Dus je hebt hem laten beloven het geheim te houden?'

'Hij had recht op een goed leven. Het was zijn schuld niet.'

'In jouw ogen. Ik denk niet dat hij ooit met zijn schuldgevoel heeft leren leven. Zelfs toen hij jouw leven probeerde te redden wilde hij niet opgeven. Ik denk niet dat hij de gedachte kon verdragen nog een dood veroorzaakt te hebben. Hij zei iets...'

Moet het goed...

'Hij heeft zijn zin niet afgemaakt, maar achteraf denk ik dat hij wilde zeggen dat hij het moest goedmaken.'

'Het was een goede jongen.' Ze zag de tranen glinsteren in haar vaders ogen. 'En hij heeft je geen pijn willen doen. Hij heeft zo vaak gezegd dat hij degene was die in coma hoorde te liggen in plaats van jij.'

'Waar heeft hij me mee op mijn hoofd geslagen? Ik dacht dat het een pistool was.'

Hij schudde zijn hoofd. 'Een stuk pijp dat hij in het steegje had gevonden op de plek waar hij de benzine had bewaard. Hij wist niet eens waarom hij het gepakt had. Ik vermoed dat hij doodsbang was voor wat hij ging doen.' Bibberig ademde hij in. 'Toen jij bijkwam uit coma, heeft hij alles op alles gezet om de beste broer te zijn die je je maar kon wensen. Dat kun je niet ontkennen.'

'Nee, hij was een fijne broer. Niemand had liever of zorgzamer kunnen zijn.'

'Zie je wel? Hij kon er niets aan doen. Het was mijn schuld.' Hij draaide zich om. 'En zijn dood is ook mijn schuld. Hij zou nooit in handen van Trask gekomen zijn als ik er niet was geweest.' Met een ruk keek hij haar weer aan. 'Jij vindt dat ik geen goede vader voor je ben geweest. Dat alles om Jason draaide.' Verdedigend stak hij zijn kin in de lucht. 'Misschien heb je daarin gelijk. Ik had een verplichting aan hem. Het spijt me, maar daarin was geen plaats voor jou.'

Ze staarde hem aan zonder antwoord te geven.

Hij mompelde: 'De begrafenis is overmorgen.' Hij draaide zich opnieuw om en verliet de kamer.

Ze deed haar ogen dicht toen de tranen weer begonnen te stromen. Ze wist niet precies of ze om haar moeder huilde, of om Jason, of om de vader die ze nooit had gehad. Misschien wel om allemaal.

Jezus, wat deed het pijn.

Tegen de ochtend viel ze eindelijk in slaap.

Toen ze een paar uur later wakker werd, zat Silver naast haar bed met haar hand in de zijne.

'Niet zeggen dat ik weg moet,' zei hij hees. 'Ik ga niet. Ik zal je niet lastigvallen. Ik moet gewoon... Ik wil alleen maar bij je zijn.'

Hij was op de meest intieme manier bij haar, en ze wilde hem nog niet buitensluiten. Ze had behoefte aan die troostende nabijheid. 'Je weet van... Jason?'

'Uiteraard. Je brein heeft lopen gillen vanaf het moment dat je ontdekte dat het huis in brand stond. Dat is de reden dat ik omgedraaid ben en terugkwam.' Hij perste zijn lippen op elkaar. 'En het duurde een eeuwigheid voordat dat gegil stopte. Pas toen je hier lag ging het langzaam over in een soort snikken. Je denkt toch niet dat ik me afzijdig kon houden terwijl jij zo'n pijn had?'

Ze probeerde te glimlachen. 'Nou ja, je hebt me in ieder geval niet geprobeerd te repareren.'

'Ik ben in de verleiding geweest. Maar dat zou je herstelproces vertragen. Je zult zelf door de pijn moeten.'

'Ja, dat weet ik. Ik... ik hield echt van Jason, Silver.'

'Dat weet ik. Nu weten we in ieder geval waarom je je niet wilde herinneren wie het huis in brand had gestoken. Je kon het niet aan om te weten dat de enige persoon van wie je hield daarvoor verantwoordelijk was.'

'Ik kan het nog steeds niet aan.' Jezus, nu niet weer huilen. Ze veranderde van onderwerp. 'Hoe is het afgelopen met Ki Yong?'

'George heeft afgerekend met hem en zijn chauffeur. Bijzonder efficiënt, bijzonder dodelijk. Ik heb Travis gebeld om een ploeg hierheen te sturen om de lijken op te ruimen en een diplomatieke rel te voorkomen.'

'En Firestorm?'

'Vernietigd. We zijn nog steeds op zoek naar Trasks thuisbasis om beslag te kunnen leggen op eventuele documenten. We hebben een paar benzinebonnen in zijn auto gevonden die ons misschien wat antwoorden kunnen geven. Zo niet, dan blijven ze gewoon zoeken.'

'Ze zullen alles moeten vinden. Anders kan iemand anders misschien... Armageddon. Gevaarlijk.'

'Ze vinden het wel. Maak je geen zorgen. Ga maar weer lekker slapen.'

'Dat doe ik zeker. Ik wil niet wakker zijn. Het doet zo'n pijn...'

'Dat weet ik.' Hij gaf een kneepje in haar hand. 'Het wordt beter.'

'Ik hoop het.' Hakkelend zei ze: 'Ik reis meteen na de begrafenis door naar Atlanta. Zou jij Sam zo snel mogelijk door iemand naar mijn huis daar willen laten brengen? Ik moet weer aan het werk.'

Hij knikte. 'Ik zal er zelf voor zorgen.'

Ze schudde haar hoofd.

Hij haalde zijn schouders op. 'Ik vond dat ik een poging moest wagen. Het geeft niet. Ik zal je de ruimte geven.' Hij zweeg even. 'Hoe lang?'

'Ik kan niet... Ik weet het niet. Misschien is het beter als we ieder ons eigen weg gaan.'

'Ik pieker er niet over. Hoe lang?'

'Zit niet zo te duwen.'

'Waarom niet?' Hij trok een scheve grijns. 'Daar ben ik goed in. Dat vond je toch mijn meest waardevolle kant?' Hij stond op. 'Maar je bent nu een te gemakkelijke prooi. Ik zal je een periode van rouw bieden.'

Ze wendde haar blik af. 'En ik wil dat je probeert onze band te doorbreken.'

Hij verstrakte. 'Je liegt.'

'Het wordt tijd dat we allebei weer vrij zijn.'

'Dan verbreek je hem zelf maar. Ik vind het namelijk wel prima zo.'

'Waarom? Je hebt zelf tegen me gezegd dat je het altijd vreselijk vindt.'

'Dat weet je best.' Hij boog zich naar voren, pakte haar kin en draaide haar gezicht naar zich toe. 'Als je het tenminste aan jezelf toe durft te geven. Vertel me maar eens: hoe lang wil ik nog aan je vastzitten? Hoeveel jaar? Op hoeveel manieren?'

Het lukte haar niet haar ogen los te maken van de zijne. Het was de allereerste keer dat hij zich helemaal blootgaf aan haar. Open, kwetsbaar en eenzaam. Lieve God, doodeenzaam.

Het moment leek een eeuwigheid te duren. Uiteindelijk was het Silver die het verbrak door zijn hoofd af te wenden. 'Ik zal bij je uit de buurt blijven zolang me dat lukt.' Hij liep de kamer uit.

Jezus, ze huilde alweer. Het sloeg nergens op. Hij stond voor alles dat prikkelbaar en grof en overheersend was, en een leven met hem zou haar nooit de normaliteit bieden waar ze al die jaren naar had verlangd. Ze had er goed aan gedaan om een volledige breuk met hem te willen. Het was het slimste, verstandigste wat ze kon doen.

En dit gevoel van verlatenheid zou wel overgaan.

De lange stroom auto's reed weg van de begraafplaats toen Kerry naar de limousine liep waar Laura met haar vader stond te praten.

Niet omkijken naar de tent waar de kist onder stond. Hou je ogen op Laura gericht. Je kan het aan.

Laura keek om toen Kerry eraan kwam. Haar ogen waren rood van het huilen en ze zag er verwilderd en ... oud uit. 'Het was een mooie dienst, hè? Er waren zoveel mensen die van hem hielden, en...' Laura's stem brak en ze kon niet verder praten. Ze ademde diep in voor ze verder ging. 'Ron vertelde me net hoe moedig hij is geweest. Hij was een echte held.'

Kerry's ogen gleden naar haar vader. Hij zag er bijna net zo gebroken uit als Laura. 'Inderdaad.'

'Maar ik heb altijd geweten wat een fantastische man Jason was.' Ze schudde Ron Murphy de hand. 'Bedankt dat u zo lief voor

me bent. Ik weet dat het niet eenvoudig moet zijn geweest om over die avond te praten, maar het betekent heel veel voor me.'
'Bel me als ik iets voor je kan doen. Jason zou gewild hebben dat ik voor je zorgde.' Hij wierp een blik op Kerry en zei onhandig: 'Tot ziens, Kerry.' Met snelle passen liep hij naar zijn auto die achter de limousine geparkeerd stond.
Kerry vroeg aan Laura: 'Wil je dat ik met je mee terugga naar het hotel?'
Laura schudde haar hoofd. 'Ik ga naar mijn moeder. Ik denk dat ik aan de slag ga met haar tuin. Ik moet iets doen, en tuinen zitten vol leven en nieuwe kansen.' Ze probeerde te glimlachen. 'Grappig hoe we terugkeren naar onze baarmoeder als er iets tragisch gebeurt, is het niet? Eigenlijk hebben we ons nauwelijks ontwikkeld sinds de tijd dat we in holen leefden.'
'Ik vind het een goed plan.' Kerry omhelsde haar en deed een pas naar achteren. 'Ik bel je over een paar dagen.'
Laura knikte. 'Ja, dat is goed.' Ze stapte in de limousine. 'Maar niet te snel. Later...'
Kerry keek de limousine na toen hij van de stoeprand weggleed. Leven en nieuwe kansen. Zelfs in haar wanhoop zocht Laura naar de betekenis en de toekomst van het leven. Ze wenste dat ze zelf zover was met haar rouwproces.
'Kerry?'
Nadat ze zich met een ruk had omgedraaid, zag ze Carmela staan. 'Wat doe jij hier in godsnaam?'
Carmela gaf geen antwoord, maar liet haar ogen over het dekzeil boven het graf glijden. 'Wat een klotezooi. Ik vind het heel erg voor u.'
'Dank je. Lief van je om hierheen te komen.'
Het meisje schuifelde ongemakkelijk heen en weer. 'Nou ja, daar ben ik eigenlijk niet alleen voor gekomen. Ik heb het niet zo op begrafenissen.'
'Ik ook niet. Maar, vertel eens, waar ben je dan voor gekomen?'
'Om voor u te zorgen.'
'Wat zeg je?'
'Meneer Silver zei dat er iemand voor u moest zorgen. Hij zei dat u nogal eenzaam was en dat dat niet goed was. Hij vond het een mooi baantje voor Rosa en mij.' Ze ging snel verder met

haar verhaal toen Kerry haar wilde onderbreken. 'Ik heb toch gezegd dat ik bij u in het krijt sta? Voor wat hoort wat. En ik kan van alles. Ik kan heel goed koken en schoonmaken. Binnenkort mag ik mijn rijbewijs halen en dan kan ik de boodschappen doen. Ik ga wel terug naar school, maar Rosa kan ook helpen.'

Verbijsterd schudde Kerry haar hoofd. 'Silver heeft je hierheen gestuurd?'

Het meisje knikte. 'Hij heeft ons gisteravond opgehaald en hier naartoe gebracht. Hij zei dat hij eerst iets anders voor ons had bedacht, maar dat dit beter was. Hij wist dat ik niet bij vreemde mensen in huis zou willen zijn. Ik vertrouw niet zoveel mensen.' Ze likte over haar lippen. 'Dus heb ik gezegd dat ik voor u zou zorgen. Rosa en ik hebben onze spullen gepakt en toen heeft meneer Silver ons hier afgezet.'

'En waar is Rosa nu?'

Carmela maakte een hoofdgebaar naar het einde van de straat. 'Ik heb gezegd dat ze bij uw SUV moest wachten met Sam. Kunnen we nu gaan? Rosa houdt niet van begraafplaatsen.'

Rosa niet, of Carmela? 'Begraafplaatsen zijn verdrietig, niet eng.'

'Dat zal wel. Gaan we nu?'

Silver had niet het recht om dit te doen, verdomme. Hij probeerde haar leven te regelen, haar te repareren.

'Het geeft niet hoor. U mag het best zeggen.' Carmela stond Kerry aan te kijken. 'Meneer Silver had ongelijk, hè? U wilt ons helemaal niet.'

'Dat heb je mij niet horen zeggen.'

'Omdat u medelijden met ons hebt.' Ze stak haar kin in de lucht. 'Maar dat is nergens voor nodig, hoor. We redden ons heus wel.'

Trots, angst en veerkracht. Dat alles stond te lezen op haar gezicht.

En het zicht op een nieuw leven en nieuwe kansen.

'Nee, Silver had gelijk.' Ze pakte Carmela's arm en liep met haar naar de auto. 'Ik heb jullie nodig. Ik ben heel slecht in huishoudelijke zaken en ik ga jullie flink afbeulen. En jullie zullen helemaal gek worden van Sam. Je hebt geen idee wat een troep die hond maakt.' Ze versnelde haar pas toen ze Rosa in het oog kreeg. 'En ik heb een tuin die ik schromelijk verwaarloosd heb. Ik wil er iets moois van maken. Kunnen Rosa en jij een beetje tuinieren?'

Oakbrook
Elf maanden later
'Dat werd tijd.' Georges glimlachende gezicht lichtte op toen hij de voordeur opentrok. 'Ik was bijna weg geweest. Brad is niet te genieten.'

'Er is dus niets veranderd.' Glimlachend keek ze hem aan. 'Zet u schrap. Ik ga iets doen dat geheel tegen uw principes is.' Ze stapte op hem af en gaf hem drie snelle zoenen op zijn wang.

Hij zuchtte: 'Sommige mensen weten gewoon echt niet hoe het hoort.'

'Ik heb geen gedag gezegd. Dus nu zeg ik hallo. Nu staan we weer quitte. Ik wist niet zeker of u hier nog zou zijn, George.'

'Hoezo niet? Ik laat nooit onafgewerkte zaken achter. Dat geeft maar troep.'

'Ik dacht dat u deze zaak als afgedaan beschouwde.'

Hij schudde zijn hoofd. 'Nee, maar het begint in de buurt te komen. Hoe is het met onze Carmela?'

'Goed. Zij en Rosa zitten allebei op school en daar doen ze het goed. Ik weet niet wat ik zonder ze gemoeten had. Geen betere remedie tegen blijven hangen in het verleden dan twee tieners in huis. Die leven van top tot teen in het heden.'

'Dat was precies Silvers bedoeling toen hij ze naar u toe stuurde.'

'Dat weet ik.' Ze keek langs hem heen naar de deur van de bibliotheek.

Daar zat hij. Ze voelde het gewoon.

En binnen niet al te lange tijd zou ze hem zien, aanraken.

'Ik krijg het gevoel dat ik hier overbodig ben,' zei George. 'Hebt u bagage bij u?'

'Alleen Sam.' Ze was al onderweg naar de bibliotheek. 'Wilt u hem uit de auto halen?'

'Met alle plezier. Ik ben al in geen maanden omvergelopen of afgelikt.'

Ze bleef staan voor de deur. Stom om zo bang te zijn. Ze wist wat er in die kamer op haar wachtte.

Ze deed de deur open.

'Christus, je hebt er wel de tijd voor genomen, zeg,' mopperde Silver toen hij zich van het raam afwendde. 'Als ik niet het geduld van Job bezat, dan had je grote problemen gehad.'

Ze begon te lachen. 'Geduldig? Jij? Probeer je me nu wijs te maken dat je me al niet zeker drie weken aan het duwen bent?'

Hij zweeg even. 'Goed, een beetje misschien. Maar je had me makkelijk weg kunnen duwen.'

'Ja, dat is waar. En dat had ik ook moeten doen. Je moet leren dat ik mijn eigen beslissingen neem. Je hebt mazzel dat ik voor die tijd al een beslissing genomen had.'

Hij stond doodstil. 'Waarover?'

'Dat ik me niet door je moet laten koeioneren, dat ik heel goed voor mezelf kan zorgen, en dat er geen enkele reden is om niet te doen wat ík wil.'

'En dat is?'

Ze keek hem lachend aan. 'Zeg jij het maar.' Ze liep door de kamer naar hem toe. Jezus, wat hield ze van die man. Ze hield van al zijn scherpe kantjes, elke beschermende blokkade, en van die kwetsbaarheid die hij aan niemand anders dan aan haar liet zien. 'Kom maar binnen en kijk zelf maar.'

Hij keek haar aan en langzaam lichtte zijn gezicht op. 'Dat zal ik doen.'

Verbonden.